徹底ガイド
心臓血管外科 術後管理・ケア

第2版

日本赤十字看護大学 看護学部
山中源治
編集
東京女子医科大学大学院 看護学研究科
小泉雅子

総合医学社

第２版の序

本書『徹底ガイド心臓血管外科 術後管理・ケア』は，初版から７年が経過して第２版を発行することになった．近年，高齢心不全患者が大幅に増加する「心不全パンデミック」に警鐘が鳴らされており，「健康寿命の延伸等を図るための脳卒中，心臓病その他の循環器病に係る対策に関する基本法（平成30年法律第105号）」が成立し，包括的な循環器病対策の推進は喫緊の課題である．それは，心臓血管外科領域においても例外ではなく，迅速かつ適切な治療体制の整備が必要不可欠であり，メディカル・スタッフにはより一層，質の高い術後管理と退院教育，在宅療養支援が求められる．

そこで第２版では，新たに最先端カテーテル治療である「TAVI」および「MitraClip®」や，最低限知っておきたい補助循環の知識として「IABP」「ECMO」「IMPELLA®」「VAD」についても取り上げる．また，これらの治療・ケアの根拠や臨床現場における看護師の疑問について，平易かつ系統立てて解説することにより，苦手意識の改善につながる可能性がある．さらに「先天性心疾患の術後管理・ケア」についても，初版に引き続き大胆に取りあげている．専門書として，ここまで心臓血管外科手術の管理・ケアを幅広く網羅し，かつ平易に解説したものはあまり見当たらない．そのため，本書は成人・小児にとらわれず心臓血管手術後の管理・ケアに携わる看護師を含むさまざまなメディカル・スタッフの道標として，臨床実践や教育に役立てていただければ幸いである．

最後に本書の出版にあたり，編集者の希望や無理な要望を快く受け入れて，ご多忙な折に時間を割いて執筆に反映してくださった，情熱あふれる先生方に心からお礼を申し上げたい．また，最新化に向けた細やかな編集作業にご尽力をいただいた，担当者の渡瀬保弘氏に深謝申し上げる．

注）TAVI：経カテーテル的大動脈弁留置術　MitraClip®：経皮的僧帽弁クリップ術
IABP：大動脈内バルーンパンピング　ECMO：体外式膜型人工肺
IMPELLA®：補助循環用ポンプカテーテル　VAD：補助人工心臓

令和４年３月

日本赤十字看護大学 看護学部
山中　源治

東京女子医科大学大学院 看護学研究科
小泉　雅子

執筆者一覧（掲載順）

編集

山中　源治　日本赤十字看護大学看護学部
小泉　雅子　東京女子医科大学大学院 看護学研究科

執筆

津久井宏行　Excela Health Westmoreland Hospital
荒井　知子　杏林大学医学部付属病院 看護部
村田　洋章　防衛医科大学校医学教育部看護学科 成人看護学
清野　雄介　東京女子医科大学 集中治療科
堀部　達也　東京女子医科大学病院 リハビリテーション部
髙橋　知彦　慶應義塾大学看護医療学部
正垣　淳子　神戸大学大学院保健学研究科
水谷　美緒　東京女子医科大学病院 看護部
相良　　洋　岡山市立総合医療センター岡山市立市民病院 看護部
山口　庸子　東京慈恵会医科大学附属病院 ICU
飯塚　裕美　亀田総合病院 高度臨床専門職センター，卒後研修センター
大森さゆり　心臓血管研究所付属病院 ICU
佐藤　麻美　心臓血管研究所付属病院 ICU
立石　　実　聖隷浜松病院 心臓血管外科
齋藤　大輔　関東中央病院 看護部（ICU・救急外来）
武澤　　真　福井大学医学部附属病院 集中治療部
山内　英樹　東邦大学看護学部 成人看護学
榊原　　亮　東京女子医科大学病院 看護部
矢口　　和　東京女子医科大学病院 看護部
梅田　亜矢　国立国際医療研究センター病院 看護部

目　次

Ⅰ．心臓血管外科周手術期に必要な基礎知識

Ⅱ．病態からみた術後管理・ケア

Ⅲ．モニタリングと補助循環の理解

Ⅳ．文献レビュー

I

心臓血管外科
周手術期に
必要な基礎知識

心臓血管外科の動向

～まだまだ増え続ける？ 心臓外科手術～

- 心臓血管外科領域における疾患別の動向を理解する．
- 最近における変化を理解する．

増え続ける心臓外科手術 図1

- 心臓血管外科手術数は，年々増え続けています．日本胸部外科学会が統計調査を開始した1987年には年間20,000例程度でしたが，近年は約70,000例程度で推移しています．手術数増加の原因は，日本人の生活習慣の欧米化や高齢化にともなう循環器疾患の増加や，診断技術の進歩により，これまで見逃されていた疾患を正確に診断できるようになったことが寄与しています．また，手術技術やデバイス性能の向上により，

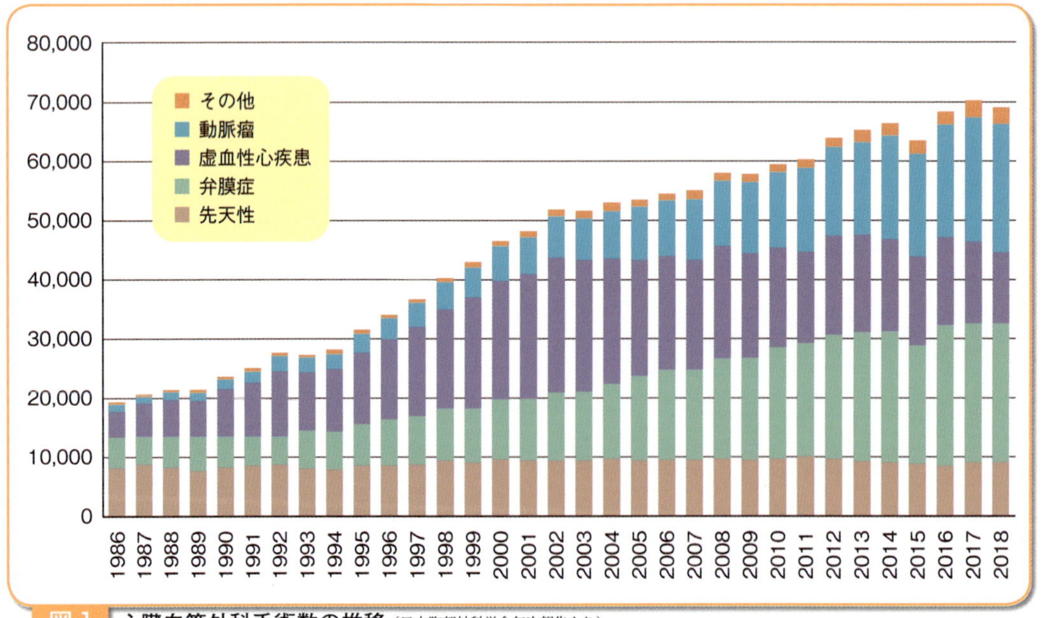

図1 心臓血管外科手術数の推移（日本胸部外科学会年次報告より）

これまで手術が不可能と考えられていた患者さんにも，手術が可能になったことも一因です．

- 今後，高齢人口の増大が進むわが国では，さらに心臓外科手術が増えることが予想され，その治療にあたる医療従事者の役割がますます重要になっていくことでしょう．

弁膜症手術は高齢化と TAVR の出現により増加著しく 図2 図3

- 心臓血管外科の手術数は年々増加していますが，その内容に目を向けると変化が読み取れます．弁膜症手術は急増しており，2002 年には年間約 11,000 例でしたが，2018 年には年間約 23,205 例に達しました．弁膜症手術のなかでも，高齢化にともない**大動脈弁狭窄症**が急激に増加しています．
- 1996 年には年間 4,000 例弱であった**大動脈弁置換術（aortic valve replacement：AVR）**が，2018 年には年間 13,000 例まで増加しました．また，高齢化にともない，使用される人工弁の選択において，**生体弁**の割合が増加しています．1996 年には**機械弁**と**生体弁**の比率が 10：1 でしたが，2018 年には 1：5 と逆転しています．2013 年には**経カテーテル的大動脈弁置換術（transcatheter aortic valve replacement：TAVR）**が保険償還となり，これまで surgical AVR（SAVR）が難しいと

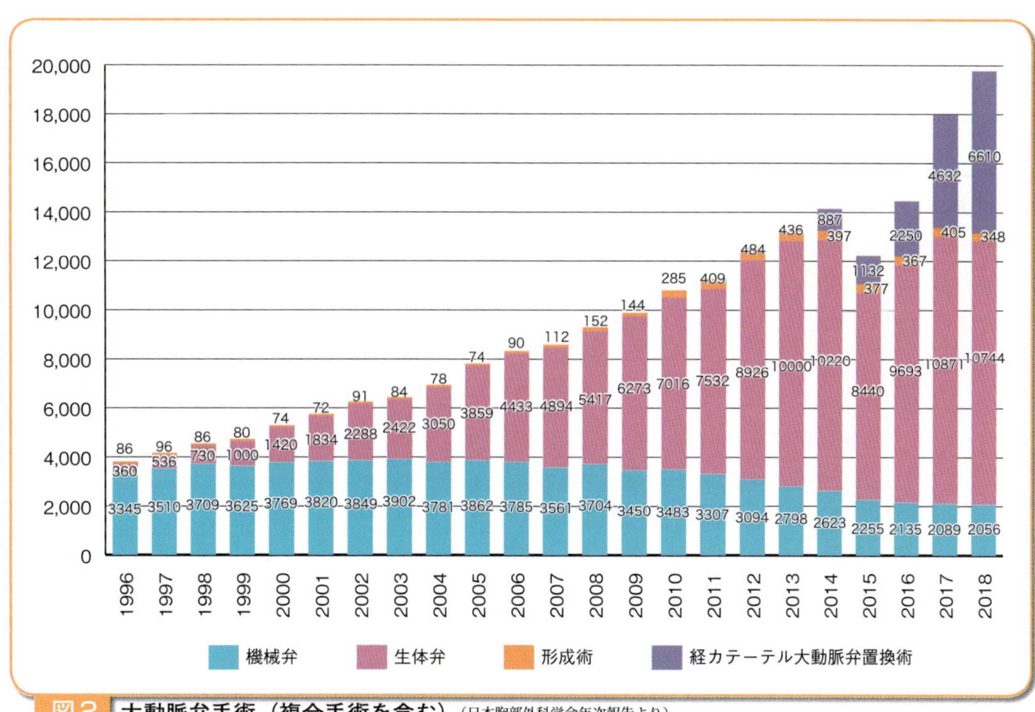

図2 大動脈弁手術（複合手術を含む）（日本胸部外科学会年次報告より）

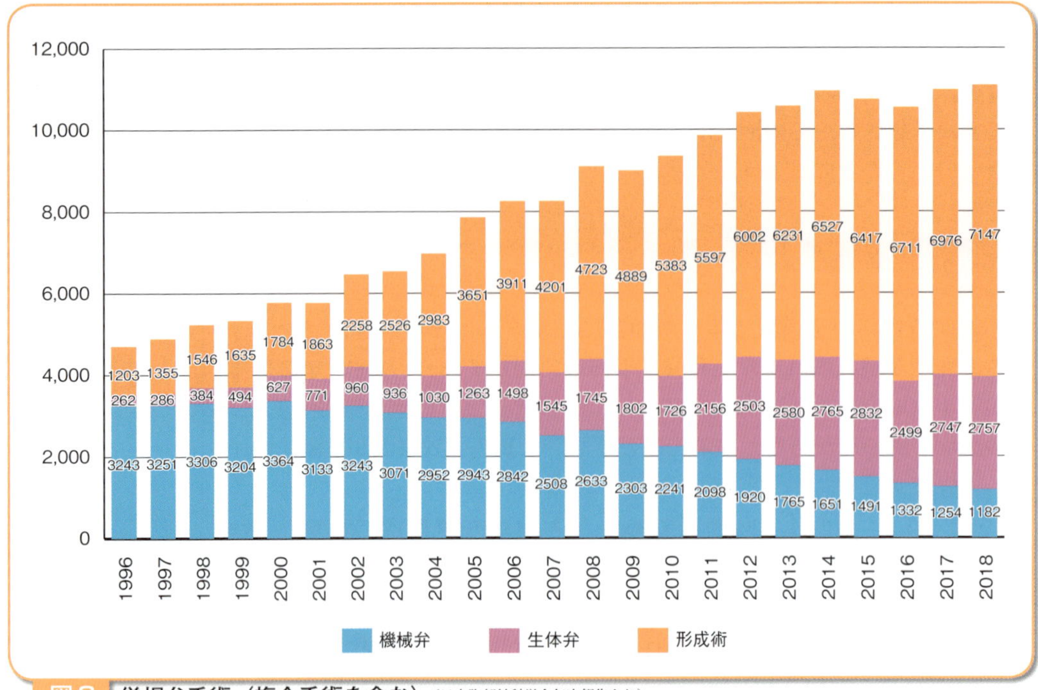

図3 僧帽弁手術（複合手術を含む）（日本胸部外科学会年次報告より）

されてきた患者さんにも施行可能となりました．近年，症例数が急激に増加しており，2018 年には 6,610 例が施行され，今後も増加することが予想されます．また，近年では**大動脈弁閉鎖不全症**に対する**大動脈弁形成術**が積極的に導入されるようになってきました．

- 僧帽弁手術は増加傾向にあり，2018 年には 11,000 程度施行されました．手術内容は，リウマチ熱に起因する**僧帽弁狭窄症**（mitral valve stenosis：MS）の減少にともなって，**僧帽弁置換術**（mitral valve replacement：MVR）の割合は減少傾向にあります．**僧帽弁閉鎖不全症**（mitral valve regurgitation：MR）に対する**僧帽弁形成術**（mitral valve repair）が年々増加し，僧帽弁手術の約 65 %が僧帽弁形成術となっています．

ステントの発展により症例数が激増中の動脈瘤手術 図4

- 動脈瘤に対する手術は，2002 年には約 7,000 例でしたが，2018 年には約 21,000 例と 3 倍となりました．とくに，2010 年以降は，**ステントグラフト内挿術**（thoracic endovascular aortic repair：TEVAR）が増加しており，2018 年には，症例数が約 5,700 例に達しました．これまで開胸手術に不向きだった高齢者や重症な合併症を有した患者さんが，新しい技術により救命できる時代になりました．

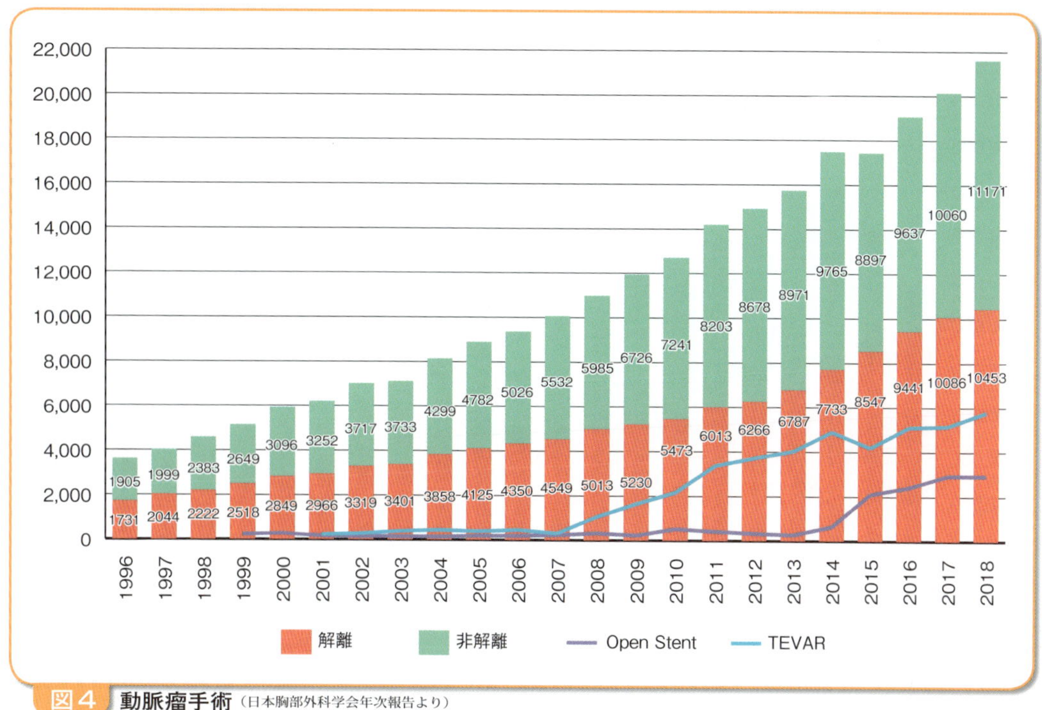

図4 動脈瘤手術（日本胸部外科学会年次報告より）

重症症例が適応になる傾向の冠動脈バイパス術 図5

- 虚血性心疾患に対する**冠動脈バイパス術**（**coronary artery bypass grafting：CABG**）は，2002年には単独CABGが年間約22,000例行われていましたが，2018年には約12,000例まで減少しました．これは，**経皮的冠動脈形成術**（**percutaneous coronary intervention：PCI**）において，再狭窄防止効果が期待される**薬剤溶出性ステント**（**drug-eluting stent：DES**）の出現により，PCIで治療する症例が多くなったことに起因しています．
- しかしながら，CABGとDESを比較した複数の大規模試験より，「左主幹部病変」，「三枝病変」，「糖尿病」など，重症症例においては，長期成績においてCABGの優位性が確認されています．また，日本では，人工心肺を使用せず，心拍動下にCABGを行う**OPCAB**（**off-pump CABG**）の割合が60％程度となっており，諸外国と比較してその割合が高くなっています．また，患者さんの重症化にともない，他の心臓手術とともにCABGを同時に行う症例数は増加傾向にあります．

少子化にもかかわらず症例数が安定している先天性心疾患

- 先天性心疾患は，少子化傾向にもかかわらず，過去10年間は，年間

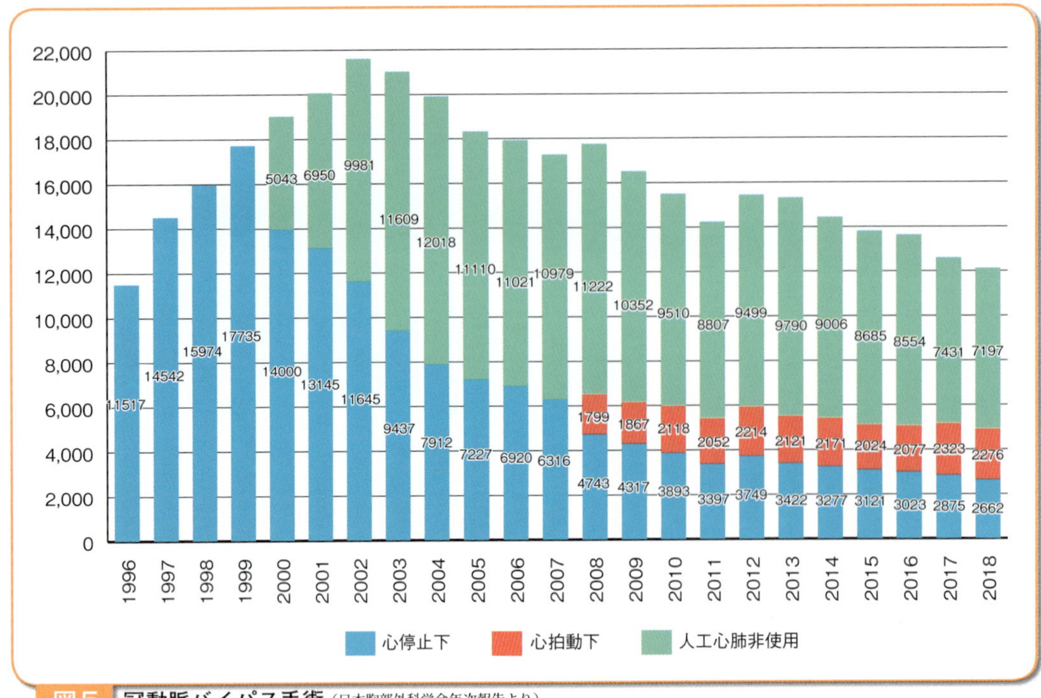

図5 冠動脈バイパス手術（日本胸部外科学会年次報告より）

9,000〜10,000 例で推移しており，その約 80 %が体外循環を使用する症例となっています．かつて開心術により行われてきた治療の多くが，カテーテル治療に移行しつつあります．

重症心不全治療として，心臓移植と左室補助人工心臓が定着 図6 図7

- 1997 年に心臓移植登録が開始されてから，1999 年から 2009 年の 10 年間は，**心臓移植**（heart transplantation：HTx）数は 0〜11 例/年にとどまりましたが，2009 年 7 月に「改正臓器移植法案」が成立し，提供する意思を書面で表示をしている人に加え，本人の書面による意思表示がない場合（提供しない意思表示をしている場合を除く）でも，家族が脳死判定の実施および脳死と判定された後の臓器の摘出について書面により承諾した場合は，脳死後の臓器提供ができることになりました．近年は，心臓移植が増加傾向にあり，2019 年には 84 例が施行されました．しかしながら，同時に移植待機患者さんも増加し，2021 年には 900 名超が待機中となっており，より多くのドナーが必要とされています．
- 心臓移植を受けるまでの間，bridge-to-transplant（BTT）として，**左室補助人工心臓**（left ventricular assist device：LVAD）植込み術が行われてきました．2011 年 4 月に植込型 LVAD が保険償還されて以来，

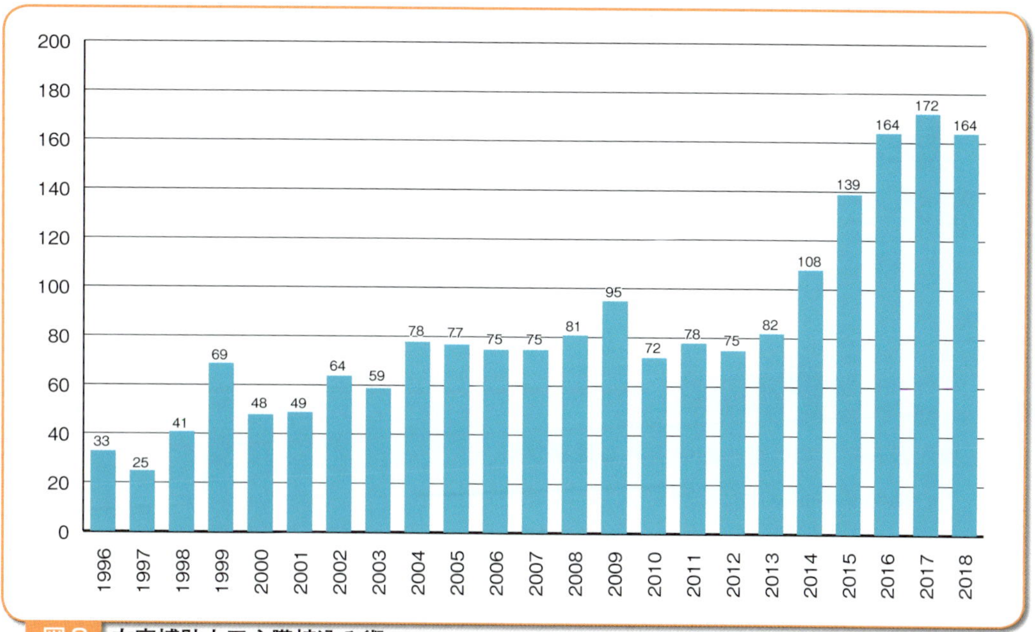

図6 左室補助人工心臓植込み術（日本胸部外科学会年次報告より）

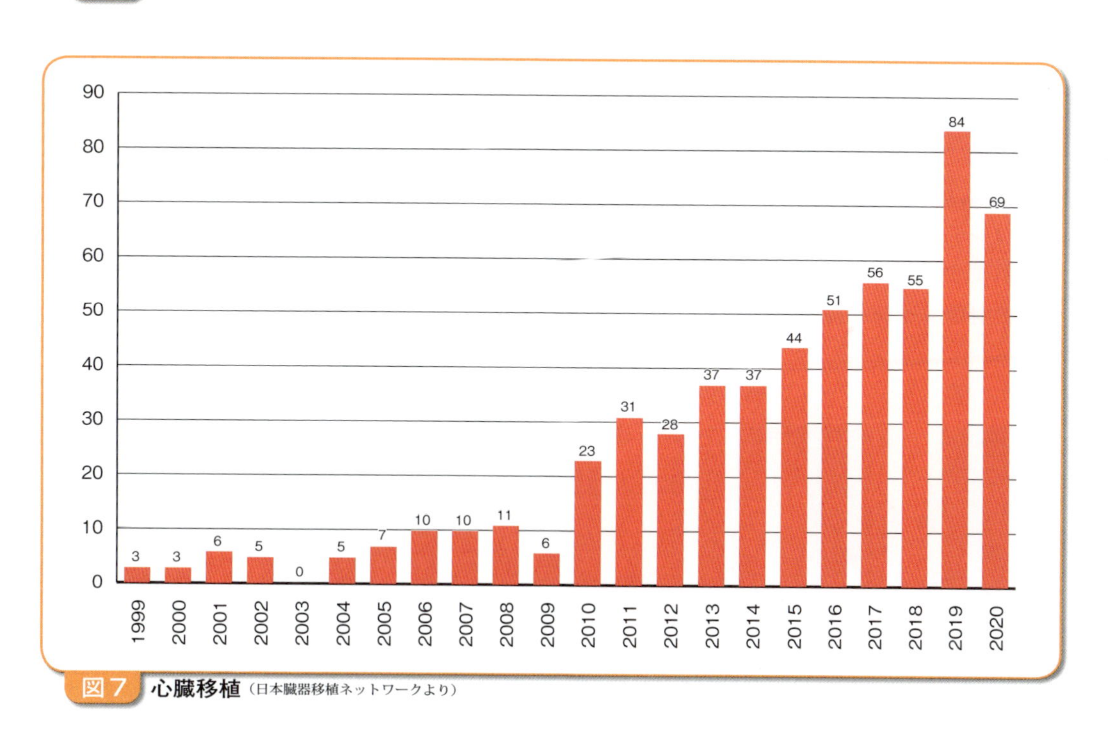

図7 心臓移植（日本臓器移植ネットワークより）

年々症例数が増加し，2016 年以降 160～170 例/年程度施行されています．今後は，心臓移植を前提としない destination therapy としての LVAD 植込み術が増加していくと予想されています．

（津久井宏行）

心臓血管外科手術の基本的な流れ
～意外とシンプルな開心術の流れ～

- 心臓血管外科手術の基本的な流れを理解する．
- 人工心肺の基本的構造を理解する．
- ドレーンやペーシングリードの役割を理解する．

手術は麻酔の導入から 図1

- 手術室入室後，麻酔科医によって麻酔が導入されます．麻酔には，**鎮静薬**，**筋弛緩薬**が使用されます．麻酔導入とともに，患者さんは痛みを感じなくなり，意識，自発呼吸もなくなるため，**気管内挿管**をして，**人工呼吸器**に接続することで呼吸を維持します．
- その後，術中の循環動態を把握するための**心電図**，**動脈圧カテーテル**，**スワン・ガンツカテーテル**，**尿道カテーテル**，**経食道エコー**の留置が行われます．また，薬剤や輸液・輸血を投与するための**末梢静脈ライン**や**中心静脈ライン**が挿入されます 図2 図3．

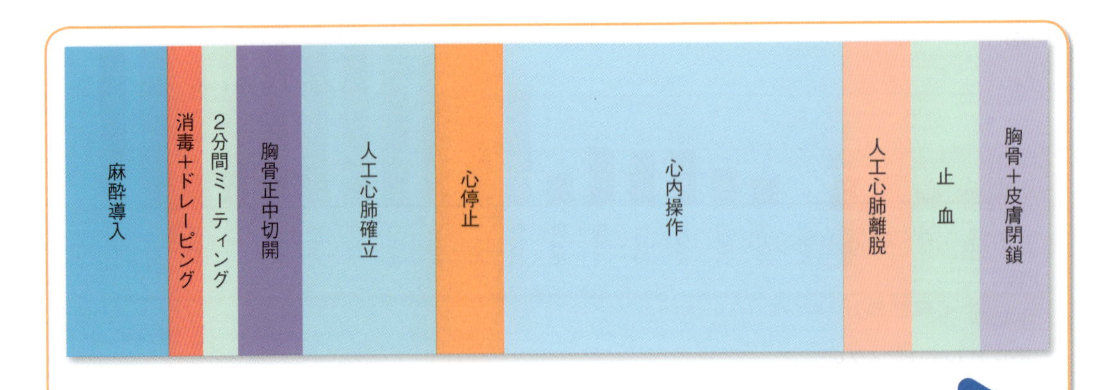

図1 心臓手術の流れ

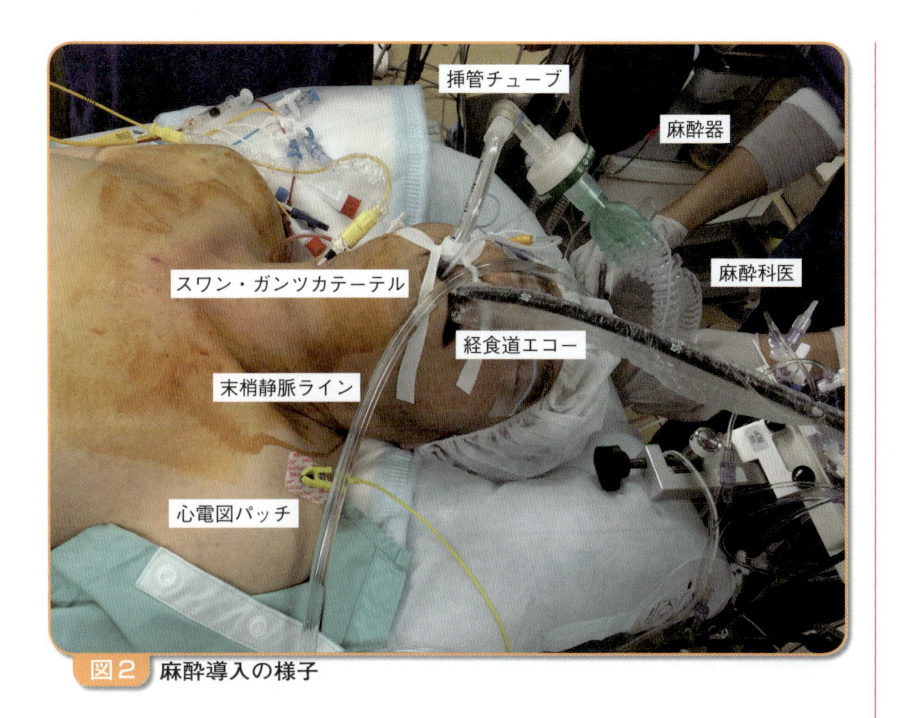

図2 麻酔導入の様子

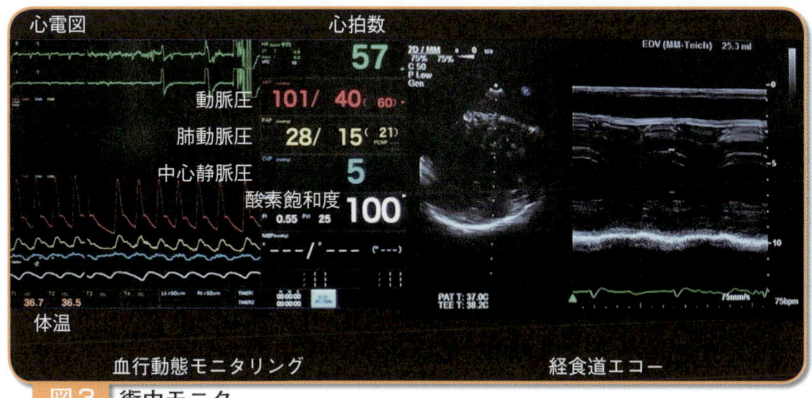

図3 術中モニタ

手術野の清潔を確保する消毒とドレーピング

- 手術野の清潔を維持するために，ポピドンヨード（イソジン®）などの消毒薬を使用して，患者の皮膚を消毒します．その後，手術野以外の部分を清潔な布で覆うドレーピングを行います．手術の種類によって，消毒やドレーピングの領域は違いがあります．

胸骨正中切開が心臓血管外科手術の基本

- 執刀に先立ち,「2 分間ミーティング」を行い, 患者さんの確認, 予定術式,術中に留意すべき点などを外科医，麻酔科医，看護師，臨床工学技士の間で確認します．

- 皮膚切開は，術式によって異なりますが，多くの開心術では，胸骨の真ん中を切開する「**胸骨正中切開**」を行って，縦隔に到達します．縦隔内には，心膜に包まれた心臓が現れ，心膜を切開すると拍動する心臓が見えるようになります．心膜を吊り糸で左右に吊ることで，心臓を露出します 図4．

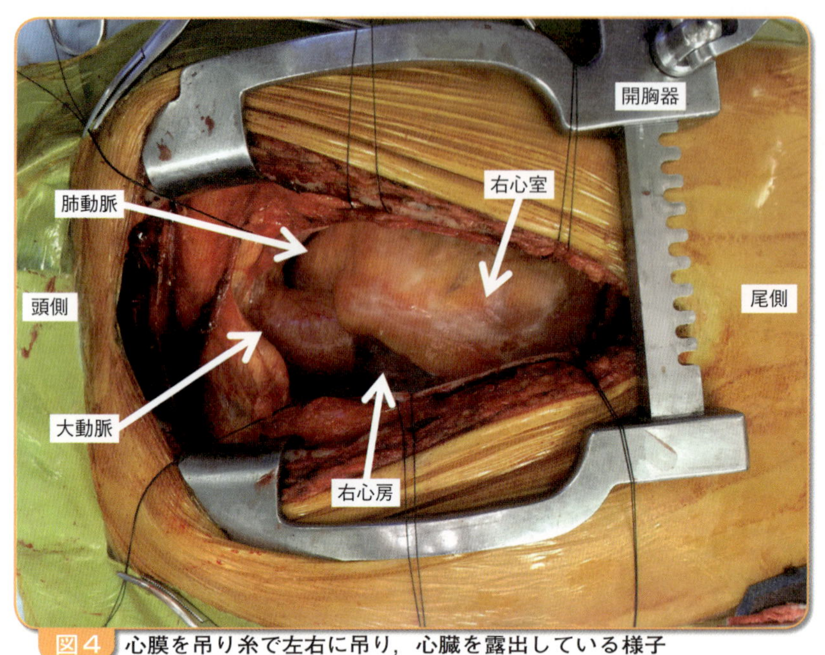

図4 **心膜を吊り糸で左右に吊り，心臓を露出している様子**

人工心肺が手術中の循環を維持します

- 心臓血管外科手術の多くは，**人工心肺**（cardiopulmonary bypass：CPB）を使用します．人工心肺の基本的な構造は，「脱血管」で静脈血を体外に抜き取り，人工肺で血液を酸素化した後，「送血管」にて動脈血を体に戻すとなっています 図5．人工心肺を使用することで，心停止下においても，循環を維持することが可能となります．「脱血管」，「送血管」を挿入することを**カニュレーション**（cannulation）といいます．「脱血管」は，右房のみの1本脱血，もしくは上大静脈＋下大静脈の2本脱血のいずれかとなります．右房を切開する手術（心房中隔欠損症，心室中隔欠損症，三尖弁手術など）では，上大静脈＋下大静脈の2本脱血を使用し，それ以外の手術（大動脈弁置換術，冠動脈バイパス術）では，右房のみの1本脱血として，人工心肺を確立することが一般的です．
- 左室の過伸展や人工心肺離脱時のエア抜きのための**ベント**が挿入されま

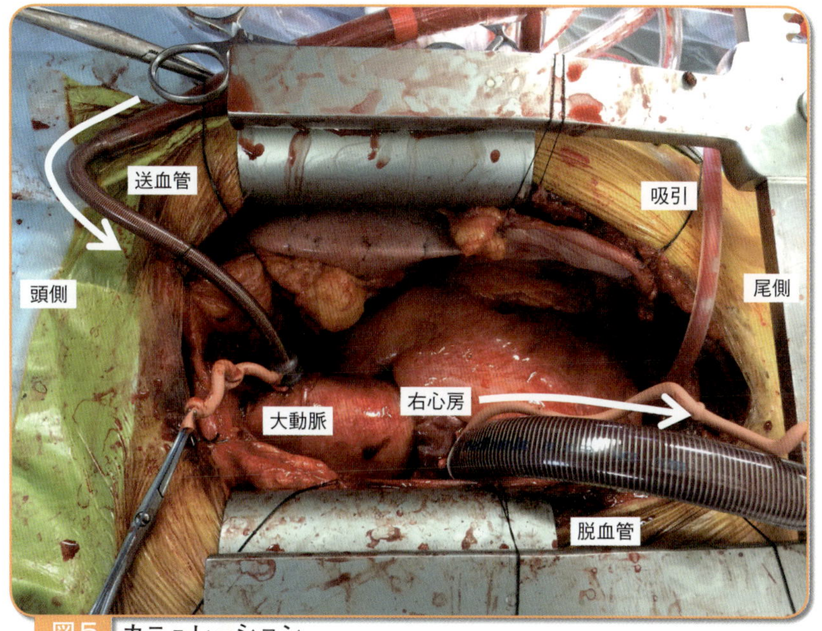

図5 カニュレーション

す．多くの場合，左心室もしくは左心房となりますが，肺動脈から挿入されることもあります．

- カニュレーションに先立って，血液が人工心肺回路内で凝固しないようにするため，抗凝固薬であるヘパリンを注入します．血液の抗凝固状態を把握するために active clotting time（ACT）を計測し，400 秒以上を維持するようにします．

心筋保護液注入で心停止

- 心臓血管外科手術の際には，心停止とし，無血視野を確保したうえで行われる手術があります．上行大動脈を遮断鉗子で遮断する〔**大動脈遮断**（aortic cross clamp：ACC）〕ことにより，遮断鉗子よりも遠位側（頭，腹部臓器，下肢など）は，送血管からの灌流によって循環が維持され，遮断鉗子よりも近位側の心臓は，血液の供給をなくすことで無血視野を獲得できるようになります．しかしながら，心臓が長時間にわたって虚血状態となると心筋障害をきたすため，**心筋保護液**（cardioplegia）を使用することで心筋のダメージを最小限に抑える工夫をしています．心筋保護液は，遮断鉗子よりも心臓側に留置された心筋保護液注入用のカニューラを通して注入することで，冠動脈を通じて心筋に注入します．
- 心筋保護液の多くは，高濃度のカリウムを含み，心筋の活動性が低下することにより，心停止にいたります．
- 心筋保護液の注入方法は，先に述べた上行大動脈から注入する「**順行性**

冠灌流」に加えて，右房内にある冠状静脈洞にカニューラを挿入し，通常の血液の流れと逆方向に心筋保護液を注入する「**逆行性冠灌流**」があります．逆行性冠灌流は，虚血性心疾患で冠動脈が閉塞しており，順行性冠灌流では心筋保護液が十分に供給できない症例や，手術中，持続的に心筋保護液を注入することで心筋のダメージを抑制する際に役立ちます．

心内操作

- 心停止を得た後は，弁置換術，弁形成術や冠動脈バイパス術，大血管手術など，予定された手術を行います．現在では，心筋保護液を使用することで長期間にわたって，心筋のダメージを抑制することが可能となりましたが，心筋虚血時間が少ないほど，心筋のダメージは小さいため，迅速な手術操作が何よりも重要となります．

遮断解除により，心拍が再開

- 心内操作が終了したら，遮断鉗子を外して，冠動脈への血流を再開します〔**遮断解除（declamp）**〕．冠動脈への血流が再開することによって，心拍が再開します．心拍再開当初は，心停止前と同じように心臓が力強く拍動することができませんので，しばらくの間は人工心肺で循環を補助し，心筋が徐々に力強く拍動するのを待ちます．麻酔科医側からは強心薬の点滴が開始され，心臓の動きを助けます．同時にベントを使用して，心臓内に残った気泡を心外に抜くようにします．気泡が冠動脈内に迷入すると，空気塞栓となり，心筋梗塞や不整脈の原因となるため，経食道エコーで観察をしながら，空気抜きを注意深く行います．
- 心臓が十分力強く拍動し，心臓内に気泡がなくなったことが確認できたら，人工心肺による補助を徐々に減少させていきます．人工心肺を停止した後は，ヘパリンによる抗凝固状態を正常に戻すために，麻酔科医側よりプロタミンを注入します．プロタミン注入時にアレルギー反応を起こし，重篤な場合にはショックに至る「プロタミンショック」を発症することがあるので，プロタミン注入時には注意深いモニタリングが重要となります．その後，脱血管，送血管を抜去し，人工心肺を終了します．

手術の仕上げは止血です

- プロタミンを注入し，ヘパリンの効果が消滅後は，切開部位や吻合部位，剥離部位からの止血を注意深く行います．開心術を受ける患者の多くは，術前に抗血小板薬や抗凝固薬を使用していることが多いことに加え，人工心肺使用にともなって，血小板機能の低下や凝固因子の減少により，止血が難しい症例もあります．その場合には，適宜，血小板や新鮮凍結血漿を輸血します.

一時的ペーシングリード挿入は術後の「命綱」

- 心臓血管外科術直後の心臓は，脈が不安定なことが多いため，ペーシングできるように**ペーシングリード**を留置します．人工心肺離脱後の脈の状態や，術前の不整脈の状態に応じて，「**心房ペーシング**」，「**心室ペーシング**」のいずれか，もしくは，両方を心臓表面に留置します．通常，「心房ペーシング」は右心房に，「心室ペーシング」は右心室に留置します．断端は，皮膚を通して，体外に出します．術後，脈が安定した頃を見計らって，抜去します．以下に説明するドレーンも含めて，人工物を体内に長期間留置することにより，感染症のリスクが高まるため，術後は不要となった時点で，できるだけ早く抜去することが重要です．

ドレーンは目的に合わせて留置部位を決定します 図6

- 止血を十分に行っても，術後には，血漿成分が血管外に漏出してくるため，心囊内に血液や漿液が貯留します．心囊内への貯留量が多くなると，心臓を圧迫する「心タンポナーデ」へと進展することがあるため，あらかじめ，貯留した液体を体外に排泄するためのドレーンを留置します．多くの場合，「**心囊ドレーン**」と「**胸骨下ドレーン**」に1本ずつ留置します．術前からの心不全の影響で，胸腔内に胸水貯留をみとめる症例では「**胸腔ドレーン**」を挿入することもあります．また，術中に胸膜が開放となり，縦隔と交通ができた症例では，術後気胸を防止するために「胸腔ドレーン」を挿入することがあります．

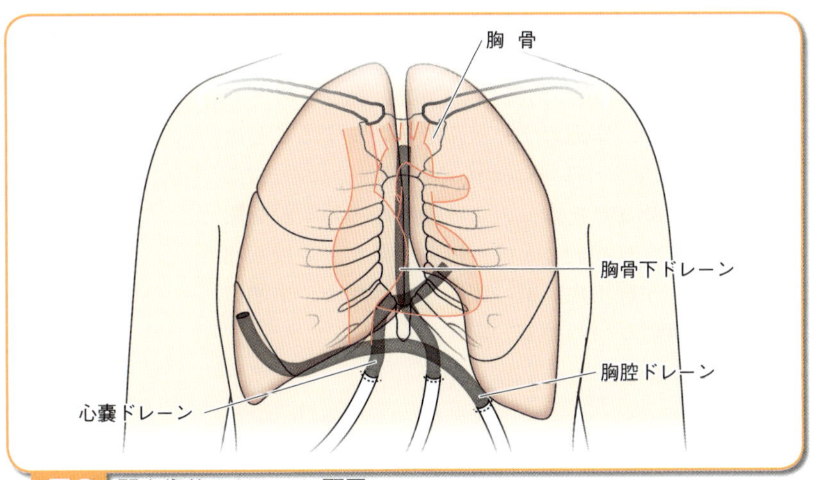

図6 開心術後のドレーン配置

（三隅寛恭：心臓・大血管の解剖生理と手術～心・大血管手術後のドレーンの配置と役割，およびその管理について～．急性・重症患者ケア 2（4）：820-827，2013 より引用）

胸骨閉鎖と皮膚縫合で手術は終了です

- 真ん中で切断された胸骨は，ワイヤを用いて閉鎖します 図7．最近のワイヤはチタン製の物が多く，術後，MRIを行うことができるようになっています．ワイヤは，術後，感染などが発生しない限り，一生涯留置することになります．
- 通常は，皮膚を2層で縫合します．現在では，埋没縫合を使用するため，通常，術後に抜糸が必要となることはありません．

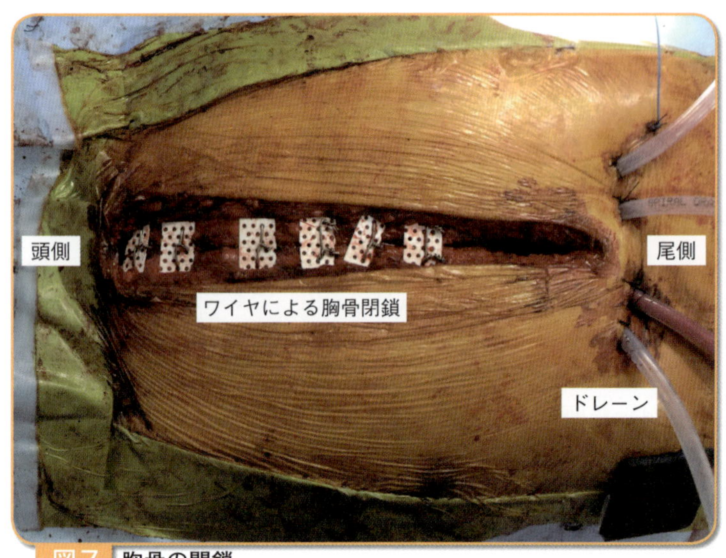

図7 胸骨の閉鎖

心臓血管外科手術後は術後管理も重要です

- 開心術の多くは他の手術と異なり，手術室で抜管せず，ICUに移動し，引き続き，循環管理を行います．手術中に留置した心電図，動脈圧カテーテル，スワン・ガンツカテーテル，尿道カテーテルをモニタすることにより，強心薬や水分管理を行います．ドレーンからの出血が少ないこと，血行動態の安定，自発呼吸が確認された後，人工呼吸器からの離脱を開始します．術前の心機能などにより症例ごとの差はありますが，長期間の人工呼吸管理や臥床は，肺炎や廃用症候群の原因となるため，早期抜管，早期離床を目指した術後管理が行われています．

参考文献

1）三隅寛恭：心臓・大血管の解剖生理と手術～心・大血管手術後のドレーンの配置と役割，およびその管理について～．急性・重症患者ケア 2（4）：820-827，2013

（津久井宏行）

周手術期から退院までの流れ

～予測によって患者の治療効果を高めるケアをしよう～

- 可能な限り術前から早期にアセスメントとケアを始める．
- 周手術期全体の流れを把握し，患者個人の問題も合わせて俯瞰することで全体像の総合判断を行う．

患者の術後回復力を強化するために，患者の全体像からケアを組み立てよう

- 周手術期（perioperative period）は，術前外来，麻酔，手術，回復まで患者の術前後の期間を含めた一連の期間を指します．近年，周手術期患者に対し，術後回復能力強化プログラムであるFast-track recovery program[1,2]などが検討され 図1 ，各施設で部分的あるいは全体的に導入されています．
- 看護師には，**患者の回復を促進する専門職の一員として，入院から退院までの経過を見通して患者をみることが求められます**．そして個人に合わせた術前後のケアを計画し，必要なケアが実施されるよう同・多職種へ調整することが期待されています．

術前：患者のリスクを評価し，合併症予防ケアをコーディネートしよう

- 術前リスク評価では，病歴—診察—検査結果を網羅して確認する必要があります．緊急手術，腎機能障害，高齢，低左心機能，COPD①，肾機能障害，脳血管疾患，糖尿病は回復遅延や合併症のリスクを高めるとされます[3,4]．全身状態に応じた診療科受診を行っているため，他科コンサルテーション結果の確認が大切です．う歯，喫煙は呼吸器系合併症のリスク因子である[3,4]ため，口腔機能評価およびケア，禁煙指導が必要です．また，皮膚感染や創傷は創部感染のリスク因子となります．身体査定を行い，術後回復への影響を見積もります．
- 術前からリハビリテーション指導を実施し，患者の積極的な回復行動が期待できたという報告[5]がなされており，**術前からの早期介入が鍵**にな

① COPD：
chronic obstructive pulmonary disease（慢性閉塞性肺疾患）．

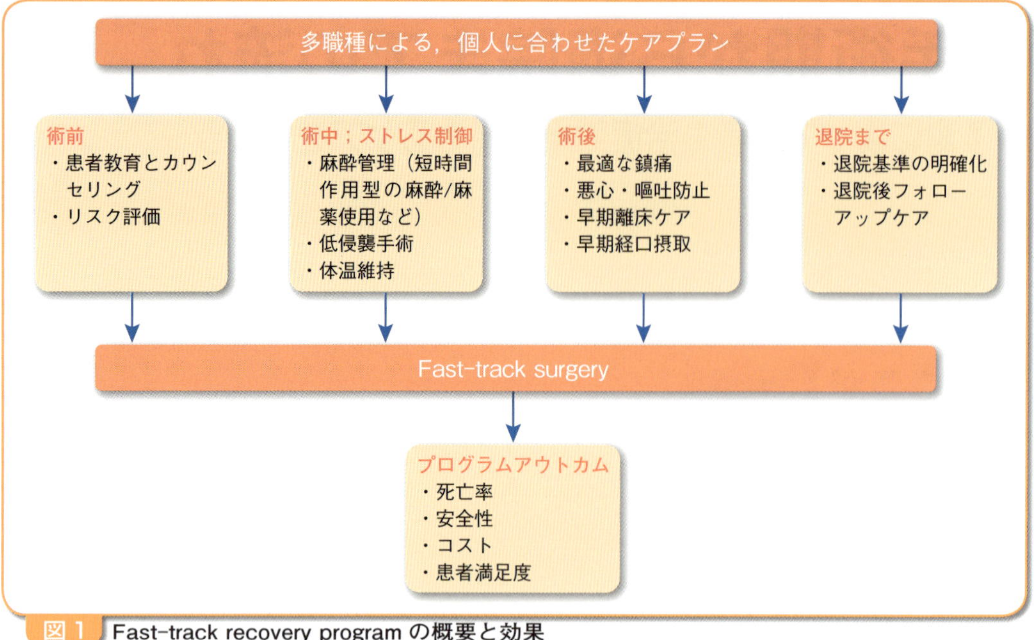

図1 Fast-track recovery program の概要と効果

（Wilmore DW, Kehlet H：Management of patients in fast track surgery. BMJ 322（7284）：473-476, 2001 を参照して作成）

るといえます．

手術中：手術と麻酔の侵襲を見極めよう

- 術後の回復遅延につながる因子として，手術時間と術中出血量，左室駆出率の低下などが指摘[3, 4]されています．体温管理は，血行動態，凝固カスケードに影響を与えます．シバリングは酸素消費と二酸化炭素産生をまねきます．

ICU 入室から退室まで：患者の側にいる利点を活かして回復過程を査定し，快適な術後環境を整え，リハビリテーションを進めます

- 一般に低侵襲手術の選択が多くなり，患者の回復が早くなっています．ただし，術前の全身状態が良好でないという理由から，低侵襲手術を選択しているケースがあることに留意します．
- 肺動脈カテーテルからの情報や水分出納バランスなどの情報から，循環動態を経時的に把握します．患者の側にいる利点を活かし，些細な変化の意味を考えるようにしましょう．さまざまな術後合併症予測と対応につながります．
- 循環動態が安定したら，人工呼吸器離脱，リハビリテーション指示やプロトコールに基づいた早期離床を実施します．その際には，適切な鎮痛が条件になります．報告はあまり多くないですが，PONV（postoperative

一連の流れ	留意点	一般的看護
術前：外来～入院 ●リスク評価 ●術前検査 ●治療方針の決定 ●患者教育，カウンセリング	**リスク評価** ・by system：一般所見, 皮膚感染の有無, う歯の有無 ・既往歴：脳血管疾患，COPD，糖尿病，高血圧，腎不全/腎機能低下，末梢血管病変，消化管・肝機能評価など →EuroSCORE, JapanSCORE でのリスク評価 →全身状態に応じた内科，理学療法部コンサルト ・薬剤：現在の処方とコントロール，アレルギー ・出血傾向：抗凝固薬，凝固能，アルコール中毒 **術前検査** ・心臓大血管術前一般：12 誘導心電図, ホルター心電図, 心臓超音波，血液ガス，血液生化，凝固，呼吸機能検査，脳 MRI ・虚血性心疾患：冠動脈 CT・造影，トレッドミル，負荷心筋シンチ ・弁膜症：心臓超音波　・大動脈疾患：大血管造影 CT，ABI **患者教育，カウンセリング** ・歯科受診：プラークフリー ・中止薬の指示と管理 ・インフォームド・コンセント，セカンド・オピニオン対応	**リスク評価** ・病歴聴取と整理 基礎的データ，現病歴とコントロール状態，既往歴の管理と生活歴，家族の協力，関係 ・認知機能 ・職業 ・社会的問題(例:独居, 経済的問題) ・退院支援計画立案 **術前検査援助** ・安全管理 ・自己血採血・貯血 **術前教育** ・呼吸訓練，禁煙指導，口腔ケア指導，服薬指導 ・術後鎮痛方法，疼痛評価方法，離床予定 ・転倒，感染予防 ・ICU オリエンテーション ・手術前・当日の準備（内服，絶飲食，入浴）
術　中 ●低侵襲手術	**術後合併症に関連する情報の把握** ・緊急か待機手術か ・手術時間 ・術式 ・人工心肺使用の有無 ・麻酔管理 ・出血量 ・血液製剤使用の有無 ・TEE 評価 ・体温管理	**術中看護** ・外回り看護 術前情報把握，入室時の不安軽減，機器の安全確認 ・器械出し看護
術後：ICU 入室～退室まで ●血行動態モニタリング ●体温管理 ●最適な鎮痛・鎮静 ●不快症状の軽減 ●早期離床ケア ●早期経口摂取 ●ICU 退室基準/継続指示の確認	**血行動態 モニタリングと管理** ・CPB 使用時：全身性炎症反応と一時的心筋抑制による病態生理の観察，血行動態補助薬と輸液管理 ・肺動脈カテーテル, 心エコーなどによる計測値からのアセスメント ・後出血量 ・中枢温と末梢温管理（血管拡張薬，保温器具） **早期人工呼吸離脱** ・術中麻酔薬量，患者年齢，手術侵襲，血行動態評価 ・離脱プロトコールによる早期離脱，抜管 **鎮痛・鎮静** ・鎮痛プロトコールによる管理 ・必要に応じて適切な鎮静管理（浅鎮静）	**術後早期看護** ・異常の早期発見 ・術後の苦痛緩和ケア 創部などによる疼痛 不快症状（悪心・嘔吐，尿意，かゆみなど） 安静臥床による腰痛やストレス せん妄 ・回復過程促進 VAP 予防，感染予防 セルフケアの推進 環境調整（睡眠援助）
術後：病棟への転床～退院まで ●回復期の合併症予防，ケア ●退院基準の確認と退院後フォローアップケアの確認	**早期離床ケア** ・リハビリテーションプロトコール **ICU 退室（移行）時の申し送り** ・by system，皮膚トラブル（褥瘡，外傷），社会的問題 **回復期合併症予防** ・心筋虚血，心タンポナーデ，不整脈，創部感染・縦隔炎，心膜炎，気胸，肺炎，肺塞栓の症状 **退院計画** ・薬物療法，食事指導，体調のセルフチェック法 ・生活習慣改善に向けた取り組み：肥満，喫煙，脂質異常症，糖尿病，高血圧の管理計画	**術後看護** ・異常の早期発見 ・回復過程促進 ・退院指導（家族を含める） ・社会的資源活用（退院支援）

略号
ABI：ankle brachial index 足関節上腕血圧比
COPD：chronic obstructive pulmonary disease 慢性閉塞性肺疾患
CPB：cardiopulmonary bypass 人工心肺装置
TEE：transesophageal echocardiography 経食道心エコー
VAP：ventilator-associated pneumonia 人工呼吸関連肺炎

図2　心臓血管外科周手術期の一連の流れと留意点および看護

nausea and vomiting：術後の悪心・嘔吐）への対応[6]も必要です．

- リハビリテーションの進行は，疾患，病態（重症度，術前コントロールの程度と術後血行動態の回復度）によって異なります．個人の状態を査定し，プロトコールの進行を検討します．
- 人工呼吸については，通常早期離脱を図りますが，全身状態から困難になる患者もいます．その場合，循環動態が許す限り，ABCDEバンドル[7]②に基づいた鎮静中断，モニタリング下での可能なリハビリテーションの実施に努めます．鎮静中断は，脳血管イベントの早期発見にもつながるため重要です．
- 患者は手術決断，予後不安といったストレッサーから，不眠や疼痛を訴えることがあります．不安はせん妄の誘発因子でもあります．身体管理を行いながら，患者によって異なる背景を査定し，安心できる環境作りを行います．

② **ABCDEバンドル**
ICU患者の医原性リスクとその関連性を認識し，客観的手法でモニタリングして予防していく医原性リスク低減戦略[7]．
A：毎日の鎮静覚醒トライアル
B：毎日の呼吸器離脱トライアル
C：A＋Bの毎日実践と鎮静・鎮痛薬の選択
D：せん妄のモニタリングとマネジメント
E：早期離床と運動

一般病棟転床から退院まで：合併症リスクが減り，痛みや不快症状から解放されたことを確認して退院後フォローアップ体制を整えます

- ICUからの転床では，継続指示に注意して循環が安定するように努めます．図2に挙げたような合併症を発症するリスクがあります．患者の自覚症状には必ず何か理由があります．自覚症状の意味，通常と異なる変化を発見したら理由を考えることが肝要です．合併症の出現なのか，リハビリテーションによる負荷の問題であるのか，療養環境の問題であるのかなど明確にすることで早期対応につなげます．
- 生活習慣病である心臓疾患については，セルフ・マネジメントに向けた指導が課題になります．体調のセルフチェック方法，生活習慣改善に向けた取り組みについて，患者と家族にて管理計画を立案します．

コラム

退院前に実施する患者教育のポイント

循環器疾患の術後は，とくに病気の再発予防のための教育が必要です．この退院指導について体系化された方法は確立していません．各施設で工夫し実施されているのが実情です．手術により心理的不均衡状態から回復したいニードをもつ患者の状態や，入院から退院までの期間が短縮している背景から，機を逃さず早期に教育を始める必要があります．表1に，一般的に行われている退院指導項目と根拠，内容を述べました．

術前の退院指導に向けた準備として，退院後の生活に障壁となる事項（経済，介護状況など）と教育項目のスクリーニングを行う必要があります．スクリーニングにより，多職種介入が早期に導入され，退院を阻害する要因を特定して問題解決につなげること，回復

表1 退院指導項目の一例

項　目	根　拠	内　容
創部のケア	●創部の感染徴候を早期発見 ●開胸術の場合，肋骨や胸骨癒合（ワイヤー固定）にかかる期間と保護の知識をもち，自己管理するため	●シャワーや入浴で清潔にし，観察する．発赤，膿の排出，腫れ，痛みの増強があったら医療機関を受診 ●骨の癒合には約2ヵ月間かかる．この間は重いものを持ち上げない（目安10kg），車の運転を避ける（1～2ヵ月程度）ように説明されることが多い
内服管理	●心疾患では高血圧や脂質異常，糖尿病など自覚症状に乏しいが，脳卒中，心疾患再発などの生命危機に直結する生活習慣病をもっている．内服継続が必要．また複数薬が処方されることで患者が不安になりやすい	●入院中の内服管理行動に応じて，自己管理か家族などの介在が必要かを検討 ●アレルギー症状，副作用が疑われる際の対応方法（医療機関受診） ●飲み忘れへの対応方法（まとめて飲むのは禁）
禁　煙	●ニコチンの毛細血管収縮作用，一酸化炭素による血管収縮と酸素供給量の低下 ●喉頭癌，肺癌の原因となるため	●薬物療法 ●喫煙の危険がある状況，環境，行動の確認とそれに対する問題解決方法の確認，実践のアドバイス
運動療法と仕事復帰	●運動耐容能の改善および冠危険因子の是正に有効．バイパスグラフト開存率を改善し，再入院率減少の可能性 ●入院期間が短縮しているため，早期に退院後生活について評価し，リハビリを進めることが必要	●運動耐容能が低下した患者では，それに応じて有酸素運動（ウォーキング，自転車など）を指導．会話ができる程度，息が軽く弾む程度の運動 ●胸骨切開後は，術後3ヵ月間は上肢に過大な負荷がかかる運動を避ける ●復職は運動耐容能を考慮し医師と相談，1～2ヵ月後を目安とすることもある．適応や体力への不安から精神的負担が増しやすいため注意が必要
食事療法	●過度のエネルギー摂取が肥満の原因となる ●過度の塩分摂取は高血圧の原因となり，動物性脂肪の摂取過多は脂質異常につながるため	●腹八分目の摂取，塩分摂取と脂肪，嗜好品の摂取のコツについて ●施設内の食事療法講習会（管理栄養士など）を活用する
肥満予防	●肥満による閉塞性睡眠時無呼吸症候群は気道閉塞，右心不全，高血圧，脳卒中，不整脈を生じやすく，循環動態悪化につながる	●運動療法と食事療法の欄の内容を実施することが肥満予防につながる ●BMI 35以上など高度肥満の場合は，食事療法から開始し，減量してから運動療法がよいとされる
日常生活の留意点	●心負荷を避けるために日常生活における自己管理とセルフチェックが重要 ●心不全症状を伝え，異常を感じた際の医療機関受診のタイミングを適切にする	●十分な睡眠，入浴の注意点，便秘予防，性生活の注意点（硝酸剤内服中の勃起不全治療薬禁）について ●高血圧管理（自己測定の方法） ●心不全症状（体重変化，息切れや喀痰増など）の説明

促進をもたらすことが期待できます．また，術前には一般的退院指導内容と実際の紹介（例：パンフレット，手術体験者との交流会）も行うとよいです．術後，身体機能の回復がみられたら，術前に紹介した指導事項に対する患者の関心を確認します．生活習慣を改善するための行動についてどう思うか，すでに実行していることはあるかを問うとよいでしょう．

ところで，病気の再発予防行動とは，これまでの習慣を変容させることです．簡単なことではありません．行動変容のために，患者の関心の有り様によって必要となる援助や支援技術を習得することが看護師に求められています．諏訪[8]は，患者の関心を心の状態として，以下に挙げる5つのステージに分類しています．

①無関心期：行動変容に関心がない時期
②関心期：行動変容に関心はあるが，まだ実行する意思がない時期
③準備期：行動変容に向けた行動を実行したいと思っている時期
④実行期：明確な行動変容が観察されるが，その持続に自信がない時期
⑤明確な行動変容が観察されて，その持続に自信がある時期

無関心期には，情報提供（ネガティブ情報とポジティブ情報の両方）としてのティーチングのくり返し，関心期には傾聴しながら信頼関係を築いて，ティーチングを実施する必要があり，準備期にはコーチングとティーチングの使い分けをしながら積極的な支援が必要とされています．そのほか，禁煙について5Aアプローチ[9]（Ask, Advise, Assess, Assist, Arrange）が紹介されており，禁煙意志のない患者から禁煙後の患者までアドバイスする方法が紹介されています．患者の状態に応じた支援を行うことが望まれます．

参考文献

1）Wilmore DW, Kehlet H：Management of patients in fast track surgery. BMJ 322（7284）：473-476, 2001
2）Cotton P：Fast-track improves CABG outcomes. JAMA 270（17）：2023, 1993
3）天野　篤：術前評価とリスクアセスメント．“心臓手術の周術期管理”．メディカル・サイエンス・インターナショナル，pp.87-119, 2008
4）梅原伸大：JapanSCOREの有用性の検討—Logistic EuroSCOREとの比較を含めて．日心臓血管外会誌 42（2）：94-102, 2013
5）澁川武志：心臓血管外科手術における術前のリハビリテーション介入効果—Fast-track recovery programを対象とした術前指導の有用性—．心臓リハ 19（2）：224-230, 2013
6）Sawatzky JA, Rivet M, Ariano RE et al：Post-operative nausea vomiting in the cardiac surgery population：Who is at risk? Heart Lung 43（6）：550-554, 2014
7）古賀雄二，岩松弘也：ICUせん妄の評価と対策：ABCDEバンドルと医原性リスク管理．ICUとCCU 36：167-179, 2012
8）諏訪茂樹：ティーチングとコーチングによる健康支援．日保健医療行動会誌 28（2）：31-36, 2014
9）日本循環器学会：“循環器病の診断と治療に関するガイドライン　ダイジェスト版禁煙ガイドライン（2010年改訂版）” 2011/7/14更新版　https://www.j-circ.or.jp/cms/wp-content/uploads/2020/02/JCS2010murohara.d.pdf(2021年10月閲覧)
10）田端　実 他編：特集「心臓血管外科 前編」．INTENSIVIST 7（4），2015
11）田端　実 他編：特集「心臓血管外科 後編」．INTENSIVIST 8（1），2016

（荒井 知子）

心臓血管外科術後管理・ケア
～一般的な術後生体侵襲から術後せん妄まで～

- 一般的な生体反応と生体侵襲の概略を説明する．
- 心臓血管術後の循環動態は，「術後心不全」「術後心房細動」「術後出血」に焦点を絞り概説していく．
- 心臓血管術後の呼吸状態は，術後呼吸器合併症の総論から術前術後の予防法を概説する．
- 最後に，心臓血管術後患者に多いといわれている術後せん妄に関して，アセスメントのコツから，予防法までを概説する．

手術侵襲による生体反応について

- 術後を看護していくうえで,「生体侵襲とは何か」と,それにともなう「生体反応とは？」を今一度復習し整理しておく必要があります．
- そこで，まず初めに，それぞれの簡単な概略を説明していきます．

「生体侵襲」とは具体的になに？

- 侵襲とは，恒常性の維持（ホメオスタシス）に変化をもたらすような許容限界を超えた外的刺激のことを指します．
- 侵襲には，外科的手術（組織や臓器の損傷）はもちろん入りますが,「不安/恐怖」などの心的な刺激も侵襲である 図1 と捉える点において，私たち看護師にとっては重要な点です．

「生体反応」とは？

- 生体反応とは，侵襲が生体に加わった際に，恒常性維持のために起こる共通の全身的な変化のことであると,多くの成書では説明されています．
- 上記のザックリした説明を大きく２つに分けると,「神経・内分泌系の反応」「免疫（炎症含む）系の反応」となります 図2．
- 以下，それぞれの反応に関して概説していきます．

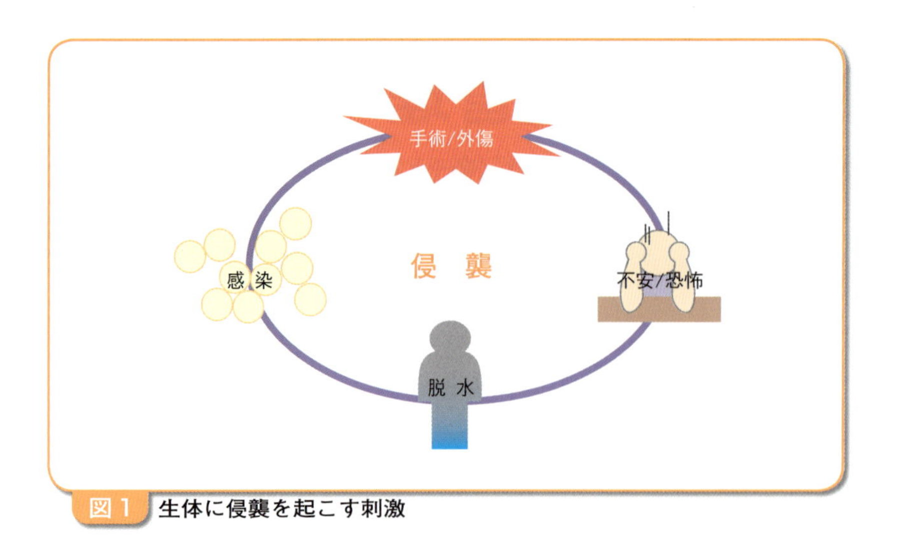

図1 生体に侵襲を起こす刺激

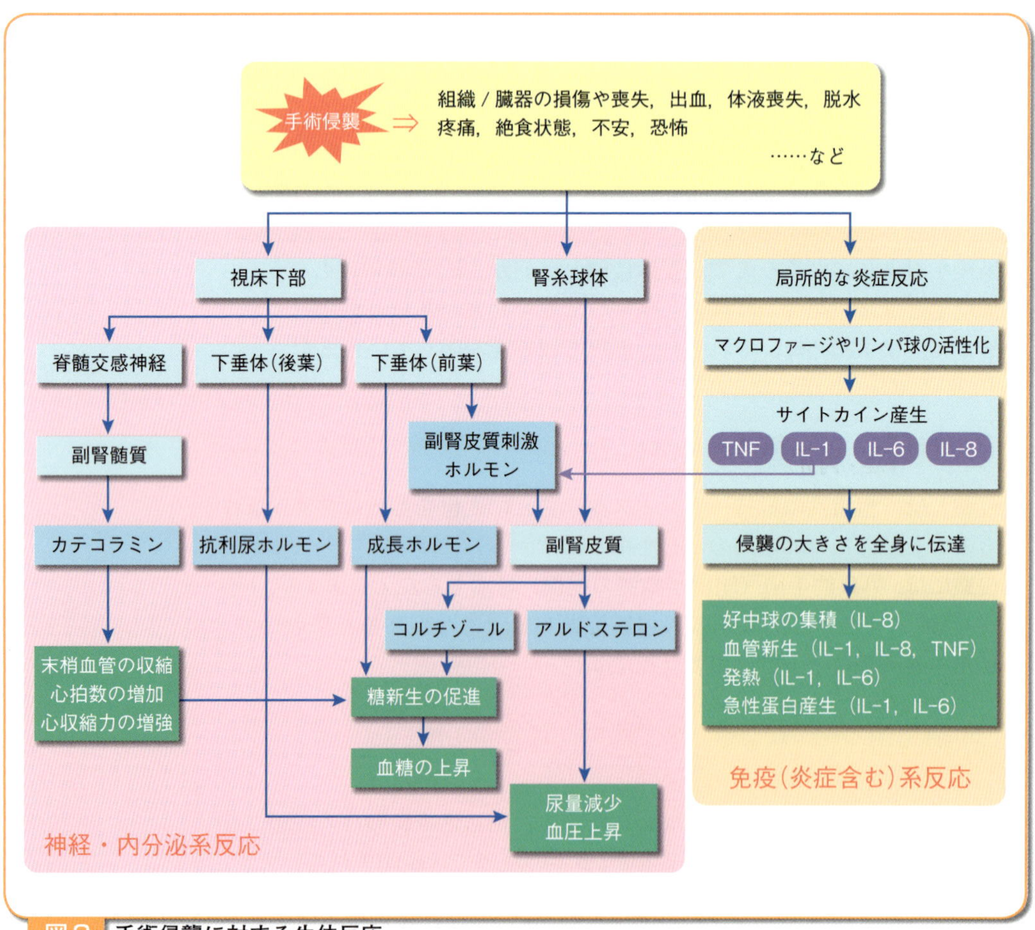

図2 手術侵襲に対する生体反応

TNF：tumor necrosis factor（腫瘍壊死因子），IL：interleukin.

1．神経・内分泌系の生体反応 図3 図4

- 身体は，侵襲を感知すると視床下部から副腎皮質刺激ホルモン放出ホルモンなどを放出して脳下垂体に作用し，ACTH（adrenocorticotropic hormone：副腎皮質刺激ホルモン）や GH（growth hormone：成長ホルモン）を放出し，副腎皮質からのコルチゾールやアルドステロンなどを分泌する「視床下部ー脳下垂体ー副腎系」，視床下部から脊髄交感神経を介して，副腎髄質からのカテコラミンを分泌する「交感神経系」があります．
- この交感神経系は，侵襲が加わると同時に即座に反応しますが，上述した内因性のカテコラミンのみでは不十分な際（心臓血管外科術後の患者など）には，薬剤投与により補助する必要が出てきます．
- ホルモンは単一標的臓器へ指令を出す役割を果たしており，「血圧（心

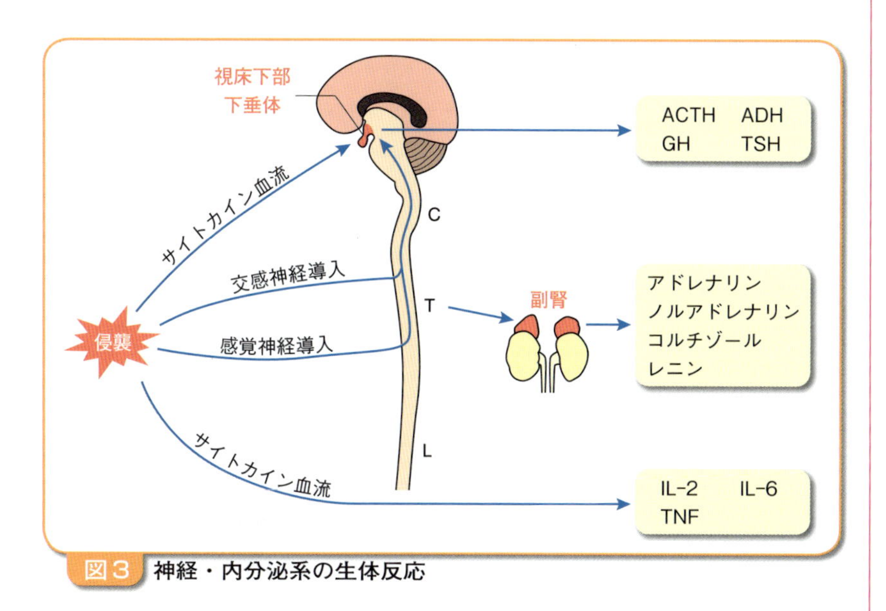

図3 神経・内分泌系の生体反応

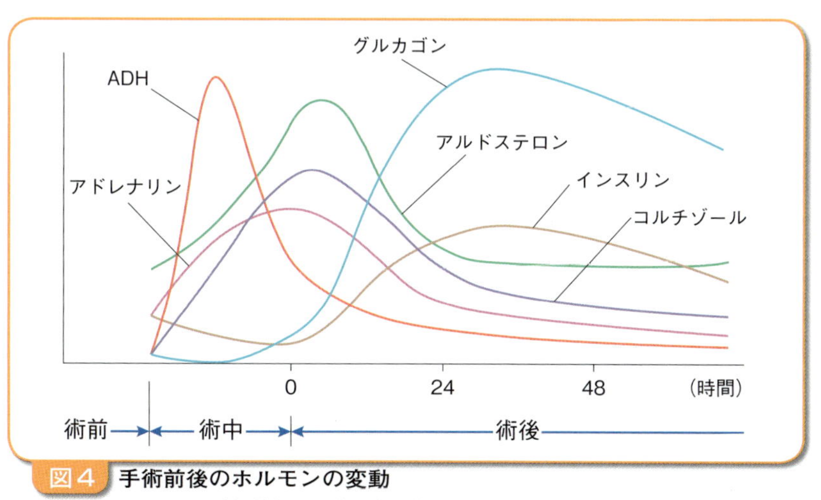

図4 手術前後のホルモンの変動

（大川浩文，石原弘規：神経・内分泌反応．救急医学 30（9）：1003-1007，2006 より引用）

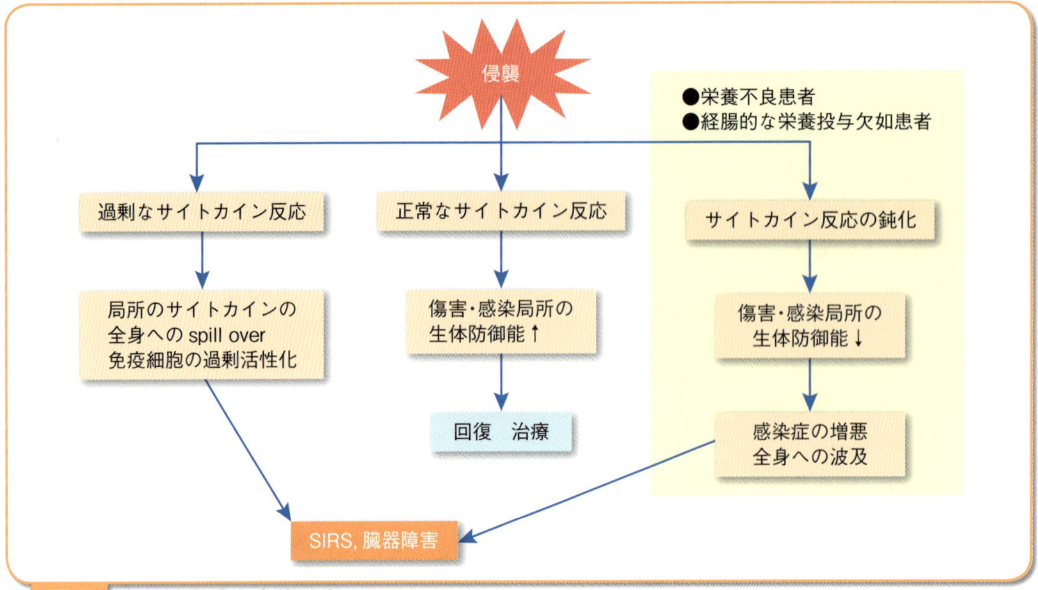

図5 炎症反応系の生体反応

拍数や血管抵抗をも含む)」や「水分調整」「血糖調整」などの基本的な生理機能を調節します.

2. 炎症反応系の生体反応 図5

- サイトカインとは，多数の細胞で産生される糖蛋白であり，細胞間の情報伝達を行う蛋白の総称です．つまり，ホルモンと異なり，サイトカインは細胞間の液性情報伝達物質であり，それゆえ多数の細胞へ指令を出すことができます.
- そのため侵襲の程度が大きいと，大量のサイトカイン（インターロイキンなど）が産生され血液に乗って他の臓器へも波及し，過剰活性され遠隔臓器も炎症反応を起こしてしまいます．この状態を，皆さんよくご存じのとおり，全身性炎症反応症候群（systemic inflammatory response syndrome：SIRS）とよんでいるわけです．さらに，過剰なサイトカインは肺に好中球が集積しやすく，急性呼吸促迫症候群（acute respiratory distress syndrome：ARDS）を合併しうる状態になります．また，炎症反応として血管透過性亢進などの作用をひき起こした結果，血管内の水が血管外に移動（非機能化細胞外液[1]）し浮腫を形成します．つまり，循環血液量減少へ傾くことを意味し，生体反応で補え切れない状態になった際には心拍出量低下，血圧低下，腎血流量低下の原因となります．このような状態を回避するために，炎症反応系は独自で反応するのみでなく，図2からもわかるように「神経・内分泌系」とも連携を取りバックアップ機能を兼ね備えています.
- 一方で，適度なサイトカインの放出は，おもに免疫系の生体反応を調節

編者メモ

spill over

spill over には「あふれ出る」「こぼれる」「(問題が) 波及する・飛び火する」という意味合いがあります．生体に適用すると，局所で産生されたサイトカインや炎症性メディエーターが全身に拡散し，悪影響を及ぼす病態を示します．これらの反応は，恒常性（ホメオスターシス）を維持するための代償機構の一環ですが，過剰すぎても生体には害につながります．そのため，少なくとも医原的な要因により，過剰反応を誘発しない配慮が必要です.［小泉］

[1] **非機能化細胞外液**
臨床では，サードスペースといわれることが多い.

しており，炎症や感染に対する防御反応をつかさどっているといえます．

手術侵襲に対する生体反応の一般的な経過（Moore の体系を用いて）

- 手術侵襲時の内分泌・代謝変動の推移は 1950 年代に Moore により簡略に体系化されています．この体系は，50 年以上も昔のものであり「術中・術後の輸液管理」「手術の低侵襲化」などなど，医療状況は変化しており「傷害期（障害期）」「回復期」の区別がはっきりしなくなってきている点に注意は必要ですが，生体反応を簡潔に示しており，思考の整理には有用であると考えられます 表 1 図 6 図 7 ．
- 以上，手術侵襲による生体反応の概略/概論を今まで述べてきましたが，ここからは心臓血管外科術後患者に焦点を絞り，循環動態や呼吸といった各論に関して論じていくこととします．

表 1 手術侵襲に対する生体反応の経過①

	異化相		同化相	
	第 1 相 傷害期	第 2 相 転換期	第 3 相 筋力回復期	第 4 相 脂肪蓄積期
持続時間	2～4 日	1～3 日	数週～数ヵ月	－
窒素平衡	大きく負	負	正	0
K 平衡	大きく負	負	正	0
Na 平衡	正	負	ほぼ 0	0
水分平衡	正	負	正	0
体水分量	増　加	減　少	増　加	不　変
体　重	多くは増加	減　少	増　加	増　加

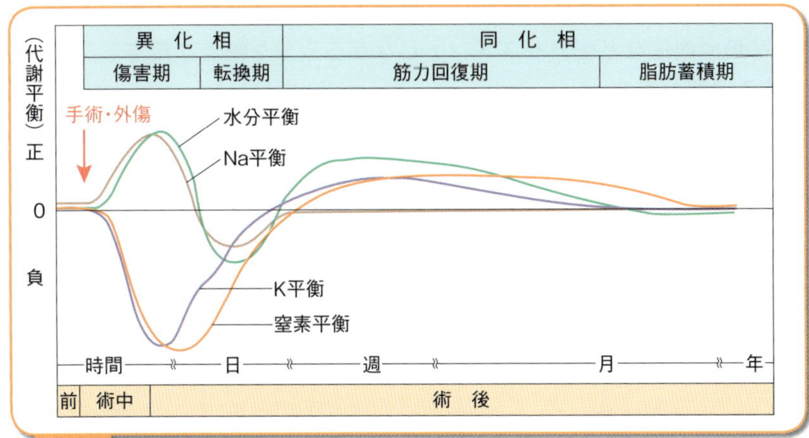

図 6 手術侵襲に対する生体反応の経過②

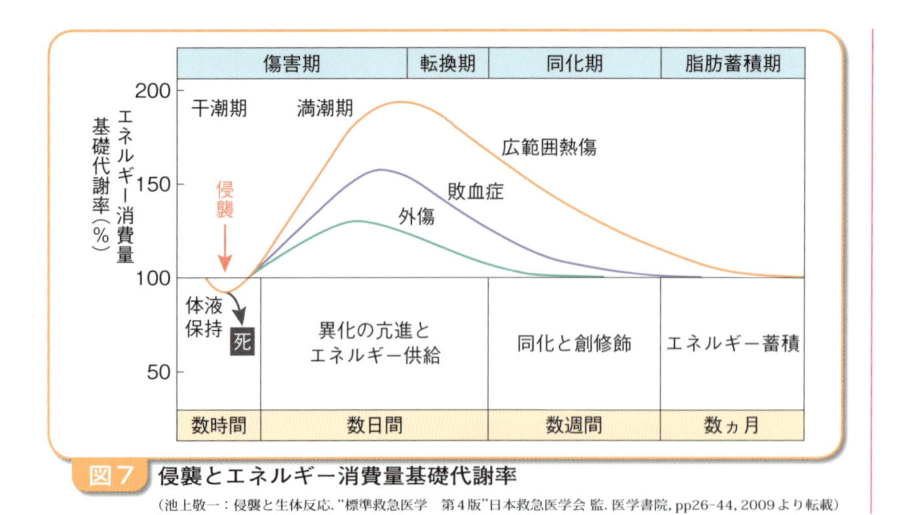

図 7 侵襲とエネルギー消費量基礎代謝率

（池上敬一：侵襲と生体反応．"標準救急医学　第 4 版"日本救急医学会 監．医学書院，pp26-44，2009 より転載）

ケーススタディ

Moore の活用例：術後 1 日目の「体液量バランス異常のリスク状態」に関するアセスメント例

外科的侵襲を受けた A 氏（体重：50 kg）の体内では，恒常性維持のための神経系・内分泌，免疫，代謝系における生体反応が起きている（第 1 相 injury）．とくに水分・電解質代謝に関しては，下垂体後葉から ADH（バゾプレッシン）の分泌が亢進し，かつ，循環血液量減少により，レニン-アンジオテンシン-アルドステロン系（RAA 系）が亢進（アルドステロンの亢進）するため，腎尿細管で水の再吸収が促進され尿量を 25 mL/時まで減少させ水分量を維持しようとしている段階にある．

今後，侵襲からの回復にともない非機能化細胞外液（後述）の機能化（refilling）が起こり，非機能化していた水分が血管内に戻る．すなわち，循環血液量が増加する転換期（第 2 相 turning point）がきて，細胞外液量が正常化する時期がくる．この turning point は，尿量や血圧などをアセスメントしながら余分な輸液を投与しないようアセスメントする必要がある．

術後の循環動態変調について
―心外術後患者の多くは，すでに心不全状態にある―

- 心臓のポンプ機能を決定する因子はおもに，「心臓収縮力」「前負荷」「後負荷」「心拍数」といった 4 つの因子があります．心臓血管術後の患者では心筋を保護し一時的に血流を止めたり，心臓を脱転したりするため人工心肺使用の有無にかかわらず，多少なりとも心筋へ負荷がかかりま

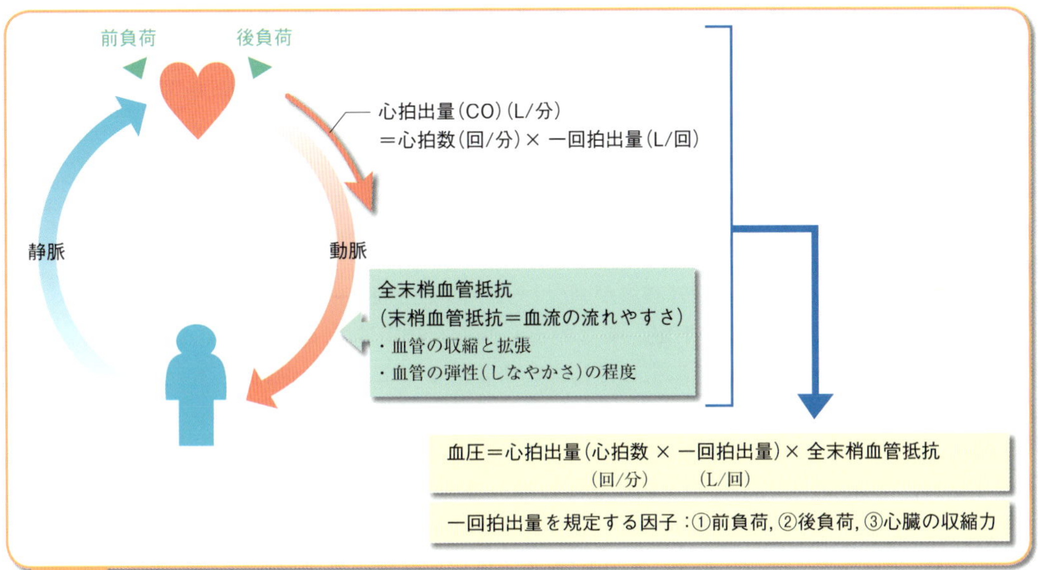

図8 心機能と血圧の関係（心拍出量と末梢血管抵抗）

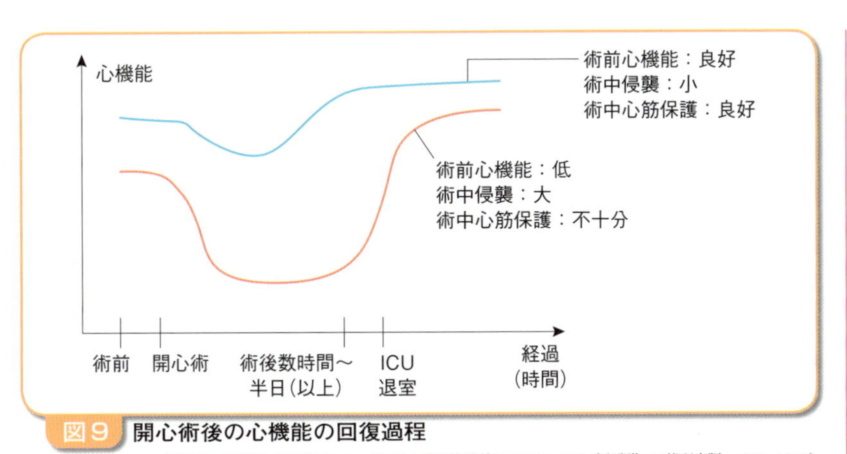

図9 開心術後の心機能の回復過程

（聖路加国際病院 心血管センター 編："心臓血管外科ケアマニュアル改訂版". 日総研出版, p47, 2016）

す 図8 .

- その結果，4因子のバランスが崩れ（例えば「心臓収縮力」），心臓のポンプ機能の失調すなわち心拍出量低下をきたす傾向にあります．さらにこの状態に，周術期心筋梗塞（perioperative myocardial infarction：PMI）や術後出血などの術後合併症をともなうことで，術後心不全・低心拍出量症候群（low output syndrome：LOS）のリスクはさらに増大するといえます．
- 心臓血管術後患者は人為的な心不全がICU入室時にはすでに起こっている状態 図9 であり，早期離床を同時並行で行いつつも，この状態を安全かつ早期に切り抜けICUを退出してもらうことが看護師の重要な役割だといえます．

術後心不全

- 術後心不全のアセスメントや増悪予防はICU看護師にとってもっとも重要な看護の一つです．そこで，下記に看護のポイント（アセスメント方法）を記載していきます．
- ICU入室直後は手術侵襲や体外循環の影響により，全体水分量を維持しようとする生体反応が起こります 図10．そのため，入室直後は循環血漿量として機能している細胞外液量が減少し，非機能化細胞外液の増加（浮腫）が起こり循環血漿量不足，すなわち心機能を規定する4因子の一つである前負荷低下が容易に生じてしまいます．そこで，前負荷低下（循環血漿量不足）を補うために輸液を負荷する必要があります 図11 ①[②]．それでも心係数の上昇が十分みられない場合は，肺うっ血や浮腫が増加し，Forrester分類Ⅳへと移行するだけになってしまいます．
- そこで，ドブタミン塩酸塩などのカテコラミンを使用して心収縮力の増強を図るとともに，容易に血液を拍出できるように血管拡張薬を使用し

② Forrester分類は，急性心筋梗塞にともなう急性心不全の予後分類であり，梗塞による急激な左心機能の低下に基づく急性心不全が対象である（右心機能は保たれ，循環血液量は一定なのが前提）．そのため，慢性心不全が既往にある患者の急性増悪期への適応には注意が必要である．なぜなら，示されている閾値は，健常人が突然ポンプ機能低下に陥った場合に成り立つ閾値だからである．では，慢性心不全の既往のある心外術後患者へはどのように本分類を活用したらよいのだろうか？ それは，医師と相談のうえ，例えば「尿量」や「血圧」といった他の指標や，末梢循環の総合指標として混合静脈血酸素飽和度（$S\bar{v}O_2$）の経過をアセスメントしていくことが求められるといえるであろう．

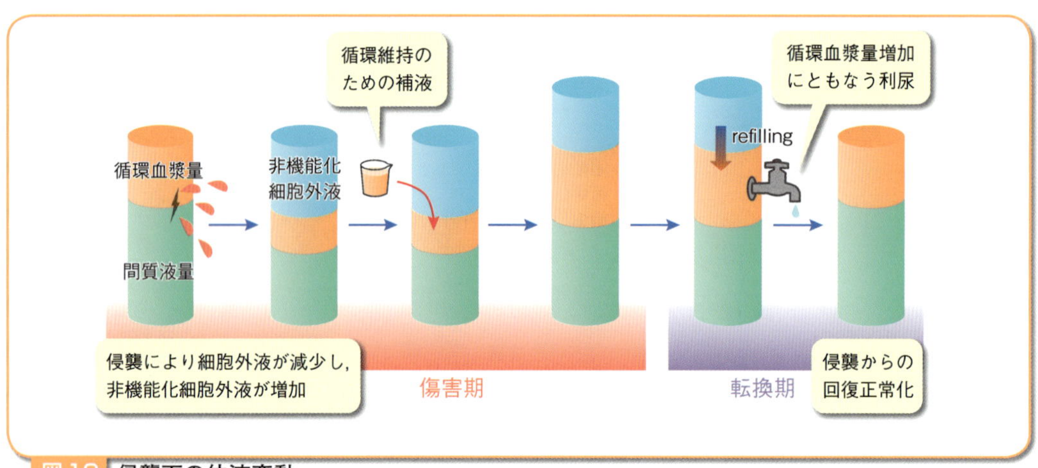

図10 侵襲下の体液変動

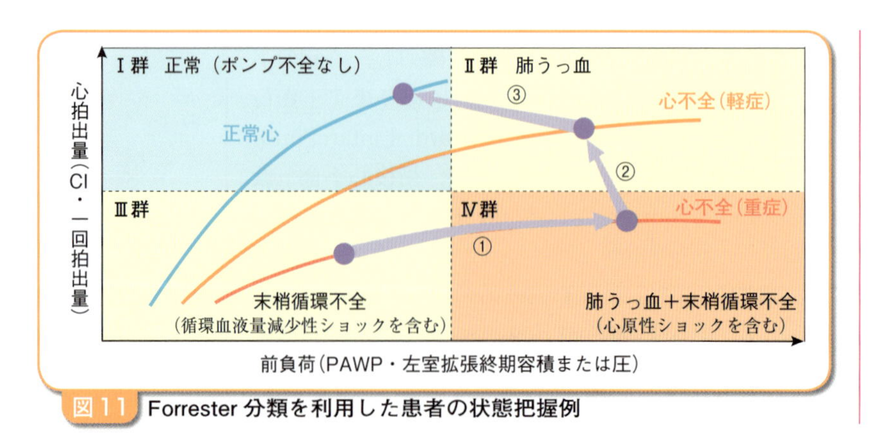

図11 Forrester分類を利用した患者の状態把握例

て後負荷軽減を図っていきます．このとき，看護師が徐々に末梢を温めることも有効な方法です．一方で，血管を拡張させることは，それだけ循環血漿量も必要となるので，前負荷が低下しないように輸液負荷の微調整が重要となります．それでも十分な効果が得られない場合，IABPであったりVA-ECMO装着となります 図11 ②．

- 次に，心拍出量を十分得られたら，輸液負荷を軽減するか利尿薬を使用してなるべく輸液負荷をしないドライな管理へと移行していきます 図11 ③．また，侵襲からの回復にともない非機能化細胞外液の機能化（refilling）が起こり，非機能化していた水分が血管内に戻ってきます．看護師は，このrefilling期（転換期）において，事前指示や包括指示に従い，利尿薬投与を考慮し前負荷過多による心不全に注意しつつ看護していくことが必要となってきます[③]．
- 心機能を規定する4因子の一つである心拍数の管理も看護師にとって重要な看護です．術直後は心筋抑制状態にあります．しかし心臓術後患者において70〜80回/分以下では，左心室に対する負荷が大きくなったり，心拍出量が保てない可能性もあります．また120回/分以上では，心仕事量の増大をまねきます．そこで，ドブタミン塩酸塩などの薬物投与やテンポラリーペーシングを用いて，90〜100回/分前後で管理していくことが一般的です．
- 以上の点を，Forrester分類を常に頭の中に描きながら，患者がどの群になるのかを，スワン・ガンツカテーテル（肺動脈カテーテル）などによる生体モニタリングデータとともに，尿量や四肢冷感などを情報収集し看護していきます．
- また，近年スワン・ガンツカテーテル（肺動脈カテーテル）は挿入しない傾向にあります．そのため，Forrester分類では評価しにくくなってきています．その代用として，Nohria-Stevenson分類があり使用されるようになってきていますが，使用には注意が必要です[④] 図12．

術後心房細動

- 術後心房細動（post operative atrial fibrillation：POAF）の発生率は，CABGで30％以上，弁置換術で40％前後といわれています．上記以外の危険因子としては，「高齢/人工心肺時間/カテコラミン投与/volume loss」などが挙げられています．このPOAFが起こることでの心外患者に対して最初に思い浮かぶデメリットとしては，「循環動態変調（あるいは変調のリスク）」です．
- 許容範囲外の頻脈に対しては医師からvolume負荷やβ遮断薬の投与（心拍数コントロール），あるいはリズムコントロール（洞調律維持治療）のための除細動などの処置の指示があるでしょう．心拍数コントロールをするほうがよいのか，リズムコントロールをするほうがよいのか，ま

③ **心不全徴候の特徴**
refillingが起こり前負荷増加を示す具体的な指標としては，「右房圧（RAP）」や「中心静脈圧（CVP）」の上昇（量を圧で判断すること自体に限界はあるが……）が挙げられる（右心不全）．これらの値を経過を追って観察しアセスメントすることは重要である．とくに，術後は薬剤投与により術後心不全がマスキングされているが，心臓に負荷がかかりすぎることは避ける必要がある．また，左心不全の具体的な徴候として，記載するまでもないかもしれないが，左房圧（PCWP）の上昇，心係数の低下，左房圧上昇にともなう肺うっ血などに注意し，看護していく必要がある．

④ Nohria/Stevenson分類は，Forrester分類に代わって急性心不全の治療戦略および看護に使用されるようになってきている．一方で，この分類は，急性心不全症候群の病態分類に適したものではなく，慢性心不全の患者の理学所見から，warm/cold，dry/wetのclinical profile 4分類に構成している点に注意が必要である．具体的にForrester分類とNohria分類を比較すると，「Ⅱ群，Ⅳ群（Forrester分類）」は「B型，C型，L型（Nohria分類）」と多くの重なり部分があり，すべてをカバーしていることを意味していない点に注意が必要である．

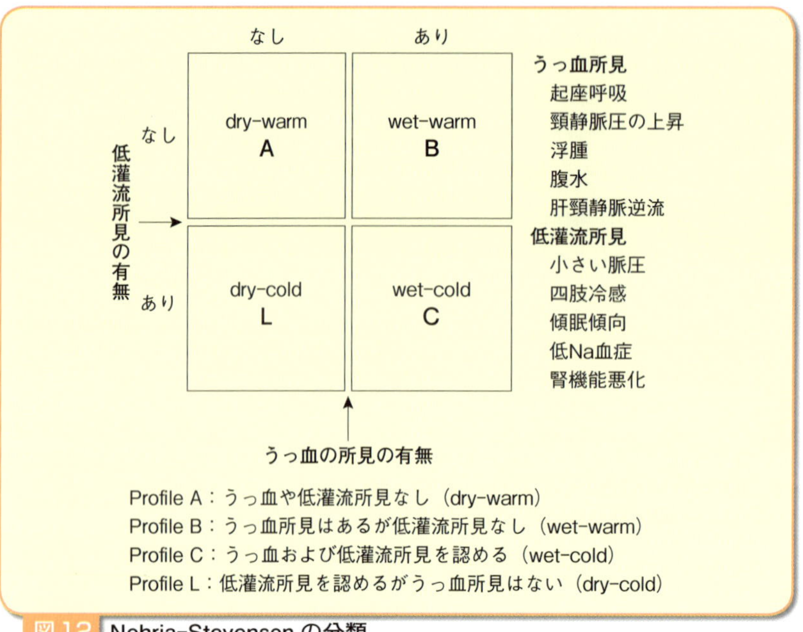

図12 Nohria-Stevensonの分類

（Nohria A, Tsang SW, Fang JC et al：Clinical assessment identifies hemodynamic profiles that predict outcomes in patients admitted with heart failure. J Am Coll Cardiol 41（10）：1797-1804, 2003を参照して作成）

たはアミオダロンを使用し予防したほうがよいのか，さまざまな見解はありますが，どの治療法がベストなのかを示す明確な根拠は現状ではありません．しかも，治療をしてもしなくても生命予後に統計的な有意差はないともいわれているくらいです（多くの交絡因子があり生命予後をアウトカムにすること自体が困難との意見もありますが）．

- 私たち看護師がPOAFへ貢献できることとしては，volume lossつまり脱水をトリガーにしたPOAFを予防することや，投薬や除細動を施行した際にはその効果を判定しつつも，β遮断薬による徐脈や，除細動前の患者の心的恐怖へ目を向け看護していくことです．
- また，POAFは脳梗塞のリスクを3.5倍にするという報告もあり，抗凝固薬の投与状況やAPTT/PT-INRなどの指標を観察しつつも，神経学的所見に注視して観察していくことが求められるといえるでしょう．

術後出血

- 原因として，血管の破綻やヘパリンによるACT延長や体外循環による凝固線溶系への影響（血小板の低下，血小板機能障害，線溶亢進，凝固因子低下，低体温などにより術後出血が起こりやすい状態）が考えられます．対応としては，プロタミン投与や抗プラスミン薬であるトランサミン®などの投与に加え，止血薬（赤血球製剤・濃厚血小板製剤・新鮮凍結血漿）の大量輸血を行います．このような対応をしてもなお100

〜200 mL/時以上の出血があれば，再開胸による止血術の適応となってしまいます．

- 本書をお読みいただいている看護師の皆さんは，上記の点は既知のことかと思います．では以下の質問にはどのように答えるでしょう？

急性の出血を即時的に評価するのに，Hct（or Hb）値を用いることは可能か？

- まず，Hct の定義を今一度見直しておきましょう．

> ●Hb：血液中のヘモグロビン濃度（血色素蛋白量）を指す（g/dL）
> ●Hct：血液中に占める赤血球の体積比とほぼ等しく，貧血検査などに利用される（%）

- 図 13 を見てわかるように，急性出血ではヘマトクリットは即座に有意には反応しないことがわかります．つまり，血液全体が急速に失われるので「濃度」には大きな変化が即座には現われないということです．
- ここで仮に，輸液療法を行わないと（例えば交通外傷直後など），体液保持のための生体反応として

循環血液量減少⇒ RAA 系活性化⇒腎による Na 再吸収⇒血漿量が増加⇒ Hct 低下

の機序で侵襲へ対抗しようとします（もちろん，交感神経系も発動され

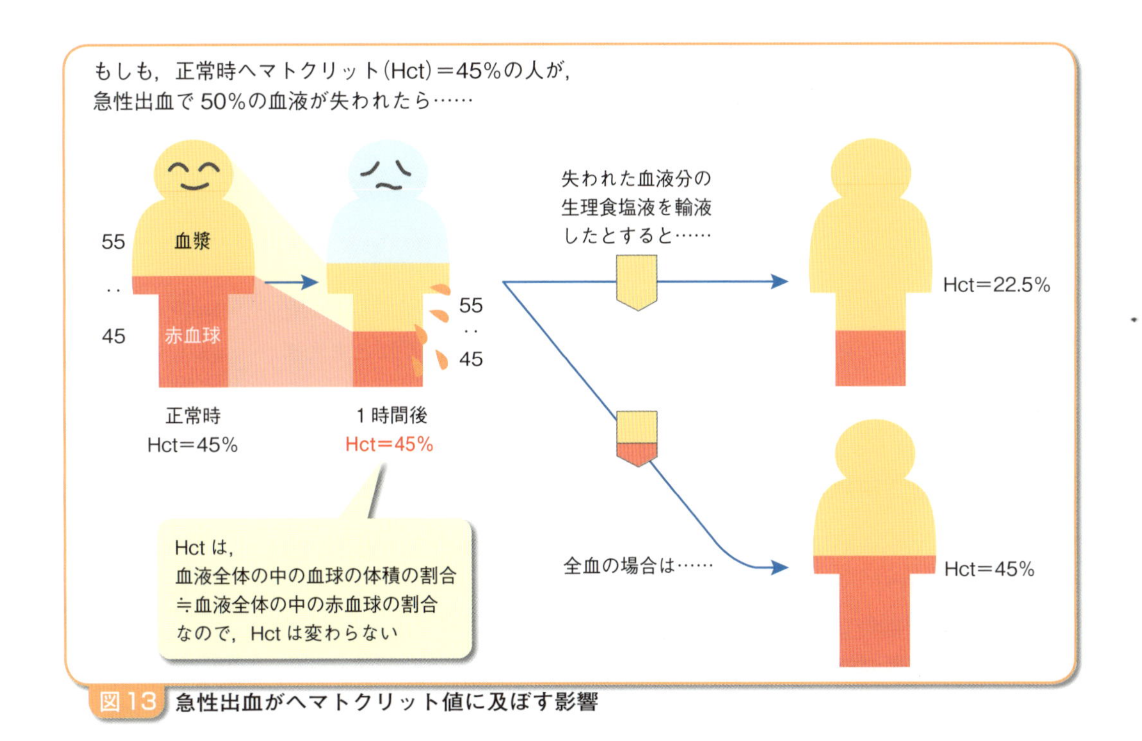

図 13 急性出血がヘマトクリット値に及ぼす影響

ますが).

- 一方で，上述の過程は，8～12 時間ほどかかってしまいます．では，なぜ Hct（or Hb）が出血後に低下しているのか？
- その答えは，「**Hct（or Hb）の低下は急性出血を反映した結果ではなく，輸液療法を行った結果である !!**」ということです．
- 私たちは，血液データももちろん参考にしますが，それ以外に血圧などの循環動態や，酸素化などの呼吸状態も鑑み total でアセスメントしていきます．術後 ICU に入室してきて急性出血（例えば血管吻合部）が起こった際，上記のバイタルサインに変化が生じるはずです．その場合，医師と相談しながら輸液を入れていくことになるでしょう．その結果として，「Hct（or Hb）が低下する」ことになります．
- 今一度，「急性出血後，早期の Hct や Hb 値の低下は輸液補充の効果を反映しており，出血の重症度を直接反映するものではない！」ことが上記の説明でおわかりいただけたかと思います．では，何のために血液ガス分析で，Hct（or Hb）値をみるのでしょう？　答えはおわかりかと思います．

術後の呼吸状態について

- 心臓血管外科術直後の患者は，多くが循環動態・呼吸動態が不安定であり挿管管理を行ったまま ICU へ帰室します．心臓血管外科術後の肺合併症としては，静脈圧の上昇と心膜切開の炎症が胸膜波及することによる胸水貯留，気胸，肺水腫，体外循環の影響による ARDS が挙げられます．
- また，術後呼吸器合併症（postoperative pulmonary complication：PPC）は，術後の合併症としては出現頻度の高い（2～40 %）ものといわれています．PPC は一般的に「軽度の無気肺」から「肺水腫」「肺炎」「重度の ARDS」までさまざまな病態が含まれます．そのため，出現頻度が高いと記載したわりにバラつきがあるのです．
- 頻出する PPC を鑑み，私たち看護師にできることは，多くの患者では「軽度の無気肺で自然に軽快する」が，無気肺の形成は重篤な呼吸不全へとつながりうることを考慮し，可能な限り予防策を講じることだと考えます．

術後呼吸器合併症の発生機序

- 術後に低酸素を起こす生理的な機序として考えうる要因は，「肺胞低換気⑤」「拡散障害⑥」「換気血流比不均衡⑦」「肺内シャント⑧」などがあります．このなかでも，もっとも多く術後低酸素を起こす原因として「換気血流比不均衡」が挙げられます．その理由として術後は，「麻酔薬」や「疼痛」による横隔膜の機能不全，「横隔膜の頭側偏位」などが要因で機能

⑤ 肺胞低換気
「肺胞レベルでの換気量減少」を意味する．具体的には，「呼吸数の低下（換気量の減少）」「気道狭窄」などの場合が挙げられる．

⑥ 拡散障害
「肺胞と毛細血管の間に何らかの障害がある状態」をいう．

⑦ 換気血流比不均衡
「肺胞換気と肺血流とが不均一であるため，ガス交換が非効率的になった状態」をいう．具体的には，「肺炎」「うっ血性肺水腫」などの場合が挙げられる．$A\text{-}aDo_2$ はこのような場合，増大傾向にある．

⑧ 肺内シャント
シャントとは「短絡」を意味し，ガス交換されていない静脈血がそのまま動脈に入る現象を指し「肺胞が虚脱している場合に，血流だけが流れている状態」をいう．このシャント率の増加する要因としては，「末梢気道の閉塞（喘息など）」「肺胞内への液体貯留（肺水腫，肺炎など）」「肺胞虚脱（無気肺など）」「毛細管血流過多（肺塞栓症における健常肺部分など）」が挙げられる．

的残気量の低下が起こり，無気肺が生じやすいからです．

- では，私たち看護師は，無気肺予防に対してどのように予防策を講じていくべきなのでしょうか．

術後呼吸器合併症の術前の予防法

- 戦略として，術前にインセンティブスパイロメトリー（コーチ 2）図 14 を用いることで PPC や肺炎を予防しうると示唆した論文があります．
- 具体的には，CABG 予定手術患者 279 例を対象に，「コーチ 2 使用群」と「通常ケア群」の 2 群に無作為に割り振った研究（Hulzebos EH, 2006）です．「コーチ 2 使用群」では，手術の 1 週間以上前から 20 分/日，コーチ 2 を使用して呼吸筋トレーニングを行うこととしています（術後は，両群ともに同じ理学療法を受けるようにしています）．
- その結果，PPC に関しては，介入群：18 %，通常ケア群：35 %（オッズ比 0.52，95 %信頼区間 0.30〜0.92），肺炎に関しては 6.5 %と 16.1 %（オッズ比 0.40，95 %信頼区間 0.19〜0.84）であり，CABG 予定手術患者へ術前にインセンティブスパイロメトリーを用いた PPC の予防的介入を行うことは，ある程度の効果があることが示唆されています．
- 一方で，本介入を行うためには循環動態に十分注意する必要があり，そのような注意事項も含めた事前のプログラムやプロトコルを医師や理学療法士と共同で作っていく必要性もあるでしょう．

術後呼吸器合併症の術後の予防法

- 次に，手術終了後に私たちが行いうる有用な看護介入は何があるのでしょう．残念ながら，術前に施行することで効果が示されていたインセ

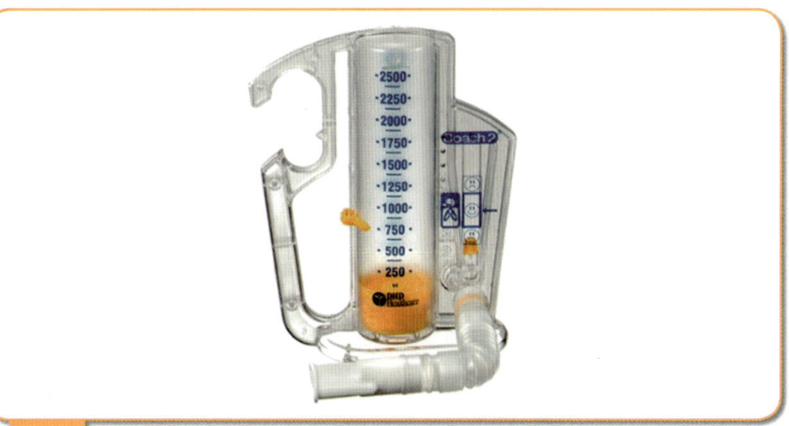

図 14 インセンティブスパイロメトリー「コーチ 2」

（画像提供：スミスメディカル・ジャパン株式会社）

ンティブスパイロメトリー法でしたが，術後に有用性を支持する論文は数少なく，ルチーンで支持するエビデンスは弱いのが現状です．ただ，印象的には深呼吸を促す良い機会となるのではないかと考えます．施設や医師の考えがさまざまであり一概には言えませんが，術前にインセンティブスパイロメトリーを導入しているのであれば施行する価値はあるものと筆者は信じています．また，早期離床の有用性は言うまでもありません．

- さらに，胸部・胸腹部大動脈術後にとくに問題となるのは，左反回神経麻痺と横隔膜神経麻痺です（もちろん対麻痺も重要です）．抜管後，嗄声や誤嚥に注意しながら観察していく必要があります．

術後の中枢神経障害について

1．脳合併症

- もっとも注意する脳合併症として「脳梗塞」「脳出血」が挙げられます．なかでも体外循環使用による脳梗塞は大きな合併症の一つといえます．原因として，人工心肺使用による低灌流や，上行大動脈への術操作によるアテローマ塞栓物の可能性，上述した術後心房細動（post operative atrial fibrillation：POAF）が考えられます．また，周術期の脳梗塞の61～87 %は術中および術後2日以内に発症するとされています．
- 以上のことを考慮に入れ看護師は術後「瞳孔」「対光反射」「麻痺の有無」「意識状態」を入室直後から退室まで観察していく必要があります．

2．急性脳機能障害（せん妄）

- ICUにおいて，せん妄は多くの患者にみとめられる症状です．術後ICUへ入室する患者のなかでも心臓血管術後患者は，もっとも高率にせん妄を発症するとされています[9]．
- 一方で看護師の経験に基づいた評価は，せん妄を70～80 %見落としているといわれています．見落としがちな症候群ではありますが，急性期におけるせん妄の発症は，在院期間の延長や，死亡リスクを3倍に高めてしまうという驚愕的なデータが出ています．さらに，ICU在室中にせん妄を発症した患者は退院後生活していくうえで苦痛，長期認知機能障害（1年後の認知機能がせん妄発症患者では有意に低下）やPTSDとなっている患者もいるのが現状です．
- そのため，心臓血管手術患者への，せん妄予防や発症～退院後も見据えた援助は，医療チームのなかでも医師らと共に治療に関わり，かつ昼夜問わず生活を支援する看護師にとって重要な役割といえます．
- そこで以下，せん妄をどのように見つけるのか，あるいはせん妄予防～せん妄発症後の対応に関して論じていくこととします．

⑨ せん妄の原因となる因子

準備因子：
年齢，認知症の既往，脳血管疾患の既往
誘発因子：
感覚障害，睡眠覚醒リズム障害，自分でコントロールできない身体症状（疼痛，呼吸困難）
直接因子：
電解質異常，循環障害，薬剤（オピオイド，ベンゾジアゼピン系薬剤，ステロイド，抗ヒスタミン薬）
※抗コリン薬はICUせん妄に関与しないことが最新の文献で明らかになりつつある（Wolters AE, et al：Anticholinergic Medication Use and Transition to Delirium in Critically Ill Patients: A Prospective Cohort Study. Crit Care Med, 2015）．

上述した因子を概観すると，「心臓外科患者」は，ICU入室患者の中でもせん妄を高率に発症することが理解できるのではないだろうか．

(1) ICU で術後せん妄を見逃さない体制を作るにはどうすればよいか？

①自分へのそして周囲のスタッフへの動機づけが重要！

- 上記で簡単に説明はしましたが，ICU でせん妄を発症してしまった患者の有害転帰，つまり ICU せん妄発症患者の「認知機能障害発生率」や「生命予後」に関するデータを丁寧に説明することが重要であると考えられます．ただ,「なんとなく重要そうだからせん妄評価しようよ」ではなく,「○○のような有害事象が ICU でせん妄になってしまった患者さんには起こりうるから一緒に対策を考えようよ」と言われたほうが「やらなきゃ !!」という思いが強くなることと同義です．
- では，動機づけるために必要なコンテンツ，つまりエビデンスの詳細をコラムとして簡略化して述べます．

コラム

ICU でせん妄を発症した患者は，退院後の認知機能が低下する

図 15 に示した研究では，せん妄の評価方法は，トレーニングを受けた評価者が CAM-ICU を用いて行い，認知機能評価は，トレーニングを受けた心理学の専門家が The Repeatable Battery for the Assessment of Neuropsychological Status（RBANS）を用いて行っています．本研究参加者で，せん妄を発症した対象者の世代調整後 RBANS 値は，3 ヵ月後ではなんと，79（IQR：70〜86），12 ヵ月後では 80（IQR：71〜87）と，明らかに認知機能の低下を示しています．また世代調整後 RBANS 値から，外傷性脳損傷後の認知機能障害（TBI）と同程度である患者は 3 ヵ月後の時点では 40 %，12 ヵ月後の時点では 34 %と驚くべき結果が示されています．さらに，軽度アルツハイマー患者の認知機能と

- 米国 2 施設の ICU に入室した呼吸不全・心原性ショック・敗血症性ショックの患者 821 名を対象
- 606 名（74 %）がせん妄発症
- せん妄発症者を含めた認知機能を世代間別に示したものが右図である

	3 ヵ月後	6 ヵ月後
TBI	40 %	34 %
軽度アルツ	26 %	24 %

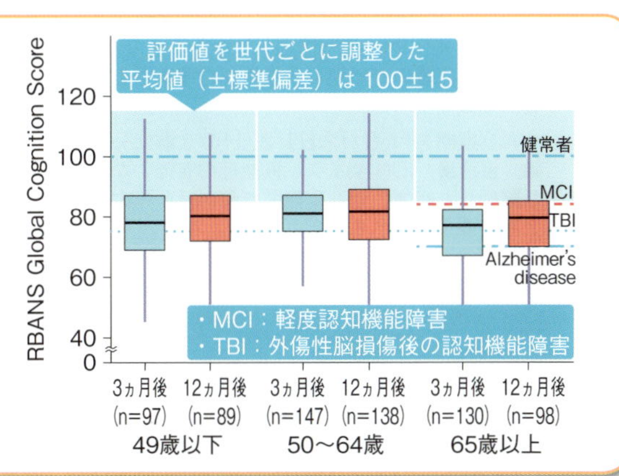

図 15 せん妄発症にともなう有害事象〜長期認知機能障害に焦点を当てて〜(BRAIN-ICU Study)

（Pandharipande PP, Girard TD, Jackson JC et al；BRAIN-ICU Study Investigators：Long-term cognitive impairment after critical illness. N Engl J Med 369（14）：1306-1316, 2013 を参照して作成）

同程度と予測される患者は 3 ヵ月後の時点では 26 %，12 ヵ月後の時点では 24 %と，これも皆さんにとっては驚くべき結果だと思います．

また，「ICU でのせん妄期間」と「認知機能評価指数である RBANS 値（退院 12 ヵ月後）」との関連を視覚化したものは図 16 です．ここで特記するべきは，ICU でのせん妄期間が長くなるほど，認知機能評価指数である RBANS 値が低下している，つまりは認知機能障害が悪化することを端的に示していることです．

さらに 2020 年のメタアナリシスにおいても，「せん妄は，長期的な認知機能低下をひき起こす因子である」とされています．

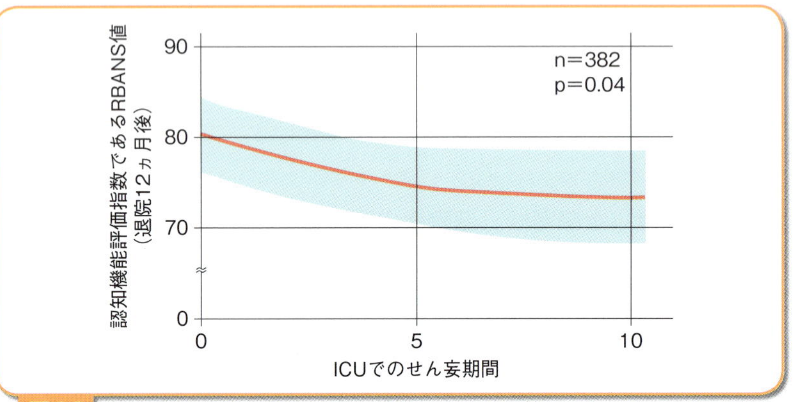

図 16 ICU でのせん妄期間が認知機能に与える影響

（Pandharipande PP, Girard TD, Jackson JC et al；BRAIN-ICU Study Investigators：Long-term cognitive impairment after critical illness. N Engl J Med 369（14）：1306-1316, 2013 を参照して作成）

- 5 ヵ国 68 施設の ICU に入室し人工呼吸療法を受けている 354 名を対象
- 対象者のうち 64.4%の患者がせん妄発症
- せん妄発症者の有無別に，累積死亡率を示したものが右図である
- せん妄期間を「1 日」「2 日」「3 日」の 3 群に分類し，「年齢，重症度，ICU タイプ，敗血症の有無」などを考慮し解析した結果，せん妄期間が長いほど死亡リスクが上昇することが示された（下表）

せん妄日数 (p<0.001, overall)	30 日間死亡率 (p=0.02, nonlinear effect)		
	HR	95%CI	p
0 vs. 1 日	1.70	1.27〜2.29	<0.001
0 vs. 2 日	2.69	1.58〜4.57	<0.001
0 vs. 3 日	3.73	1.92〜7.23	<0.001

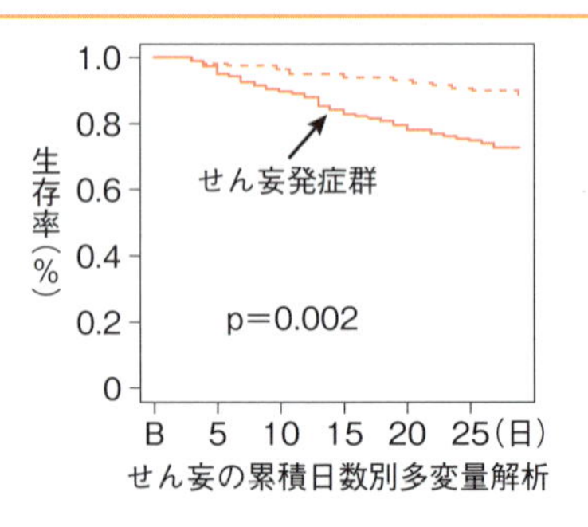

図 17 せん妄発症にともなう有害事象〜生命予後に焦点を当てて〜（SEDCOM）

ICUでせん妄を発症した患者は，死亡率が格段に高い

図17に示した研究においても，せん妄の評価方法はCAM-ICUを用いて行い，5ヵ国68施設のICUに入室し人工呼吸療法を受けている354名を対象として「30日後の死亡率」を調べたものです．

結果として図からもわかるように，せん妄群のほうが非せん妄群に比べ「30日後の死亡率」は有意に高いことが示されました（30.3％ vs 11.9％，$p<0.001$）．

②何を用いてアセスメント評価すればよいのかを協力してくれるコアメンバーで決める（集中治療医も巻き込むことがPointです）

- ここでも，「私たちのICUではどのツールを用いてせん妄をアセスメントしようか」という問題提起が起こったときにやみくもに「これで!!」と決めてしまうのではなく，「○○だから，××のアセスメントツールを使用して評価していこう」と結論づけるべきでしょう．
- ここでは，PADおよびPADISガイドラインでも推奨されている，「Confusion Assessment Method for the ICU：CAM-ICU」表2と「Intensive Care Delirium Screening Checklist：ICDSC」表3に焦点を当てて提示します．

③アセスメント評価ツールを導入後，改善の余地がある点に関して話し合う

④土台ができあがってから部署全体で導入するかをスタッフ全員で検討

⑤導入後も，checkを必ず入れる！

- 例えば，「抑制装着基準になっていない？」ですか??　これでは，本末転倒ですよね．

表2　CAM-ICU（Confusion Assessment Method for the ICU）の特長

Bergeron N et al：2001；Ely Bernard & 鶴田良介；Ely Margolin et al：2001

- 挿管患者も対象
- 医師でなくても診断が可能
  DSM-Ⅳ基準での信頼性・妥当性検証済み
  日本語版は未検証
  ⇒検証済みに！　日本語版では「感度：78％，特異度：95～97％」

オリジナル版では
・感度：95％前後
・特異度：90％前後

Koga Y, Murata H, Ely EW, Sanui M et al：Intensive Crit Care Nurs, 2014. doi：10.1016/j-iccn.2014.10.002

- 簡便：1～2分で終了
  「活動過剰型せん妄」「活動低下型せん妄」判定可
  But……⇒患者の協力，評価トレーニングが必要

表3 ICDSC（Intensive Care Delirium Screening Checklist）の特長

Bergeron N et al：Intensive Care Delirium Screening Checkllist：evaluation of a new screening tool. Intensive Care Med 27：859-864, 2001

- 挿管患者も対象
- 医師でなくても診断が可能
  DSM-Ⅳ基準での信頼性・妥当性検証済み
  日本語版は未検証
  ⇒一部検証済みに！　日本語版では「感度/特異度」共に 70 %前後

オリジナル版では
・4 点以上でせん妄と判断
・感度：99 %，特異度：64 %

古賀雄二，村田洋章，山勢博彰：日本語版 ICDSC の妥当性と信頼性の検証．山口医学 63（2）：103-111，2014

- 簡便：8 時間 or 24 時間の勤務帯ごとにチェック
  ⇒記録や前の勤務帯からの情報を基に！
  ⇒患者の協力を必要としない（看護師の主観）
  ⇒逆にココがデメリット⇒せん妄を作り上げる可能性あり
  ⇒評価者間信頼性が揺らぐ可能性

（2）看護師が行うせん妄への予防的介入の方向性

- 日本集中治療医学会のガイドライン作成委員会が策定した，『日本版・集中治療室における成人重症患者に対する痛み・不穏・せん妄管理のための臨床ガイドライン（以下，J-PAD ガイドライン）』では

> - せん妄の発症と持続期間を減らすために，可能な場合はいつでも早期離床を促すことを推奨する（＋1B）
> - 鎮静薬の必要量と患者の不安を減らすために，可能な場合はいつでも音楽を使った介入を行うことを提案する（＋2C）

とされています 表4 表5．

- PADIS ガイドラインにおいても，「非薬理学的介入法を用いることを提案する」とされており，療養環境の改善（時計の使用や，光や騒音の最小化，早期リハビリテーション / モビライゼーション，必要時には補聴器や眼鏡を使用）が条件付きとして推奨されています．

表4 早期離床

- J-PAD ガイドラインにおいて，「中等度のエビデンスが存在し強く推奨する介入（＋1B）」として「早期離床」が提示
- この推奨レベルを支持しているもっとも有名な論文は，Schweickert WD ら（2009）が行ったランダム化比較試験
- 本研究の評価項目の一つとして「せん妄期間」が評価された．その結果せん妄期間は，介入群では中央値で 2 日であったのに対して，通常ケア群では中央値で 4 日であり，介入群のほうがせん妄期間が有意に短かった（$p = 0.02$）．

表5　環境調整

- J-PAD ガイドラインにおいて，「エビデンスレベルは低いが推奨する（1C）」と提示
- 明確なエビデンスなし……
- ただし具体的な戦略として
    - 照明や騒音の調整
    - 動作の多い看護ケアに関しては可能な限り分散せずに集約する
    - 夜間帯の刺激を少なくする

参考文献

1）大川浩文，石原弘規：神経・内分泌反応．救急医学 30（9）：1003-1007，2006

2）小林国男：侵襲と生体反応．“標準救急医学”日本救急医学会 監．医学書院，pp16-25，1994

3）渡邉　直：“心臓血管外科ケアマニュアル（上巻）術前・術後編”．日総研出版，p49，2009

4）Pandharipande PP, Girard TD, Jackson JC et al；BRAIN-ICU Study Investigators：Long-term cognitive impairment after critical illness. N Engl J Med 369（14）：1306-1316, 2013

5）Shehabi Y, Riker RR, Bokesch PM et al；SEDCOM（Safety and Efficacy of Dexmedetomidine Compared With Midazolam）Study Group：Delirium duration and mortality in lightly sedated, mechanically ventilated intensive care patients. Crit Care Med 38（12）：2311-2318, 2010

6）Goldberg TE, Chen C, Wang Y et al：Association of Delirium With Long-term Cognitive Decline：A Meta-analysis. JAMA Neurol 77（11）：1373-1381, 2020

7）日本集中治療医学会 J-PAD ガイドライン作成委員会：日本版・集中治療室における成人重症患者に対する痛み・不穏・せん妄管理のための臨床ガイドライン．日集中医誌 21（5）：539-579, 2014

8）Devlin JW, Skrobik Y, Gelinas C et al：Clinical Practice Guidelines for the Prevention and Management of Pain, Agitation/Sedation, Delirium, Immobility, and Sleep Disruption in Adult Patients in the ICU. Crit Care Med 46（9）：e825-e873, 2018

（村田 洋章）

周術期に用いる薬剤の基礎

～循環作動薬の使い方から術後鎮痛まで～

- 循環作動薬の特徴を理解し，使う目的を明確にして使おう．
- 循環作動薬に対する反応には個人差があるので，患者の反応をよく観よう．
- 術後鎮痛は患者のアウトカムの向上にきわめて重要である．
- 鎮静薬を増やす前に疼痛を評価して鎮痛をしっかり行おう．

循環作動薬の特徴を知ることが大事です

- 心臓血管外科手術後は，手術や体外循環の侵襲，心停止の影響によって心機能が低下することが多く，その一方で，生体侵襲による臓器不全を防ぐためには全身・臓器への酸素供給を十分に行う必要があります．つまり**弱った心臓をいたわりながら，全身のすみずみに酸素を送る**ために，**個々の患者に最適な血圧・心拍出量を維持しなければなりません．**
- 全身への酸素供給は，動脈血にどれだけ酸素が含まれているか（動脈血酸素含有量）と酸素を含んだ血液がどのくらい組織にやってくるかで決まります．動脈血酸素含有量はヘモグロビン濃度と酸素飽和度で規定され，組織に届けられる血液の量は心拍出量に依存します 図1 ．
- 心拍出量＝一回拍出量×心拍数であり，一回拍出量は心臓の前負荷，収縮性，後負荷[1]によって変わります．したがって，前負荷，収縮性，心拍数・リズム，後負荷の４つの要素をコントロールして適切な心拍出量を維持することになります 図2 ．
- 血管収縮薬や強心薬，血管拡張薬，抗不整脈薬，輸液・輸血，利尿薬などにより，前負荷，収縮性，心拍数・リズム，後負荷の４つの要素を調節して，心臓がもっとも楽に全身に必要十分な血液を駆出できるようにします 表1 ．

①**前負荷，収縮性，後負荷**
前負荷：収縮前の心筋の長さ．臨床的には拡張末期容積で代用される．
収縮性：心筋の収縮する力．
後負荷：心室が血液を駆出する際に打ち勝たなければならない抵抗．

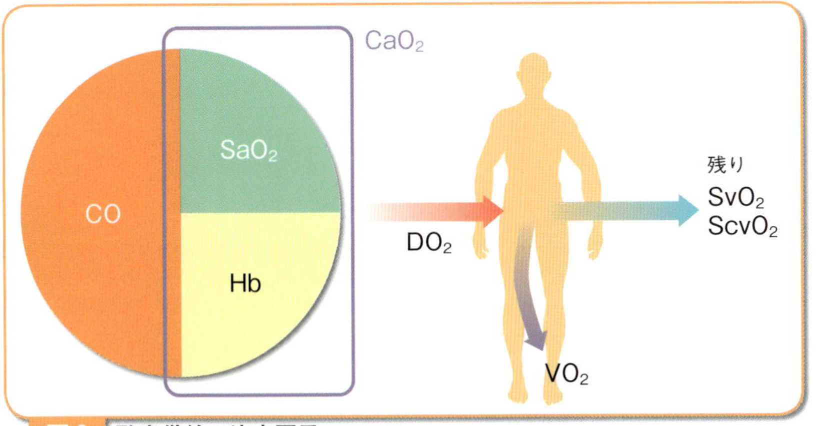

図1 酸素供給の決定因子

全身への酸素供給の決定因子は，動脈血酸素飽和度，ヘモグロビン濃度，心拍出量の３つ．

CaO_2：動脈血酸素含有量，CO：心拍出量，DO_2：酸素供給量，Hb：ヘモグロビン濃度，SaO_2：動脈血酸素飽和度，$ScvO_2$：上大静脈血酸素飽和度，SvO_2：混合静脈血酸素飽和度，VO_2：酸素消費量．

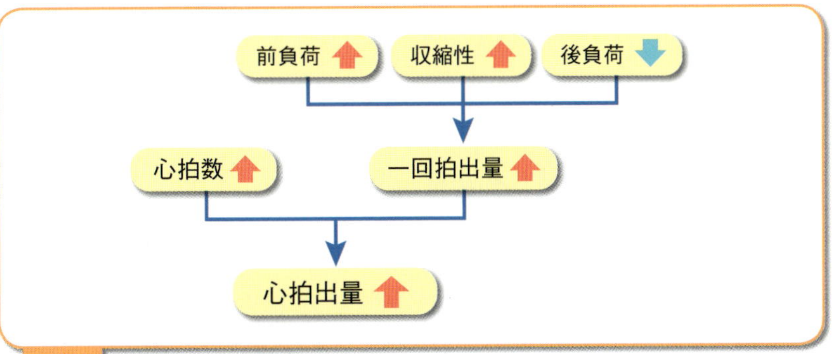

図2 循環の４つの要素

心拍出量＝心拍数×一回拍出量であり，一回拍出量は前負荷，収縮性，後負荷で規定される．

表1 循環の４つの要素のコントロール

前負荷	循環血液量：↑輸血・輸液，↓利尿薬，↓血液透析 容量血管：↓拡張（ニトログリセリン） ↑収縮（フェニレフリン）
収縮性	↑カテコラミン，PDE Ⅲ阻害薬 ↓β遮断薬
心拍数 リズム	心拍数：↑イソプロテレノール，↓β遮断薬 不整脈の治療：抗不整脈薬 ペーシング，鎮静・鎮痛，体温管理
後負荷	↑血管収縮薬 ↓血管拡張薬，大動脈バルーンパンピング

前負荷，収縮性，心拍数・リズム，後負荷を種々の薬物でコントロールすることができる．

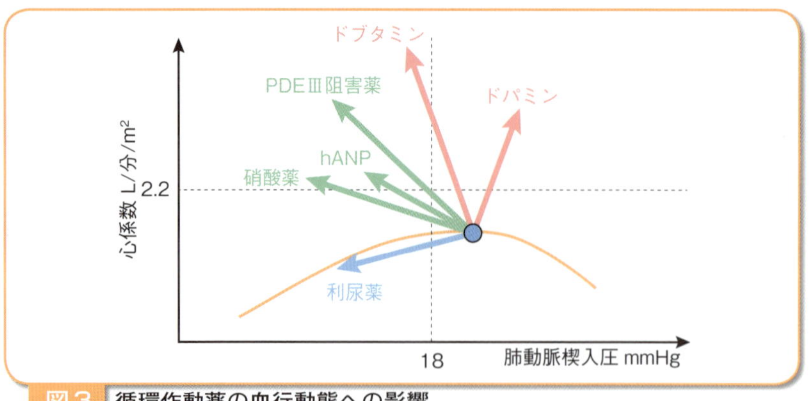

図3 循環作動薬の血行動態への影響

（村川裕二：急性心不全．"循環器治療薬ファイル　薬物治療のセンスを身につける　第3版"，メディカル・サイエンス・インターナショナル，pp133-170，2019を参照して作成）

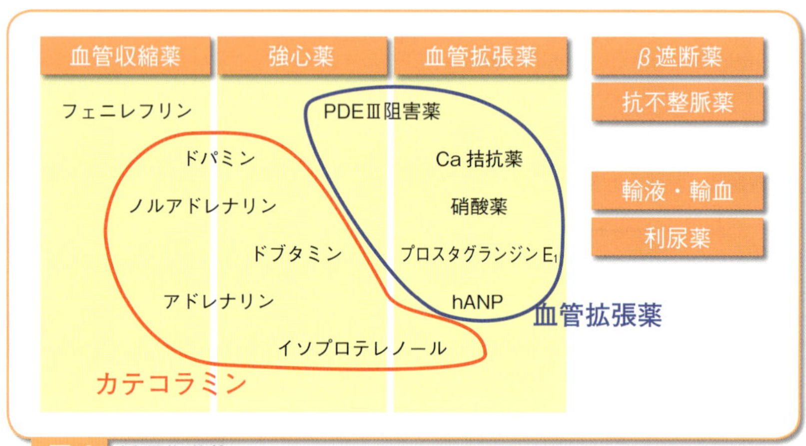

図4 循環作動薬

循環作動薬の特徴を知ることで，循環作動薬をうまく使うことができる．

- 循環作動薬をやみくもに使うのではなく，**おのおのの薬剤の特徴を理解し目的をもって使う**ことが循環作動薬をうまく使うためのコツです．とくに循環作動薬の血行動態への影響の方向性を知り，どの方向に循環動態をもっていくのかを考えて使いましょう 図3．本稿ではカテコラミン，血管拡張薬について解説していきます 図4．

カテコラミン：どのレセプターにどう効くか？

- カテコラミンは交感神経受容体であるアドレナリン受容体（α_1，α_2，β_1，β_2，β_3），ドパミン受容体に作用し，多様な効果を発揮します 表2．おのおののカテコラミンが作用する受容体や作用の強さは薬剤ごとに異なり，また効果の発現にも個体差があります．

表2 交感神経受容体の局在と作用

受容体	分布	作用
α_1	血管平滑筋 括約筋 腸管の平滑筋 肝臓	収縮 収縮 弛緩 グリコーゲン分解と糖新生
α_2	膵臓β細胞 血小板 神経 血管平滑筋	インスリン分泌抑制 凝集 ノルアドレナリン遊離抑制 収縮
β_1	心臓 腎臓の傍糸球体細胞	収縮力，心拍数増加 レニン分泌促進
β_2	平滑筋 骨格筋 肝臓	弛緩 グリコーゲン分解と糖新生 グリコーゲン分解
β_3	脂肪	脂肪分解
ドパミン	腎・腸間膜血管平滑筋	拡張

ドパミン

a）薬理作用

- 内因性カテコラミンで，アドレナリンとノルアドレナリンの前駆物質．
- α_1，β_1，β_2 受容体，ドパミン受容体に対する直接作用と神経終末からノルアドレナリンの放出を促進させる間接作用があります．
- 2 μg/kg/分以下の低用量ではドパミン受容体刺激作用（いわゆる renal dose②），2～10 μg/kg/分ではβ_1受容体刺激作用による心収縮力の増強と心拍数増加，10 μg/kg/分以上ではα_1受容体刺激作用による血管収縮を示すとされます[1)]．

b）適　応

- **低血圧をともなう**低心拍出量状態．

c）投与量

- 1～5 μg/kg/分で持続静注，最大 20 μg/kg/分まで増量可能．
- **投与量と血中濃度，投与量と効果には個人差がある**ために，臨床徴候をみながら投与量を決める必要があります．

d）副作用

- 頻脈，不整脈，肺血管抵抗上昇，嘔吐・腹部膨満・麻痺性イレウス．

② **renal dose**
低用量のドパミンで腎のドパミン受容体を刺激することで利尿効果が得られる．しかし低用量投与のドパミンの腎保護作用は否定されている．

MEMO

カテコラミン計算

カテコラミンをはじめとする循環作動薬の投与量の単位として，μg/kg/分（いわゆるガンマγ）が使われます．これは体重あたりの投与量を示すことでどのくらいの量が投与されているのかわかりやすくするためのものです．

具体的な計算式：
投与量μg/kg/分＝（薬剤量mg/希釈総量mL）×投与速度mL/時÷60÷体重kg÷1,000

ただし，カテコラミンなどの循環作動薬の効果は個人差があるので，同じ体重あたりの投与量であっても効き方が異なることはめずらしくありません．画一的な投与量ではなく，臨床徴候を観察しながら投与量を決める必要があります．

ドブタミン

a）薬理作用

- 合成カテコラミンで，強いβ_1受容体刺激作用と弱いβ_2，α_1刺激作用をもちます．β_1受容体刺激作用で心収縮力の増強と心拍数増加を示します．
- β_2受容体刺激による血管拡張作用とα_1受容体刺激による血管収縮作用が拮抗し，血管抵抗への影響は小さくなるために，血圧低下が前面に出ることは少ないとされます[1)]．
- 同じ投与量であれば，ドブタミンの陽性変力作用はドパミンを上回ります[③]．

③ ドパミンとドブタミン
筆者の場合，血圧の維持が念頭にある場合にはドパミン，心収縮性の改善が必要な場合にはドブタミンを選ぶことが多い．ドパミンを増量していくと頻脈や血管収縮といった悪い面が出てくるので，ドブタミンやPDEⅢ阻害薬などを併用する．

b）適　応

- 著明な低血圧をともなわない低心拍出量状態．

c）投与量

- 1〜5 μg/kg/分で持続静注，最大 20 μg/kg/分まで増量可能．

d）副作用

- 頻脈，不整脈，心筋虚血．

ノルアドレナリン

a）薬理作用

- 内因性カテコラミンで，交感神経節後線維や副腎髄質でドパミンから合成されます．
- **強力なα_1，α_2受容体刺激作用による血管収縮**とβ_1受容体刺激作用による心収縮力の増加を示します．心拍出量への効果は末梢血管抵抗と圧受容体反射による心拍数の減少に左右されます[2)]．

b）適　応

- 種々の原因によるショック（とくに末梢血管抵抗の低下）[4].

c）投与量

- 0.01～0.3 μg/kg/分で持続静注.

d）副作用

- 不整脈，肺血管抵抗の上昇，腸管，腎，肝などの臓器血流の低下.

[4] 心臓血管外科手術の周術期には，さまざまな理由で低血圧が起こる．原因を究明せずに血管収縮薬でみかけの血圧だけを維持しているだけでは，患者の予後を悪くしてしまうかもしれない.

アドレナリン

a）薬理作用

- 内因性カテコラミンで，副腎髄質で合成されます.
- 強力なα_1，α_2受容体刺激作用による血管収縮とβ_1受容体刺激作用による心収縮力の増強，心拍数の増加，β_2受容体刺激作用による気管支拡張を示します.
- 肥満細胞の安定化作用があり，ヒスタミンの遊離を抑制するためアナフィラキシー様・アナフィラキシー反応では第一選択となります.
- **0.01～0.03 μg/kg/分の低用量ではβ受容体刺激作用が優位**ですが，0.1 μg/kg/分を超える高用量ではα受容体刺激作用が優位となります.

b）適　応

- 他の強心薬が無効なショック，心停止，アナフィラキシーショック，気管支けいれん.

c）投与量

- 0.01～0.3 μg/kg/分で持続静注.
- **心肺蘇生**：成人では 1 mg，小児では 0.01 mg/kg 静注.
- **アナフィラキシーショック**：成人では 0.3～0.5 mg を**筋注**（15～20 分ごと），0.1 mg を 5 分以上かけて静注，小児では 0.01 mg/kg を 20 分ごとに静注.

d）副作用

- 不整脈，心筋虚血，肺水腫，高血糖，高乳酸血症，臓器血流低下.

イソプロテレノール

a）薬理作用

- 合成カテコラミンで，強いβ_1，β_2受容体刺激作用をもつ一方で，α受容体刺激作用はありません.
- β_1受容体刺激作用による心拍数増加および心収縮力の増強，β_2受容体刺激作用による骨格筋や内臓の血管拡張，気管支拡張を示します．**血管拡張作用により動脈圧が低下する**ことがあります.

b）適　応

- 高度な徐脈，房室ブロック，心移植後の除神経心の心拍数維持，小児心臓手術における心拍数維持ないし増加.

c) 投与量

- 0.005〜0.1 μg/kg/分で持続静注.

d) 副作用

- 心筋虚血,低カリウム血症.

血管拡張薬:どの血管をどう開くのか?

- 多種多様な血管拡張薬を使いこなすためには,**おのおのの拡張薬がどの血管(①細動脈;抵抗血管,肺動脈,冠動脈,②腹部臓器の血管床;容量血管)にどう効くのかを知る**必要があります.

ホスホジエステラーゼⅢ 阻害薬

a) 薬理作用

- ホスホジエステラーゼ(PDE)はcAMPとcGMPを加水分解する酵素で,5種類あるPDEのうちPDE Ⅲは,心臓・血管平滑筋,血小板でcAMPのみを分解します.このPDE Ⅲを選択的に阻害することでcAMPの分解が阻害され,細胞内のcAMP濃度が上昇することで細胞内のCa^{2+}濃度が高まり,心収縮力が増して血管も拡張します.
- カテコラミンと比べて心筋酸素消費量の増加と頻脈の傾向が少ないとされています.
- **PDE Ⅲ阻害薬の強心作用はβ_1受容体を介さない**薬理作用であるため,β_1受容体のダウンレギュレーションによる効果の減弱をみとめない,β遮断薬が投与されていても効果があるのが利点です[1].

b) 適 応

- 急性心不全,低心拍出量症候群,カテコラミン無効時,開心術における人工心肺離脱時の循環補助.

c) 投与量

- **ミルリノン**:0.25〜0.75 μg/kg/分で持続静注(負荷投与50 μg/kgを10分間で投与).
- **オルプリノン**:0.1〜0.4 μg/kg/分で持続静注(負荷投与10 μg/kgを5分間で投与).
- **初期負荷投与は低血圧をまねく**ため行われないことが多くなっています⑤.

d) 副作用

- 血圧低下,不整脈,血小板減少.
- 腎排泄性なので**腎機能が低下している患者では減量する**必要があります.

⑤ **初期負荷投与**
初期負荷投与を短時間で行うと血圧が低下するので,初期負荷投与を時間をかけて行う(例えば20〜30分)というのも一つの手である.

カルシウム拮抗薬

1．ニカルジピン

a）薬理作用

- ジヒドロピリジン系のニカルジピンは抵抗血管の平滑筋への作用が中心で，おもに動脈系に作用して血管拡張・降圧をもたらします．**臨床用量では，心筋細胞や刺激伝導系細胞には有意な作用を示しません．**
- 血管抵抗の低下による後負荷の軽減によって心拍出量が増加する一方で，血圧の低下に起因する**反射性頻脈が起こります．**

b）適　応

- 周術期の高血圧，高血圧緊急症，急性心不全．

c）投与量

- 10〜30 μg/kg を単回静注，0.5〜10 μg/kg/分で持続静注．

d）副作用

- 脳血管が拡張し脳圧が亢進するため，頭蓋内圧亢進がある患者で注意が必要です．
- 頭痛，熱感，血圧の過降下．

2．ジルチアゼム

a）薬理作用

- ジルチアゼムは非ジヒドロピリジン系で血管平滑筋への作用に加えて，心筋細胞にも作用することによって，**血管拡張と房室結節伝導時間を延長させます．**
- 全身の抵抗血管の拡張による降圧作用，冠血管拡張・冠動脈攣縮の解除，房室伝導の抑制といった作用を示します．

b）適　応

- 周術期の高血圧，高血圧緊急症，上室性の頻脈性不整脈，不安定狭心症・冠動脈攣縮．

c）投与量

- 10 mg を 1 分間で緩徐に単回静注，1〜15 μg/kg/分で点滴静注．

d）副作用

- 洞徐脈・房室ブロック，低血圧，心機能低下．

硝酸薬

1．ニトログリセリン

a）薬理作用

- ニトログリセリンは血管内皮細胞で還元され一酸化窒素を放出します．放出した一酸化窒素は血管平滑筋に移動し，血管平滑筋を弛緩させることで血管拡張が起こります．

- **ニトログリセリンは低用量では静脈の拡張が優位で，動脈の拡張には高用量が必要です**[2]．静脈の拡張により前負荷が軽減されることで，左室拡張末期圧が低下します．また冠動脈の拡張によって心筋の酸素需給バランスを改善させます．
- 肺血管床も拡張させるために，先天性心疾患での肺血管抵抗の調節，肺高血圧症や右心不全の治療にも有用です．

b）適　応

- 高血圧，心不全，虚血性心疾患．

c）投与量

- **高血圧治療**：0.5～5 μg/kg/分で持続静注．
- **急性心不全**：0.05～0.1 μg/kg/分で持続静注を開始し，目標の血行動態になるように調節．
- **不安定狭心症**：0.1～0.2 μg/kg/分で持続静注を開始し，1～2 μg/kg/分で維持．

d）副作用

- 低血圧，頭痛，反射性頻脈，耐性発現，メトヘモグロビン血症．
- PDE V阻害薬（シルデナフィル）を投与中の患者は禁忌．

2．ニコランジル

a）薬理作用

- ニコランジルは，ニトログリセリンと同様に一酸化窒素を生成して血管平滑筋を弛緩させることで，おもに静脈系と比較的太い冠血管が拡張します．さらにATP感受性Kチャネルを開口させることで細い冠血管が拡張するとともに，全身の動脈系の拡張も生じます．
- ニコランジルの特徴は，**冠動脈を選択的に拡張するので血圧の低下が少ない**ことです．

b）適　応

- 狭心症，心不全．

c）投与量

- **不安定狭心症**：2～6 mg/時で持続静注．
- **急性心不全**：0.2 mg/kgを5分かけて緩徐に静注した後に，0.05～0.2 mg/kg/時で持続投与．

d）副作用

- 血圧低下，心拍数増加，頭痛など．
- PDE V阻害薬（シルデナフィル）を投与中の患者は禁忌．

プロスタグランジン E_1 製剤

1．アルプロスタジル

a）薬理作用

- 血管平滑筋に直接作用して血管を拡張することで，降圧作用を示します．また肝・腎などの重要臓器の血流維持や，**動脈管拡張作用による先天性心疾患における動脈管の開存に有効**とされます[3)]．

b）適　応

- 高血圧，術中の低血圧維持，臓器血流維持，血行再建後の血流維持，動脈管の開存．

c）投与量

- 0.02～0.2 μg/kg/分で持続静注．
- **動脈管の開存**：50～100 ng/kg/分で持続静注を開始し，適宜増減．

d）副作用

- 血圧低下，心電図異常，静脈炎．

ヒト心房性ナトリウム利尿ペプチド（hANP）

1．カルペリチド

a）薬理作用

- 心房より分泌されるヒト心房性ナトリウム利尿ペプチドを遺伝子組み換えによって製剤化したもので，血管拡張作用，利尿作用，交感神経活動やレニン-アンジオテンシン-アルドステロン系の抑制作用を有します．

b）適　応

- 急性心不全（**血管内脱水がなく，心拍出量が維持されている**状態）．

c）投与量

- 0.0125～0.2 μg/kg/分で持続静注．
- 0.025～0.05 μg/kg/分の低用量で開始することが多いです．

d）副作用

- 血圧低下．

まず第一に鎮痛，そして鎮静

- 心臓血管外科術後に疼痛管理を適切に行うことは，ストレス反応の抑制，心筋虚血や不整脈などの循環器合併症や無気肺や肺炎といった呼吸器合併症の予防，代謝や免疫，血液凝固機能の安定のためにきわめて重要です．
- 術後に鎮静が必要な場合においても，**やみくもに深い鎮静をするのではなく，まず疼痛を評価して鎮痛を優先に行ったうえで**，鎮静レベルを評価しながら鎮静薬を適切に使用することが，せん妄の予防や患者のアウトカムの向上につながります[4].

鎮痛薬：うまく使いこなそう⑥

⑥ ICUにおける疼痛管理は静注オピオイドが第一選択薬であるが，一つの鎮痛手段だけにこだわらず，さまざまな薬剤や手段を組み合わせて集学的に疼痛管理を行うことで，副作用のリスクを小さくしつつ，良好な鎮痛を患者にもたらす．

1．フェンタニル

a）薬理作用

- オピオイド受容体（μ受容体）に作用して強力な鎮痛効果を発揮します．
- 静注後の効果発現は1〜2分と迅速であり，作用時間も30分〜1時間と短いですが，**反復投与や持続投与で半減期が延びていきます**．
- 循環動態への影響は最小限であり，血行動態が不安定な患者でも使用可能です．
- フェンタニルの作用はナロキソンで拮抗できます．

b）適　応

- 激しい疼痛（術後疼痛，がん性疼痛）に対する鎮痛．

c）投与量

- 0.35〜0.5 μg/kgを静注，30分〜1時間おき．
- 0.7〜10 μg/kg/時で持続静注．

d）副作用

- 呼吸抑制，筋硬直，嘔気・嘔吐，便秘，徐脈，血圧低下，薬物依存．

2．塩酸モルヒネ

a）薬理作用

- オピオイド受容体（μ，κ，δ受容体）に作用して強力な鎮痛作用を発揮します．
- モルヒネの代謝産物も強い鎮痛効果を有するため，単回投与後の鎮痛持続時間が長いという特徴があります．
- 肝機能・腎機能低下で蓄積するので注意が必要です．
- モルヒネの作用はナロキソンで拮抗できます．

b）適　応

- 激しい疼痛時における鎮痛，がん性疼痛．

c）投与量

- 2〜4 mgを静注，1〜2時間おき．
- 2〜30 mg/時で持続静注．

d）副作用

- 呼吸抑制，血圧低下，ヒスタミン遊離，嘔気・嘔吐，掻痒感，尿閉，せん妄．

3．ブプレノルフィン

a）薬理作用

- オピオイド受容体に作用して鎮痛効果を発揮します．
- μオピオイド受容体への親和性が高く，緩徐な作用発現，長時間作用が特徴で，作用時間は 6〜10 時間におよびます．

b）適　応

- 術後鎮痛，各種がん，心筋梗塞症における鎮痛．

c）投与量

- 0.2〜0.3 mg（4〜6 μg/kg）を筋注（静注），6〜8 時間おき．
- 心筋梗塞に対しては 1 回 0.2 mg を緩徐に静注．

d）副作用

- 悪心・嘔吐，呼吸抑制，血圧低下，眠気・めまい，薬物依存．

4．トラマドール

a）薬理作用

- 弱オピオイドとしての作用と，下行性の痛み抑制系の神経線維におけるセロトニンとノルアドレナリンの再取り込みの阻害によって鎮痛作用を発揮します．
- オピオイドと比べて，循環系への影響，呼吸抑制，身体・精神依存性，薬物耐性といった副作用の出現は少ないとされています．

b）適　応

- 術後痛，がん性痛．

c）投与量

- 100〜150 mg を筋注（静注），4〜5 時間おき．

d）副作用

- 嘔気・嘔吐，発汗，眠気，起立性めまい．

鎮静薬：痛みはとれません

1．プロポフォール

a）薬理作用

- $GABA_A$ 受容体などに結合し，神経伝達を抑制することで，鎮静，催眠，抗不安，健忘，制吐，抗けいれん作用を発揮します．**鎮痛作用はありません．**
- 効果発現はすみやかで，かつ覚醒もすみやかであるとされますが，長期投与では末梢組織で飽和してしまい覚醒が遅延する可能性があります．
- 用量依存性に呼吸抑制や低血圧が起こるために，呼吸や循環動態が不安定な患者では注意が必要です．
- プロポフォール投与により**プロポフォール注入症候群（propofol infusion syndrome：PRIS）**⑦という病態をきたすことがまれにあります．PRIS は代謝性アシドーシス，横紋筋融解，高カリウム血症，急性腎不全，不整脈を呈し，多臓器不全をきたして，ときに致死的な場合もあります．48 時間以上の長期投与，4.2 mg/kg/時以上の大量投与，頭部外傷やカテコラミン投与下といった状況でリスクが高いとされています[5]．PRIS

⑦ **PRIS**
プロポフォールの投与中に説明のできない代謝性アシドーシスや外傷に関連しない横紋筋融解，急性腎障害，不整脈が発症したときには PRIS を疑う．血中乳酸値や CK の上昇，高カリウム血症や高トリグリセリド血症，ミオグロビン尿といった所見にも注意しよう．

を疑った場合には，ただちにプロポフォールを中止することが重要です．

b）適　応

- 集中治療における鎮静．

c）投与量

- 0.3〜3 mg/kg/時で持続静注．

d）副作用[8]

- 低血圧，呼吸抑制，注射時疼痛，高トリグリセリド血症，プロポフォール注入症候群．

[8] プロポフォールとミダゾラムの離脱：
ICU において鎮痛薬や鎮静薬を長期に使用していると，その減量・中止の過程で離脱症候群が起こることがある．ミダゾラムなどのベンゾジアゼピンやオピオイドが主要な原因薬とされているが，プロポフォールでも起こることがある．離脱症候群では，中枢神経の興奮（睡眠障害，振戦，けいれん），消化管機能低下（下痢，嘔吐，腹痛），自律神経機能障害（頻脈，高血圧，発汗など）といった症状が出現する．

2．ミダゾラム

a）薬理作用

- ミダゾラムはベンゾジアゼピン受容体に作用して，GABA の作用を増強することで，鎮静，催眠，抗けいれん，抗不安，健忘作用を発揮します．鎮痛作用はありません．
- 作用発現は数分とすみやかで，作用持続時間は比較的短いために，持続投与が必要です．呼吸抑制や低血圧を誘発する可能性があり，オピオイドとの併用下では呼吸抑制作用が強く出ることがあります．
- 肝腎機能低下患者や長期投与では，活性代謝産物の蓄積や排泄障害により作用の増強・延長が生じる可能性があります．

b）適　応

- 集中治療における鎮静．

c）投与量

- 0.01〜0.06 mg/kg を 1 分以上かけて静注．
- 0.02〜0.18 mg/kg/時で持続静注．

d）副作用[8]

- 呼吸抑制，低血圧．

3．デクスメデトミジン

a）薬理作用

- 選択性の高い α_2 アドレナリン受容体作動薬で，鎮静・鎮痛作用，交感神経抑制作用があります．鎮痛作用は強くありませんが，他の鎮痛薬を併用する場合は相互作用で鎮痛薬の必要量を低減できます[9]．
- デクスメデトミジンによる鎮静では，軽い刺激で容易に覚醒し，意思の疎通が良好であり，呼吸抑制もほとんどないという利点をもっています．しかし術後のような**鎮痛薬を併用している状況では，呼吸抑制が出る可能性はあります．**
- **低用量でも交感神経抑制作用がある**ので，循環血液量減少や心臓の伝導障害のある患者では**低血圧，徐脈をきたす**可能性があります．

b）適　応

- 集中治療における人工呼吸中および離脱後の鎮静（長期投与も可能）．

[9] デクスメデトミジンのリスク軽減：
人工呼吸管理中の成人患者の鎮静にベンゾジアゼピン系薬を使用すると，非ベンゾジアゼピン系薬使用時と比べて人工呼吸期間や ICU 入室期間が有意に延長すると報告されている．またデクスメデトミジンを使用すると，ミダゾラムでの鎮静と比較して，人工呼吸期間が短縮し，せん妄の発生頻度も低いことが示されている．

c）投与量

- 0.2～0.7 μg/kg/時で持続静注.
- 初期負荷投与量（1 μg/kg を 10 分かけて静注）が示されていますが，初期負荷投与により血圧上昇または低血圧・徐脈をきたすことがあるので，初期負荷投与を行わず維持量の範囲で開始するほうが望ましいとされています.

d）副作用

- 血圧低下，徐脈.

参考文献

1）村川裕二：“循環器治療薬ファイル（第 3 版）”．メディカル・サイエンス・インターナショナル，pp133-170，239-246，247-250，2019

2）Pal N, Butteworth JF：Cardiovascular drugs. In “Hensley's practical approach to cardiothoracic anesthesia（6th ed）” eds. Gravlee GP, Shaw AD, Bartels K. Lippincott Williams & Wilkins, Philadelphia, pp26-83，2019

3）日本麻酔科学会：麻酔薬および麻酔関連薬使用ガイドライン第 3 版，2012
http://www.anesth.or.jp/guide/index.html

4）日本集中治療医学会 J-PAD ガイドライン作成委員会：日本版・集中治療室における成人重症患者に対する痛み・不穏・せん妄管理のための臨床ガイドライン．日集中医誌 21：539-579，2014

5）Diedrich D, Brown DR：Analytic reviews：propofol infusion syndrome in the ICU. J Intensive Care Med 26：59-72，2011

（清野 雄介）

人工心肺が身体に及ぼす影響と合併症
～人工心肺を使うと何が悪いの？～

- ☑ 人工心肺は心臓大血管手術に必要不可欠だが，身体にとっては大きな侵襲である．
- ☑ 人工心肺や手術の侵襲で臓器機能が低下することがある．
- ☑ 人工心肺を用いる心臓大血管手術後に起こることを理解し，すみやかに対処しよう．

人工心肺のしくみと役割を知ろう！

- 心臓大血管手術では手術操作のために心臓を停止させたり，胸部大動脈の血流を遮断する必要があります．心停止や血流遮断中の生体機能を維持するために，**人工心肺によって心臓と肺の機能を人工的に代行します．**
- 人工心肺の機能は，

1）酸素化と二酸化炭素の排出
2）適切な灌流圧での血液の循環
3）全身の冷却と加温
4）心臓や大動脈での無血視野の確保

の４つです[1]．これらの目標を達成するために，人工心肺にはガス交換を行う人工肺，血液を全身に送るための血液ポンプ，体温を調整するための熱交換器，術野から血液を吸引するための回路などを備えています．

- 通常の人工心肺では，上下大静脈や右房などから脱血管を介して全身から戻ってきた血液を貯血槽（リザーバー）に導き，そこから血液ポンプで血液を熱交換器，人工肺を通した後に，上行大動脈や大腿動脈に留置した送血管から全身に送ります 図１ 図２．

人工心肺は身体にとって大きな侵襲です

- 人工心肺は心臓大血管手術に必要不可欠ですが，生体に対して大きな影響を及ぼします．その原因としては，**血流の変化，人工物である体外循環回路への血液の接触，血液希釈，体温の変化**といったものが挙げられます 表１[2]．

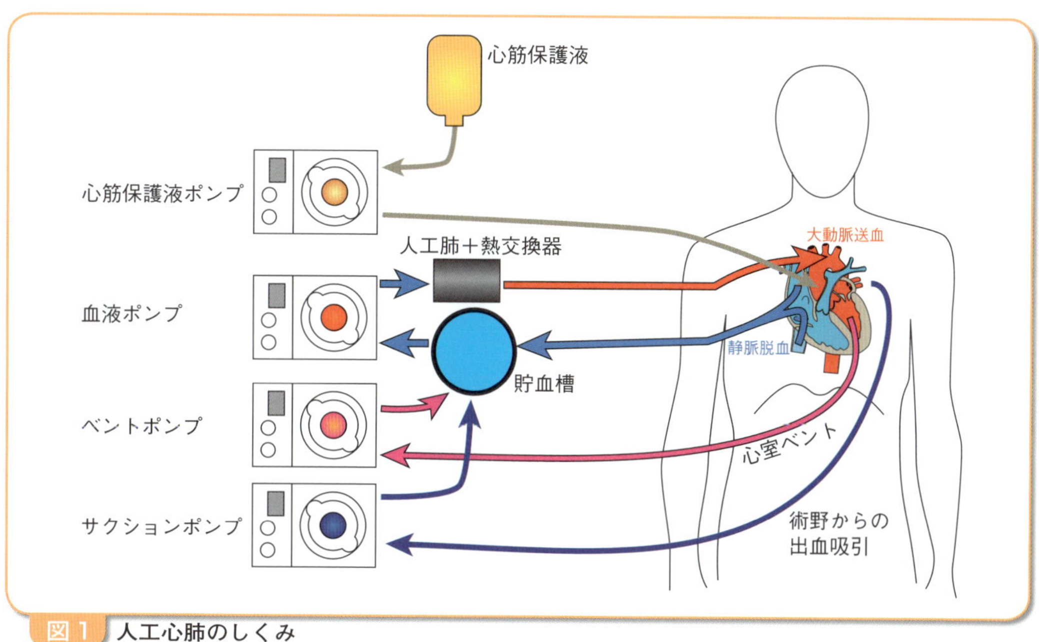

図1 人工心肺のしくみ

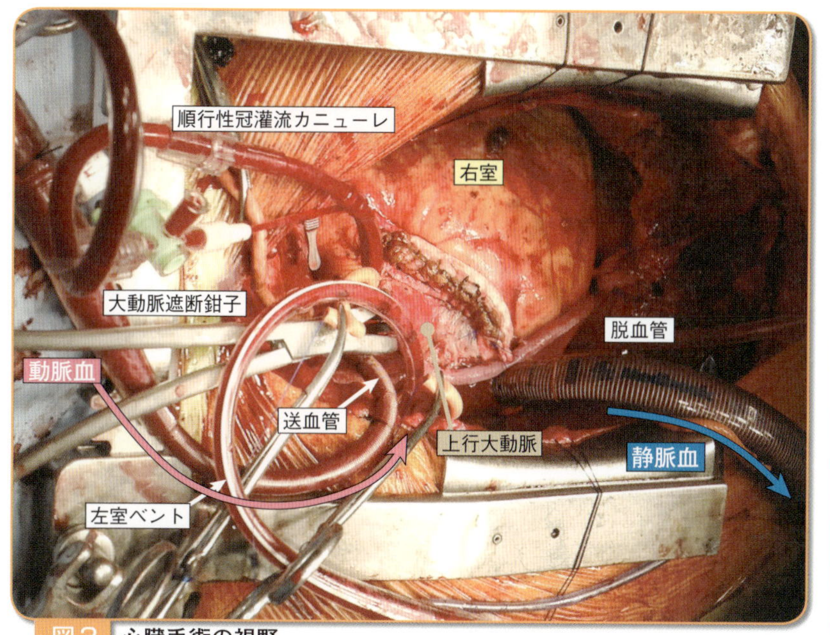

図2 心臓手術の視野

この写真では右房の脱血管から血液を人工心肺に導き，送血管を介して上行大動脈に送血している．送血管の近位に大動脈遮断鉗子が上行大動脈にかけられていて，さらにその近位の大動脈基部に順行性冠灌流カニューレが留置されており，心筋保護液を冠動脈に注入する．

表1 人工心肺による変化

1. 血流の変化 拍動流から定常流になり，血流のパターンや灌流圧が変わる 2. 人工物である体外循環回路への血液の暴露 3. 回路の充填液による血液希釈 4. 低体温 代謝の低下，血液の粘稠度の増加 血液ガス・凝固系への影響

- こういった原因によって補体やサイトカイン，凝固・線溶系が活性化されるために全身性の炎症反応（SIRS①）が起こり，その結果，種々の臓器の機能を低下させ，臓器不全をまねきます[3]．また，いったん虚血に陥った組織に再度血液が流れることによって組織がダメージを受ける虚血再灌流傷害や，体外循環中の一時的なエンドトキシン血症も体外循環による全身の炎症の原因とされています．

① SIRS：systemic inflammatory response syndrome

人工心肺は臓器機能に影響します

- 人工心肺中の臓器の低灌流や人工心肺によってひき起こされたSIRSによる臓器障害の重症度は，患者によってさまざまです．大部分の患者ではSIRSが起きるものの臨床的に大きな合併症をきたさずに経過しますが，もともとの**臓器機能が悪い患者や虚弱な高齢者，長時間の人工心肺，小児の心臓手術**では，人工心肺によるSIRSが術後合併症の発症につながることはめずらしくありません．
- 心臓大血管手術では，手術操作や低体温，心停止による心筋障害に加えて，手術や人工心肺による侵襲によって中枢神経系や肺，腎臓，消化器系，内分泌系などの臓器機能に影響が及びます．

中枢神経系

- 人工心肺後の中枢神経障害は神経認知機能障害（頻度25〜80％）から明らかな脳梗塞（頻度1〜5％）まで重症度に幅があります[1]．手術そのものが成功したにもかかわらず，認知機能障害や麻痺が残ってしまうことはきわめて残念なことであり，患者の予後を大きく変えてしまいます．
- 中枢神経障害の危険因子としては，近位大動脈の粥状硬化，術前の神経障害，大動脈バルーンパンピング（intra-aortic balloon pumping：IABP）の使用，糖尿病，高血圧，肺疾患，狭心症，年齢などが挙げられます[4]．
- 術中ないし人工心肺中の脳塞栓，全身の低灌流，炎症，脳温の上昇，脳浮腫，血液脳関門の機能不全，患者の遺伝的素因が中枢神経障害の原因

表2 心臓手術後の中枢神経障害の原因

原　因	起こりうる状況
脳の微小塞栓	人工心肺中に発症：大動脈粥腫や遺残空気による塞栓，空気の送り込み
広範な脳の低灌流	低血圧，大動脈粥腫などの塞栓子による血管閉塞
炎症（全身と脳）	人工心肺の有害な効果：人工物への血液の暴露，炎症メディエーターの活性化
高体温（脳温上昇）	術中・術後の高体温，低体温からの急激な復温
脳浮腫	脳の低灌流や低ナトリウム血症による浮腫，脱血管の位置異常による静脈うっ血
血液脳関門の機能不全	脳虚血や脳圧亢進によるびまん性の脳の炎症
薬物の影響	麻酔薬に関連した認知機能障害，アポトーシス，蛋白質の構造と機能の変化

（Grocott HP, Stafford-Smith M, Mora Mangano CT：Cardiopulmonary bypass management and organ protection. In "Kaplan's cardiac anesthesia for cardiac and noncardiac surgery（7th ed）" eds. Kaplan JA, Augoustides JGT, Manecke GR, Maus TM, Reich DL. Saunders, St. Luis, pp1111-1163，2017 より引用）

となりえます 表2 .

- 中枢神経障害の予防は，送血管留置の部位の変更や術野に二酸化炭素を撒布するといった塞栓子を減らす処置，酸塩基平衡の適切な管理，体温管理，適切な灌流圧の維持，血糖管理が重要とされています．その一方で神経を保護し，患者の予後を変えるような薬剤は今のところ見いだされていません．

心　臓

- 心臓に直接侵襲が加わる心臓手術の性格上，心臓外科手術後に心筋障害をきたすことが少なくありません．心筋障害の重症度は心筋バイオマーカー（クレアチニン・キナーゼ：CK-MB，心筋トロポニン，ナトリウム利尿ペプチドなど）の上昇のみで無症状なものから，明らかな心機能低下をきたすものまでさまざまです．
- 術後の心筋障害の多くは，術中の心筋虚血や虚血再灌流傷害で起こります．短時間の心筋虚血や虚血再灌流で生じる心筋のスタニング（気絶）は，心筋保護液を使用した心停止の後にみとめられ，48～72 時間程度で回復するとされています．
- 人工心肺後の心筋障害を予防するために，心臓を止めて手術を行う場合には心筋保護液を大動脈の基部や冠静脈洞から注入して，心臓の活動を停止させ心筋細胞内のエネルギーを温存し，心臓を冷やすことで酸素消費を抑えます．
- 心筋障害による術後の心機能低下に対しては，輸液や輸血による適切な前負荷の維持，種々の強心薬や血管拡張薬を使って収縮性や後負荷の調整，ペースメーカや β 遮断薬，抗不整脈による心拍数やリズムのコントロールを行います 図3 ．内科的治療で反応しないような重症の心機能低下に対しては IABP，体外式膜型人工肺（extracorporeal membrane oxygenation：ECMO），補助人工心臓（ventricular assist device：VAD）

1. 心機能低下の診断
心エコー，心拍出量係数<2 L/分/m^2，混合静脈血酸素飽和度（SvO_2）<70%

2. 心タンポナーデの除外，原因病変・残存病変の検索
心エコー，圧モニタ

3. 心拍数とリズムの最適化
心拍数：β遮断薬，ペーシング，（イソプロテレノール）
不整脈の治療：抗不整脈薬，ペーシング
鎮静・鎮痛，体温管理

4. 前負荷の最適化
循環血液量：↑輸血・輸液　↓利尿薬，血液透析
容量血管：拡張（ニトログリセリン），収縮（フェニレフリン）

5. 収縮性の最適化（多くの場合，増加させる）
↑PDEⅢ阻害薬，カテコラミン　↓β遮断薬

6. 左室後負荷の低下
血管拡張薬：PDEⅢ阻害薬，ニトログリセリン，ニカルジピン，プロスタグランジンE_1
大動脈バルーンパンピング

治療に反応しない場合，補助循環を考慮

図3　心臓手術後の心機能低下への対処
（Booker PD：Postoperative cardiovascular dysfunction：pharmacologic support. In "Pediatric cardiac anesthesia, fourth edition" eds. Lake CL, Booker PD. Lippincott Williams & Wilkins, Philadelphia, pp654-681, 2005 を参照して作成）

といった機械的な補助手段が用いられます．

肺

- 人工心肺は肺機能にさまざまな影響を及ぼしますが，人工心肺を用いた心臓大血管手術後の肺障害の頻度は，人工心肺や手術の技術の進歩により減ってきています．術後の肺合併症としては，無気肺や胸腔内の液体貯留，肺炎，肺水腫，肺塞栓，急性呼吸促迫症候群（acute respiratory distress syndrome：ARDS）といったものが挙げられます．
- 人工心肺は術後の肺障害の大きな原因であり，人工心肺によってひき起こされたSIRSが肺の血管内皮細胞の透過性を亢進させ肺水腫をまねき，ガス交換を障害するとされています．
- さらに人工心肺中にはカテコラミンやエンドセリンの増加，多核白血球から分泌される血管作動物質，無気肺の形成などによって，肺血管が収縮し肺血管抵抗が上昇します．
- 人工心肺に関連する肺障害の予防や治療に決定的なものはありませんが，通常のARDSの治療で行われているような肺保護換気や，肺胞を開存させ虚脱を防ぐような人工呼吸の設定やリクルートメントなどが有効かもしれません．

腎　臓

- 急性腎障害（acute kidney injury：AKI）は心臓大血管術後によくみられる合併症であり，術後早期の予後予測因子としても重要です[1]．術後のAKIの重症度が上がるほど予後が悪くなり，治療の費用や必要な医療資源が多くなります．
- AKIの発症頻度はAKIの診断基準や施設によって幅がありますが，術後のAKIで透析まで必要になるのは1～3％とされています．
- 術後AKIの危険因子は数多くあり，高血圧や代謝疾患，糖尿病，動脈硬化，もともとの腎疾患といった術前の因子に加えて，術式（緊急手術や再手術，大血管手術，循環停止の手術）や術中の低灌流や炎症，虚血再灌流，輸血，IABPなどもAKI発症の危険因子となります．術後AKIの発症の原因としては，塞栓症，腎虚血，再灌流傷害，造影剤の使用が挙げられます．
- AKIの予防や治療に決定的な方法はありませんが，クレアチニン値に加えて種々のバイオマーカーで早期に発見し，治療を行うことが重要です．これまでに腎保護作用を期待されて使われていたドパミンやループ利尿薬，マンニトールには腎保護作用がないことが明らかになってきました．

内分泌系

- 人工心肺は下垂体や副腎などの内分泌系や代謝機能に大きな影響を与えます．下垂体からは副腎皮質，甲状腺，卵巣，精巣を調節するホルモンや抗利尿ホルモンであるバゾプレシンが分泌されており，人工心肺によって副腎皮質刺激ホルモンの分泌が増加し，副腎皮質からのコルチゾールの分泌も増えます．またバゾプレシンの分泌も他の手術よりも大きく増加するとされています．副腎髄質で作られるアドレナリンやノルアドレナリンの血漿濃度も人工心肺中に大きく上昇し，レニン-アンジオテンシン-アルドステロン系も人工心肺によって活性化されます[5]．
- ホルモン分泌の変化によって，血圧上昇や血糖値の上昇，体液の貯留，免疫抑制といった反応が生じ，ときに患者の予後に影響することになります 図4 ．このような内分泌系の反応を完全に抑制するのは難しいですが，麻酔によって侵害刺激を抑えたり，人工心肺の技術や方法の改良によって多少は緩和することができます．

消化器系

- 心臓大血管術後の消化器系の合併症の頻度は0.5～5.5％とそれほど高くありませんが，**いったん起こると患者の予後に大きく影響します**[1]．おもな消化器系の合併症としては，**麻痺性イレウス，膵炎，消化管出血，**

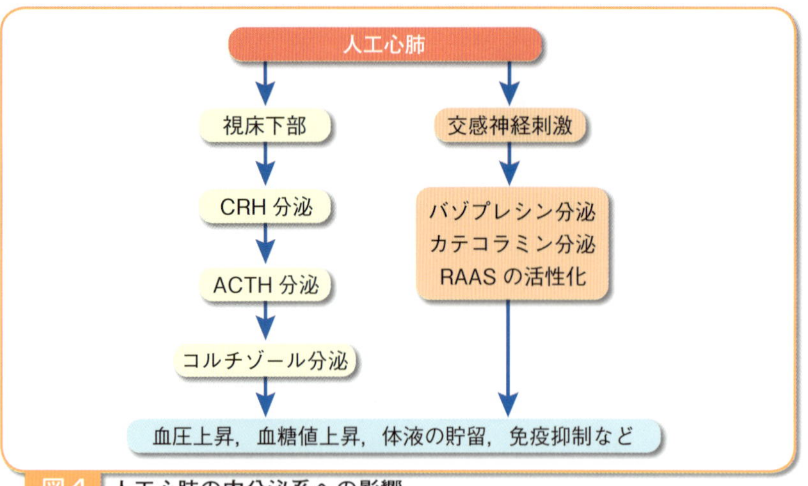

図4 人工心肺の内分泌系への影響

CRH：副腎皮質刺激ホルモン放出ホルモン，ACTH：副腎皮質刺激ホルモン，RAAS：レニン-アンジオテンシン-アルドステロン系

胆嚢炎，腸管穿孔・壊死，高ビリルビン血症などが挙げられます．

- 消化器系合併症の危険因子は，年齢や術前の心機能低下やうっ血性心不全の発症，再手術や緊急手術，長時間の人工心肺，経食道心エコーの使用，血管収縮薬の長期間の使用など多数あります[1]．消化器系合併症の発生には術中術後の臓器血流の低下が関係しており，臓器血流の低下は心機能低下による低心拍出量症候群（low cardiac output syndrome：LOS）や人工心肺による SIRS，大動脈粥腫の塞栓などが原因となります．
- 術後の消化器合併症を避けるためには，1）適切な臓器灌流を維持する，2）高用量の血管収縮薬の使用を避ける，3）塞栓症を起こすような手術手技を避ける，といったことが重要です．

参考文献

1）Grocott HP, Stafford-Smith M, Mora Mangano CT：Cardiopulmonary bypass management and organ protection. In "Kaplan's cardiac anesthesia for cardiac and noncardiac surgery（7th ed）" eds. Kaplan JA, Augoustides JGT, Manecke GR, Maus TM, Reich DL. Saunders, St. Luis, pp1111-1163，2017

2）Hessel EA：Cardiopulmonary bypass：equipment, circuits and pathophysiology. In "Hensley's practical approach to cardiothoracic anesthesia（6th ed）" eds. Gravlee GP, Shaw AD, Bartels K. Lippincott Williams & Wilkins, Philadelphia, pp594-629，2019

3）Zakkar M, Taylor K, Hornick PI：心肺バイパスに対する免疫と炎症反応．"人工心肺その原理と実際" Gravlee GP, Davis RF, Stammers AH 他編．メディカル・サイエンス・インターナショナル，pp313-329，2010

4）Arrowsmith JE, Grocott HP, Reves JG et al：Central nervous system complications of cardiac surgery. Br J Anaesth 84：378, 2000

5）Walker SG, Butterworth JF：内分泌，代謝，電解質の反応．"人工心肺その原理と実際" Gravlee GP, Davis RF, Stammers AH 他編，メディカル・サイエンス・インターナショナル，pp276-302，2010

（清野 雄介）

心臓血管術後 リハビリテーション

～術後は早よ動きなはれの巻～

- 心臓血管術後合併症として廃用症候群，せん妄・呼吸機能障害はいずれも「予防に勝る治療はなし」といわれる．
- 徹底的な疼痛管理と早期の可動戦略が重要である．
- 本章では，おもに急性期から前期回復期におけるリハビリテーションについて概説している．

はじめに

- 心臓リハビリテーション（以下リハ）とは，心臓血管疾患を有する患者が手術や安静により低下した体力を回復し，再発の予防，精神・社会的自立と，快適で質の高い生活を維持することを目的とし，運動療法，教育，生活指導，カウンセリング，薬物治療など多職種連携による永続的・包括的プログラムに参加することです．
- 患者の回復過程に沿って時期的な区分がされることが一般的で，入院から症状安定するまでを「急性期」，病状安定から退院までを「前期回復期」，外来での観察が続けられる時期を「後期回復期」，社会復帰して快適な生活を続けている時期を「維持期」と分類され，それぞれの時期によってリハの目標やプログラムが変わります．

心臓血管術後のリハにおける各期での目標は下記のようになります

- **急性期**：循環動態の安定化と並行して離床を進め，早期に術前の身体機能の再獲得が目標となります．
- **回復期**：前期は入院中に行われ，術後一般病棟に帰室した後のリハビリテーションは日常生活への復帰が目標となります．後期は外来における医療監視型によるリハが行われ，社会生活への復帰と，維持期に向けた自己管理能力（疾病管理：内服管理，食生活，運動習慣など）の習得が目標となります．
- **維持期**：この時期のリハは生涯にわたり継続して行われ，心身両面の機能維持と疾病再発予防が目標となります．

術後リハビリテーション各論

呼吸ケアについて

- 心臓血管術後では，手術侵襲，人工心肺使用や輸血などにより水分出納の異常，血管透過性の亢進などによりサードスペースへ水分移動がみられます．利尿期を迎え血管透過性が正常化するとともに，間質の水分は血管内へ戻ります．その時期，呼吸障害や不整脈が起こりやすくなります．加えて術後に人工呼吸器管理が継続される場合は，臥床と陽圧換気により下側肺に無気肺を形成しやすくなります．急性期のリハの目標は気道クリアランスの維持，無気肺の予防，廃用症候群の予防です．
- 2013 年に出された「AARC（アメリカ呼吸療法学会）気道クリアランスガイドライン」[4] には，術後の気道クリアランス手技において，徒手的な胸部理学療法・体位ドレナージなどを含む ACT（airway clearance therapy）やインセンティブスパイロメトリーの日常的・予防的使用の推奨度は低く，**確実な疼痛管理による咳嗽能力の維持と，歩行訓練を含む可動戦略が推奨**されています．
- 循環動態が不安定であったり鎮静の具合など離床が不可能な場合はこの限りではなく，**予防的な体位管理** 図 1 を行い，肺への重力分布を変更させ肺胞虚脱を防ぎます．

咳嗽について 表 1

- 咳嗽は刺激の発生から気管分泌物の喀出まで 4 期（誘発相・吸気相・

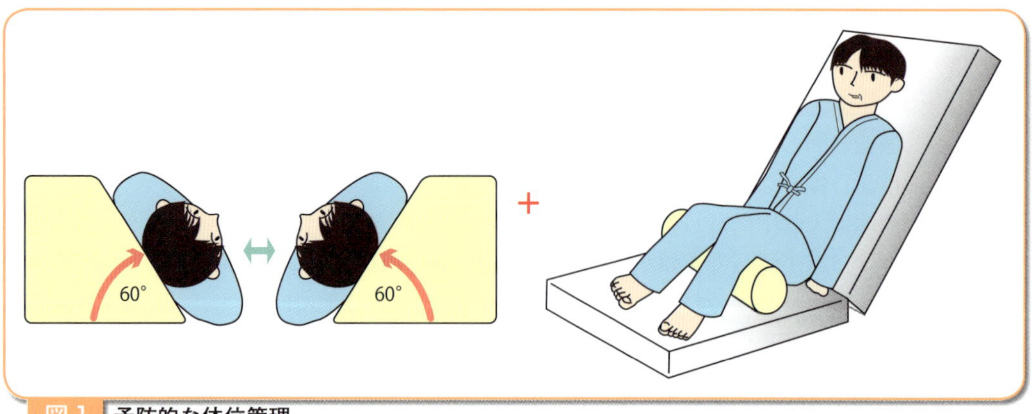

図 1 予防的な体位管理

圧縮相・呼気相）に分けられます．咳嗽のどの時期において機能が低下しているか評価することが重要です[1]．

- 表1に示すように気道クリアランスの維持には疼痛の管理がとても重要になります．ベッドサイドで共通の疼痛評価表を用いると医療チーム内で経時的に疼痛の評価を共有することができます．
- 術後の疼痛評価スケールとして Prince Henry pain scale（PHPS）表2 があります．
- 体動時はもちろんのこと，深呼吸，咳嗽時の疼痛行動評価とその疼痛の程度の評価に，その他の一般的な疼痛評価スケールを使用することが大切といえます．

[1] 有効な咳嗽による分泌物の喀出には270 L/分 の peak flow が必要といわれている．術後の疼痛による喀出能力の低下は姿勢に関係なく起きていること，抜管時の気道刺激により気道分泌物（唾液）の分泌が亢進することがあるため，座位姿勢が気道クリアランスに必ずしも有効な姿勢ではない．重力によりさらなる垂れ込みの増加が起き呼吸状態の悪化をまねくことがあるため，気道分泌物への重力の影響をなくす姿勢（例：顔を下に向けた側臥位など）におくことで，弱い力でも少ない回数で気道クリアランスを維持できる．

無気肺 表3

- 無気肺は，圧迫性，吸収性，受動性，瘢痕性，癒着性の5種類に分けられます．
- 術後急性期は，受動性，吸収性，圧迫性無気肺がおもな原因となります．それらは表3の原因除去が重要になり，適切な鎮痛と確実な体位管理で予防し，早期の離床で改善させることが可能です．

表1 咳嗽の時期分類

咳　嗽	内　容	術後に起こりやすい能力低下の原因
第1期（誘発相）	異物による気道刺激が起きる	挿管や咳嗽反射低下，麻酔，鎮静，鎮痛
第2期（吸気相）	深い吸気が行われる	疼痛，拘束性呼吸障害，麻酔，鎮静
第3期（圧縮相）	声門を閉じ強力な呼気筋の収縮により胸腔内圧を上昇させる	声帯機能低下，疼痛，筋力低下，麻酔，鎮静
第4期（呼気相）	声門を開き強力な呼気が行われる	疼痛，筋力低下，麻酔，鎮静

表2 Prince Henry pain scale（PHPS）

0	咳をして痛まない
1	咳で痛むが，深呼吸では痛まない
2	深呼吸をすると痛むが，安静にしていれば痛まない
3	いくらかの安静時痛はあるが，鎮痛薬は必要でない
4	安静時痛があり，鎮痛薬が必要である

表3 無気肺

種類	原因
圧迫性無気肺 (compressive atelectasis)	胸腹水による腔内の膨満，腹腔内臓器，胸腔内臓器などに圧迫されることで起きる
吸収性無気肺 (resorption atelectasis)	分泌物や気道内異物・腫瘍などによる気道，気管支の閉塞により，その先の末梢肺胞内の空気が吸収されることで起こる．高濃度酸素で促進される
受動性無気肺 (passive atelectasis)	疼痛や不動，呼吸筋力低下などによる，換気の低下により起こる
瘢痕性無気肺 (cicatrization atelectasis)	ARDS などの肺の炎症などによる，肺線維化により起こる
癒着性無気肺 (adhesive atelectasis)	肺炎や肺水腫，誤嚥などによる，サーファクタントの希釈・減少により起こる

MEMO

離床を含む運動療法について

人工呼吸器装着中に early mobilization 図2 [2] を行うことで，ICU 在室期間や入院期間の短縮とせん妄の予防などの効果があります．

行き過ぎた安静臥床は，廃用症候群，各種合併症（術後合併症；呼吸器離脱困難・誤嚥性肺炎など）の発症を助長します．病前の活動度・安静度や合併症の状態，術後の残存解

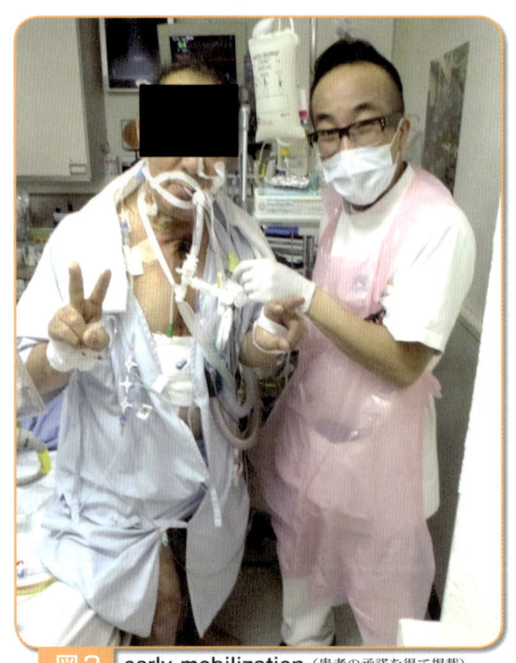

図2 early mobilization（患者の承諾を得て掲載）

離などによって，離床についての注意点や進行度には差がありますが，心臓外科術後の場合は表４に示す離床開始基準とステップアップ基準，大血管術後の場合は血圧のほかに表５に示す中止基準を基に離床を進める必要があります．心臓外科術後は，ステップアップの基準を満たさない場合は，運動療法や離床の進行を進めないことも重要です．

② early mobilization：
人工呼吸器など生命維持装置装着患者に対し，ベッド上での他動的な関節可動域練習や自動介助 or 自動的筋力維持増強練習から寝返り～歩行はもちろんのこと，整容，清拭動作を含む日常生活動作練習を行うこと．
近年，ICU で管理される重症患者に起こる左右対称性の四肢麻痺が ICU-AW（ICU acquired weakness）として注目されているが，これを防ぐためにも適切な鎮静・鎮痛・early mobilization が必要であるといわれている．

表４　心臓外科手術後の離床開始基準と運動負荷ステップアップ基準

心臓外科術後の離床開始基準
1. 低(心)拍出量症候群（Low Output Syndrome：LOS）により ①人工呼吸器，IABP，VA-ECMO などの生命維持装置が装着されている ②ノルアドレナリンやカテコラミン製剤など強心薬が大量に投与されている ③(強心薬を投与しても）収縮期血圧 80～90 mmHg 以下 ④四肢冷感，チアノーゼをみとめる ⑤代謝性アシドーシス ⑥尿量：時間尿が 0.5～1.0 mL/kg/時以下が 2 時間以上続いている 2. スワン・ガンツカテーテルが挿入されている 3. 安静時心拍数が 120 bpm 以上 4. 血圧が不安定（体位変換だけで低血圧症状が出る） 5. 血行動態の安定しない不整脈（新たに発生した心房細動，Lown Ⅳ b 以上の PVC） 6. 安静時に呼吸困難や頻呼吸（呼吸回数 30 回/分未満） 7. 術後出血傾向が続いている
心臓外科術後運動負荷に対するステップアップ基準
1. 胸痛，強い息切れ，強い疲労感（Borg 指数＞13），めまい，ふらつき，下肢痛がない 2. 他覚的にチアノーゼ，顔面蒼白，冷汗がみとめられない 3. 頻呼吸（30 回/分以上）をみとめない 4. 運動による不整脈の増加や心房細動へのリズム変化がない 5. 運動による虚血性心電図変化がない 6. 運動による過度の血圧変化がない 7. 運動で心拍数が 30 bpm 以上増加しない 8. 運動により酸素飽和度が 90 %以下に低下しない

表5 大血管疾患術後リハビリテーションの中止基準

1. 炎症
   - ・発熱 37.5 ℃以上
   - ・炎症所見（CRP の急性増悪期）
2. 循環動態
   - ・新たな重症不整脈の出現
   - ・頻脈性心房細動の場合は医師と相談する
   - ・安静時収縮期血圧 130 mmHg 以上
   - ・離床時の収縮期血圧 30 mmHg 以上の低下
   - ・あらたな虚血性心電図変化：心拍数 120/min 以上
3. 貧血
   - ・Hb 8.0 g/dL 以下への急性増悪
   - ・無輸血手術の場合は Hb 7.0 g/dL 台であれば医師に相談
4. 呼吸状態
   - ・SpO_2 の低下（酸素吸入中も 92 %以下，運動誘発性に SpO_2 が 4%以上低下）
   - ・呼吸回数　40 回以上
5. 意識状態
   - ・意識・鎮静レベルが RASS≦−3
   - ・鎮静薬の増量，新規投与が必要な RASS＞2
   - ・労作時の呼吸困難：患者の拒否

RASS：Richmond Agitation Sedation Scale

〔日本循環器学会，他：2020 年改訂版 大動脈瘤・大動脈解離診療ガイドライン（日本循環器学会/日本心臓血管外科学会/日本胸部外科学会/日本血管外科学会合同ガイドライン），https://www.j-circ.or.jp/cms/wp-content/uploads/2020/07/JCS2020_Ogino.pdf より引用（2021 年 10 月閲覧）〕

看護ケアのコツ

- 開始基準にそぐわない身体状況の低下（人工呼吸器，IABP，CHDF など）により離床ができないことがあります．そのようなときはベッド上にて筋力訓練，関節可動域（ROM）訓練を継続し，病態が安定してきた時点で，マンパワー，時間，環境により離床を断念することのないよう点滴ライン類を整理し，即時に早期の離床が行える環境に整えておくこと 図3 は，安全で安楽に安定した離床を提供するために重要なことといえます．

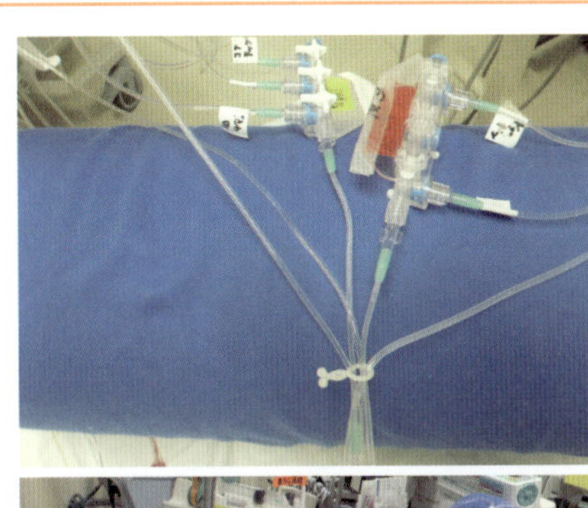

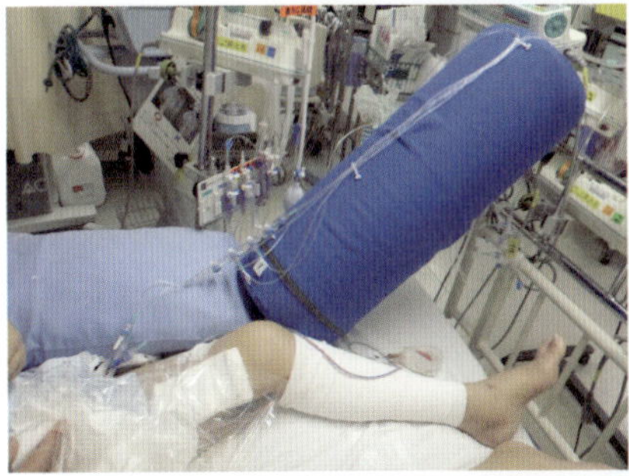

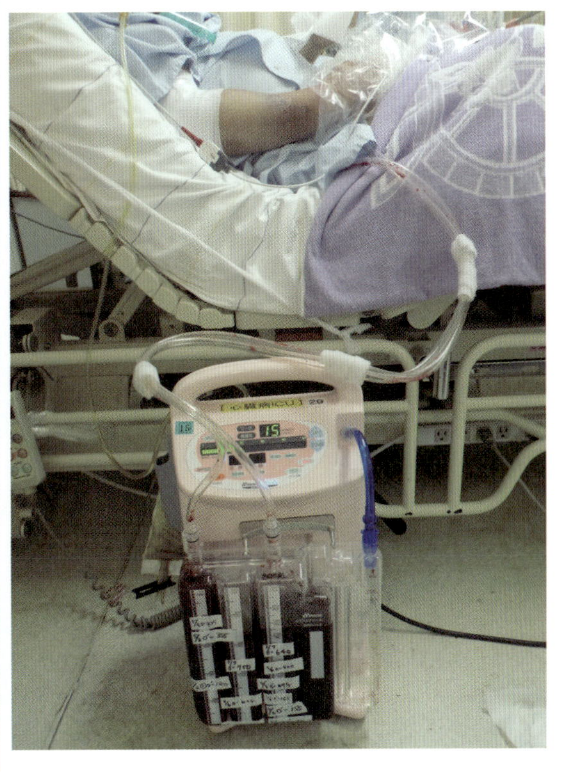

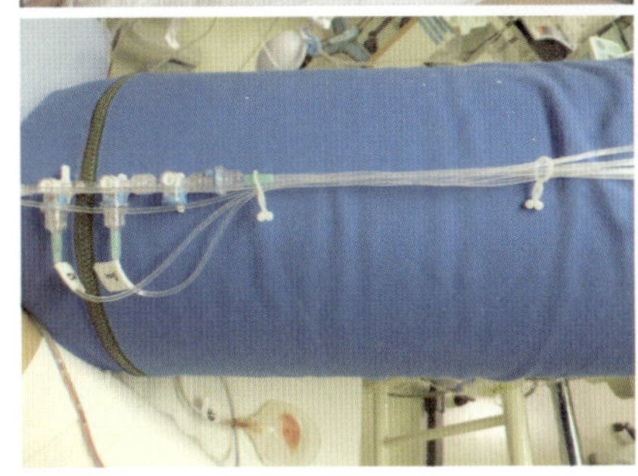

図3 点滴ラインを整理し，早期離床が行える環境を整えておく

参考文献

1）日本循環器学会：2021年改訂版 心血管疾患におけるリハビリテーションに関するガイドライン（日本循環器学会/日本心臓リハビリテーション学会合同ガイドライン）
https://www.j-circ.or.jp/cms/wp-content/uploads/2021/03/JCS2021_Makita.pdf（2021年10月閲覧）

2）伊東春樹：第6章　回復期管理リハビリテーション．“最新医学別冊　新しい診断と治療のABC 4　急性心筋梗塞（改訂第2版）”髙野照夫 編．最新医学社，pp278-286，2011

3）道又元裕 他編：“ICUディジーズ―クリティカルケアにおける看護実践”．学研メディカル秀潤社，pp16-41，2013

4）Strickland SL, Rubin BK, Drescher GS et al：AARC clinical practice guideline：Effectiveness of nonpharmacologic airway clearance therapies in hospitalized patients. Respir Care 58（12）：2187-2193，2013

5）布宮　伸，西　信一，吹田奈津子 他；日本集中治療医学会 J-PAD ガイドライン作成委員会：“日本版・集中治療室における成人重症患者に対する痛み・不穏・せん妄管理のための臨床ガイドライン”．日本集中治療医学会，2014

6）日本循環器学会：2020年改訂版 大動脈瘤・大動脈解離診療ガイドライン（日本循環器学会/日本心臓血管外科学会/日本胸部外科学会/日本血管外科学会合同ガイドライン）
https://www.j-circ.or.jp/cms/wp-content/uploads/2020/07/JCS2020_Ogino.pdf（2021年10月閲覧）

（堀部 達也）

II

病態からみた
術後管理・ケア

成人の術後管理（1）

冠動脈バイパス術

～つなぐのは血管だけじゃない!? 術前・術中情報を術後ケアにつなげましょう！～

- 冠動脈バイパス術の目的とは，血行再建による冠動脈血流不足の解消と，それによる狭心症の改善，心筋梗塞発症を予防することで長期生命予後を改善，QOL の向上である．
- 術前・術中情報をていねいに収集することから，術後管理は始まっている．
- 術後管理の看護目標は，心拍出量の維持と，PMI や脳合併症，呼吸器合併症の予防・早期発見と対応である．

虚血性心疾患に対する治療

- 虚血性心疾患とは，何らかの原因によって冠動脈の狭窄，閉塞をきたし，心筋への血流の需要と供給のバランスが崩れ，心筋に十分な酸素供給ができない病態の総称です．労作性狭心症，異型（冠攣縮性）狭心症，不安定狭心症，急性心筋梗塞の 4 つに分類されます．そのなかでも不安定狭心症と急性心筋梗塞（ST 上昇型：STEMI[1]，非 ST 上昇型：NSTEMI[2]），虚血に基づく心臓性突然死の病態については，急性冠症候群（acute coronary syndrome：ACS）と総称されます．
- ACS とは，冠動脈の粥腫の破裂にともなう血栓形成から冠動脈が閉塞したり，狭窄をきたすことで急性心筋虚血をひき起こす症候群をいいます．早期の血行再建が求められるため，薬物療法やカテーテル治療が第一選択とされますが，ときとして緊急手術（冠動脈バイパス術）の適応となります．
- 虚血性心疾患に対する治療の選択肢として，冠動脈バイパス術（coronary artery bypass grafting：CABG）と経皮的冠動脈形成術（percutaneous coronary intervention：PCI）があります．CABG は，PCI とともに虚血性心疾患に対する治療として確立しており，いずれも患者の生命予後，QOL の改善に良好な成績を残しています．
- CABG とは，狭窄や閉塞がある冠動脈の遠位部に新たな血管をつなぐ外科的血行再建を行い，冠動脈の血流不足を改善することを目的とした手術です．一方，PCI とは血行再建を目的に，カテーテルを介して狭窄，閉塞部位の血管をバルーンやステントを用いて拡張する内科的な治療で

① STEMI：ST-elevation myocardial infarction（ST 上昇型心筋梗塞）．

② NSTEMI：non-ST-elevation myocardial infarction（非 ST 上昇型心筋梗塞）．

す．

- CABG と PCI は，それぞれにおいてメリット，デメリットがあります．その治療選択にあたってはさまざまな考え方やガイドラインを参考にしながら，個々の症例ごとに循環器内科医，心臓外科医が十分議論して，患者にとってより良い方針を決定していきます．

冠動脈バイパス術の適応

- 2015 年までのガイドラインでは，冠動脈病変の解剖学的な狭窄度を踏まえて治療が選択されてきましたが，2018 年のガイドライン改訂では，表 1 のようなポイントで改訂されています．
- CABG による血行再建を検討・選択するにあたっては，①糖尿病（DM）の合併，②低心機能（LVEF≦35％），③ SYNTAX スコア≧23 の多枝病変，左冠動脈主幹部病変（LMT）といった指標が考慮されます．一般的には，DM を合併する多枝病変や LMT 病変，重症度が高い（SYNTAX スコアで中等度～重度），低心機能症例に対しては CABG の適応となります．
- そのほかにも，慢性腎不全合併症例や，弁膜症合併症例に対する CABG との同時手術など，CABG の適応となる患者は周術期のハイリスクであることが多いため，術前・術後の全身管理は非常に重要といえます．
- 表 1 表 2 にあるように，推奨クラスⅡb～Ⅲに該当する場合の治療方針決定においては，ハートチームによる十分な議論を行うことを「クラスⅠ」で推奨しています．どの血行再建術を選択するかは，CABG の周術期リスクの指標として用いる STS スコアや JapanSCORE や患者の全身状態を考慮し，治療上のメリット，デメリットについても患者に十分にインフォームド・コンセントを行ったうえで，最終的な治療方針が決定されるような配慮と，意思決定支援が求められます．

編者メモ

STS スコア

STS（The Society of Thoracic Surgeons）スコアは，開心術前のリスク評価に用いられる海外のツールです．周術期の死亡率のみではなく，主要な合併症の発症率も算出される，オンラインの簡便なカリキュレータ（計算機）です．[小泉]

http://riskcalc.sts.org/stswebriskcalc/calculate

JapanSCORE

Japan SCORE は，日本のデータベースから作成された，リスク評価のツールです．ACC/AHA ガイドライン（2014/2020）では，ツールの単独活用ではなく，フレイルや開心術の手技的な難易度も考慮した「総合的で多角的なリスク評価」が示されています．[小泉]

https://jcvsd.org/JapanSCORE/

表 1　安定冠動脈疾患の血行再建ガイドライン（2018 年改訂版）のポイント

- 至適薬物治療と生活習慣の是正を合わせた広義の optimal medical therapy（OMT）の概念が確立され，適切に症例を選択すれば冠動脈血行再建術に劣らない効果が期待できる
- 機能的狭窄度評価（虚血の評価）の有用性が確立され，狭窄度ガイドの治療よりも虚血ガイドの治療を優先することを推奨
- 冠動脈病変の複雑性の評価に冠動脈病変枝数と SYNTAX スコアを採用
- クラスⅡb およびクラスⅢの症例についてのハートチーム・アプローチによる議論を推奨
- 血行再建の意義を踏まえた PCI，CABG の適正化が求められていることに言及

表2 安定冠動脈疾患の血行再建に関する推奨とエビデンスレベル

<table>
<tr><th colspan="3" rowspan="2"></th><th colspan="2">PCI</th><th colspan="2">CABG</th></tr>
<tr><th>推奨クラス</th><th>エビデンスレベル</th><th>推奨クラス</th><th>エビデンスレベル</th></tr>
<tr><td colspan="3">本表で推奨クラスⅡb/Ⅲの症例についてのハートチーム・カンファレンス</td><td>Ⅰ</td><td>C</td><td>Ⅰ</td><td>C</td></tr>
<tr><td colspan="3">リスク評価（SYNTAX スコア，STS リスクモデル，JapanSCORE）</td><td>Ⅰ</td><td>B</td><td>Ⅰ</td><td>B</td></tr>
<tr><td colspan="3">ad hoc PCI</td><td>Ⅱb</td><td>C</td><td>—</td><td>—</td></tr>
<tr><td rowspan="2">1 枝病変</td><td colspan="2">左前下行枝（LAD）近位部病変なし</td><td>Ⅰ</td><td>C</td><td>Ⅱb</td><td>B</td></tr>
<tr><td colspan="2">LAD 近位部病変あり</td><td>Ⅱa</td><td>C</td><td>Ⅰ</td><td>C</td></tr>
<tr><td rowspan="3">糖尿病を合併しない 2 枝病変/3 枝病変</td><td colspan="2">SYNTAX スコア≦22</td><td>Ⅰ</td><td>B</td><td>Ⅰ</td><td>A</td></tr>
<tr><td colspan="2">SYNTAX スコア 23〜32</td><td>Ⅱa</td><td>B</td><td>Ⅰ</td><td>A</td></tr>
<tr><td colspan="2">SYNTAX スコア≧33</td><td>Ⅲ</td><td>B</td><td>Ⅰ</td><td>A</td></tr>
<tr><td rowspan="3">糖尿病を合併する 2 枝病変/3 枝病変</td><td colspan="2">SYNTAX スコア≦22</td><td>Ⅱa</td><td>B</td><td>Ⅰ</td><td>A</td></tr>
<tr><td colspan="2">SYNTAX スコア 23〜32</td><td>Ⅱb</td><td>B</td><td>Ⅰ</td><td>A</td></tr>
<tr><td colspan="2">SYNTAX スコア≧33</td><td>Ⅲ</td><td>B</td><td>Ⅰ</td><td>A</td></tr>
<tr><td rowspan="5">非保護の左主幹部(LMT)病変</td><td rowspan="2">SYNTAX スコア≦22</td><td>2 ステントを要しない分岐部病変</td><td>Ⅰ</td><td>B</td><td rowspan="2">Ⅰ</td><td rowspan="2">A</td></tr>
<tr><td>2 ステントを要する分岐部病変</td><td>Ⅱb</td><td>B</td></tr>
<tr><td rowspan="2">SYNTAX スコア 23〜32</td><td>2 ステントを要しない分岐部病変</td><td>Ⅱa</td><td>B</td><td rowspan="2">Ⅰ</td><td rowspan="2">A</td></tr>
<tr><td>2 ステントを要する分岐部病変</td><td>Ⅱb</td><td>B</td></tr>
<tr><td colspan="2">SYNTAX スコア≧33</td><td>Ⅲ</td><td>B</td><td>Ⅰ</td><td>A</td></tr>
<tr><td colspan="3">低心機能（LVEF<35%）</td><td>Ⅱb</td><td>C</td><td>Ⅰ</td><td>B</td></tr>
</table>

〔日本循環器学会：安定冠動脈疾患の血行再建ガイドライン（2018 年改訂版）（日本循環器学会/日本心臓血管外科学会合同ガイドライン）https://www.j-circ.or.jp/cms/wp-content/uploads/2018/09/JCS2018_nakamura_yaku.pdf（2021 年 11 月閲覧）より引用〕

表3 推奨クラス分類

クラスⅠ	手技・治療などが有効，有用であるという多くのエビデンスがあるか，またはそのような見解が広く一致している．
クラスⅡ	手技・治療などが有効，有用であることについて，エビデンスまたは見解が一致していない．
クラスⅡa	エビデンス，見解から有用，有効である可能性が高い．
クラスⅡb	エビデンス，見解から有用性，有効性がそれほど確立されていない．
クラスⅢ	手技・治療などが有効，有用でなく，ときに有害であるとのエビデンスがあるか，またはそのような否定的見解が広く一致している．

〔日本循環器学会：安定冠動脈疾患の血行再建ガイドライン（2018 年改訂版）（日本循環器学会/日本心臓血管外科学会合同ガイドライン）https://www.j-circ.or.jp/cms/wp-content/uploads/2018/09/JCS2018_nakamura_yaku.pdf（2021 年 11 月閲覧）より引用〕

表4 エビデンスレベル

レベル	内容
レベル A	複数のランダム化試験，またはメタ解析の結果による．
レベル B	単一のランダム化試験，または多施設大規模レジストリー研究の結果による．
レベル C	専門家の間の一致した意見，または小規模臨床試験，サブ解析の結果などによる

〔日本循環器学会：安定冠動脈疾患の血行再建ガイドライン（2018 年改訂版）（日本循環器学会/日本心臓血管外科学会合同ガイドライン）https://www.j-circ.or.jp/cms/wp-content/uploads/2018/09/JCS2018_nakamura_yaku.pdf（2021 年 11 月閲覧）より引用〕

表5 CABGを受ける患者の病歴聴取のポイント

項　目	具体的内容
冠動脈病変	冠動脈の狭窄部位と狭窄の程度，これまでの治療歴
危険因子の有無	高血圧，糖尿病，喫煙歴，脂質異常症，虚血性心疾患の家族歴
内服の有無	抗血小板薬，抗凝固薬，冠拡張薬，利尿薬，その他
手術関連	術式，再建部位，使用グラフト，術中の麻酔記録

術前情報・術中情報を収集して，術後の観察ポイントに役立てましょう

- 術前情報として把握するべき内容は多岐にわたります 表5 ．心臓血管手術を受ける患者は手術に耐えうる全身状態か，術前に必ず精査していますので，そのなかから必要な情報を収集します．その際には身体的側面だけでなく，手術に対する受け止めや理解度，不安や恐怖など精神的側面や，仕事や家庭，経済面などの周手術期にともなう社会的側面の情報もできるかぎり収集します．それらを系統的にアセスメントすることにより，術後合併症の予防，異常の早期発見，迅速な対応といった周手術期看護の方向性を決定する際に活かします．
- 共通した情報として，心機能，腎機能，肺機能，肝機能，中枢神経機能など，全身状態に関する情報をベースとします．虚血性心疾患の場合には，術中から術後にかけて起こりうる合併症（後述する内容）を念頭において，その合併症を起こしやすい病態，危険因子がないかを術前情報から予測しておきます．
- 例えば，術前から低心機能の症例で，カテコラミンなど薬物を使用しても術後に心機能の立ち上がりが悪い場合は，血行動態の安定化を目的に，冠血流維持と後負荷の軽減が期待できる大動脈内バルーンパンピング（intra-aortic balloon pumping：IABP）のサポートが必要となる場合もあります．
- 糖尿病を合併する患者は，術後侵襲により血糖コントロールが不良となりやすく，好中球の機能障害や液性免疫の低下により易感染状態に陥りやすくなっています．両側内胸動脈グラフトを使用した場合には縦隔炎などのリスクが高まるため，術直後から感染に注意した観察が必要です．
- 術前情報から，せん妄へのなりやすさを予測できます．CABGに限らず，心臓血管外科の手術を受ける患者は高齢であることが多く，また手術侵襲が大きいこともあり，術後せん妄の発症率は高いといわれています．術後せん妄の予防から早期発見，早期離脱に向けた薬物的介入，非薬物的介入をあらかじめ検討しておきます．

表6 採取グラフトの特徴

	使用される血管	標的血管	長所	短所
動脈グラフト	内胸動脈（ITA） ・左内胸動脈（LITA） ・右内胸動脈（RITA）	●左前下行枝，左冠動脈系の対角枝や回旋枝 ●左冠動脈領域	●弾性血管のため動脈硬化の進行が遅く（少なく），長期開存が期待できる ●LITA は *in situ* graft として LAD 以外に吻合しても開存率がよい ●RITA は free graft としても使用され，上行大動脈への吻合のほかに，LITA との複合（composite）グラフトとしても使用可能 ●10 年開存率は約 90 %以上	●採取する動脈の末梢血流が悪くなる場合がある（とくに両側 ITA 使用時には，胸部正中創感染や胸骨骨髄炎，縦隔炎などが起こりやすく，糖尿病患者はハイリスク群）
	橈骨動脈（RA）	●大動脈・冠動脈（AC）バイパスや，ITA との複合で用いることが可能．どの冠動脈領域にも到達可能	●約 17〜20 cm の free graft が採取できる ●遠隔期では SV より開存率が高く，ITA とほぼ同等（標的冠動脈の中枢狭窄が 90 %の場合） ●ITA と異なり，正中創への影響（縦隔炎など）がない	●採取前に Allen test を行い，尺骨動脈に血流障害がないか確認が必要 ●透析患者では使用できない ●遠隔期の硬化性病変や周術期のスパスムを起こしやすく，Ca 拮抗薬の長期使用が必要
	右胃大網動脈（GEA） 胃十二指腸動脈から分枝し，胃の大彎側を走行	●右冠動脈後下行枝 ●採取距離によっては LAD，左回旋枝まで使用可能	●胃壁に向かう分枝切離により約 20 cm のグラフト採取が可能 ●遠隔期の開存率は 5 年で約 80.5〜94.7 %，10 年で 62.5〜66.5 % ●右冠動脈の高度狭窄病変に対するバイパスで開存率が高く，有茎であり第 3 の動脈グラフトとして活用される	●血管収縮性に富み，攣縮を起こしやすい ●胃の機能低下をまねくおそれがあり，開腹術の既往や胃潰瘍がある場合は使用できないことがある
静脈グラフト	大伏在静脈（SV）	●おもに中程度の狭窄（90 %以下）の右冠動脈	●30 cm 以上の free graft が容易に採取できる ●その他の深部大腿静脈により，グラフト採取したことでの機能障害をみとめない	●動脈圧に晒されたり，シリンジ拡張させることでの血管内皮および静脈壁の破壊，SV の動脈硬化性変化が閉塞原因となり，10 年開存率は 50〜60 %．そのため若年者に使用した場合には長期成績に問題あり

AC：aortocoronary，GEA：gastroepiploic artery，ITA：internal thoracic artery，LAD：left anterior descending artery，LITA：left internal thoracic artery，RA：radial artery，RITA：right internal thoracic artery，SV：saphenous vein.

CABGに使用されるグラフトの特徴

- 術前には，予定術式や再建に用いるグラフトが決定しています．バイパスに使用される血管には，動脈グラフトと静脈グラフトがあります．
- 一般的に動脈グラフトは，静脈グラフトと比べると血管壁の平滑筋が多い分，攣縮（スパスム）を起こしやすいといわれています．しかし，静脈グラフトと比較して動脈グラフトは開存率が良好といわれ，なかでも内胸動脈（ITA）がもっとも安定した長期開存が見込まれます．それぞれの特徴を踏まえ，最適なグラフトが選択されます 表6 ．

術式を理解しよう！「On Pump CABG？ Off Pump CABG？」

- CABGの術式は，以下に大別されます．

- 人工心肺を用いる方法：On Pump CABG（ONCAB）
- 人工心肺を用いない方法：Off Pump CABG（OPCAB）

- また，人工心肺を用いる場合でも，心臓を止める方法（心停止）と，心臓を止めない方法（心拍動）があります．

- 心臓を止める方法：on-pump arrest（conventional）CABG
- 心臓を止めない方法：on-pump beating CABG

- わが国では，約60％以上でOPCABが選択されています．それぞれにメリット・デメリットがあり，患者さんの状態に合わせて術式が選択されます（表7）．
- OPCABは人工心肺を使用しないため，人工心肺による合併症を回避できます．その反面，OPCABでは心拍動したまま血管吻合をするため，ガイドラインでは経験豊富な術者，施設において施行することを推奨しています．また，OPCABはそのメリットを最大限に活かすため，ハイリスク症例に適応されます．
- 一度OPCABで手術が開始されても，術中に心拍出量が低下して循環不全を起こした場合，脳を含めた各臓器への血流が減少して臓器障害が発生し，術後管理が難しくなります．低心機能の症例では，完全血行再建率がon-pump arrest CABGよりも低くなることで，予後改善効果が薄れるという報告もあることから，術中の経過によってはOn Pumpに切り替える場合もあります．
- 予定術式と実際の術式を把握しておくことで，術後に起こりうる合併症の予測につなげます．

表7 CABGの術式とメリット，デメリット

人工心肺の有無	術　式	メリット	デメリット
人工心肺を使用する＝On Pump	人工心肺使用下心停止下冠動脈バイパス術：on-pump arrest/conventional CABG	●心停止させて術操作を行うため，冠動脈吻合の際に，ていねいかつ安全に行うことが可能 ●ハイリスク例において，OPCABと比べて早期死亡が減少する	●人工心肺回路への機械的刺激，ヘパリン化などにより，凝固因子に異常をきたして全身が出血傾向となる ●組織の炎症や浮腫，臓器障害を起こしやすい ●人工心肺使用によりリンパ球が減少し，免疫能低下による易感染状態となる ●血栓形成による微小血管が閉塞し，脳梗塞などを起こしやすい
	人工心肺使用下心拍動下冠動脈バイパス術：on-pump beating CABG	●人工心肺による循環補助下で心臓が拍動したまま，大動脈遮断を行わず血行再建を行うため，上行大動脈の石灰化が強く大動脈遮断が困難な症例に適応可能	●上述のような人工心肺の合併症の危険性がある ●心拍動下のため，高い技術と豊富な経験を要する
人工心肺を使用しない＝Off Pump	非人工心肺使用下冠動脈バイパス術：off-pump CABG；OPCAB	●人工心肺による合併症を回避できる ●人工心肺使用下CABGに比べて，とくに出血や脳合併症が少ない ●人工呼吸期間，ICUおよび入院期間が短い ●血液製剤の使用が少ない	●脳合併症においては術後に血液凝固系の亢進が起こるという報告があり，脳梗塞の原因となる ●心臓の後ろ側へ血管吻合する際に心脱転を行うため，心臓ポンプ機能が維持できない場合がある ●心拍動下のため，高い技術と豊富な経験を要する

従来の胸骨正中切開に比べて小切開で済むこと，術中出血量が少なく感染リスクが低減されること，社会復帰が早いなどのメリットが大きい術式に，低侵襲心臓手術（minimally invasive cardiac surgery：MICS）があります．MICSは心臓弁膜症に適応されることが多いですが，CABGのさらなる低侵襲化を目指した術式として注目されています（MICS-CABGとよばれています）．また，完全内視鏡下（胸腔鏡下）冠動脈バイパス術（totally endoscopic CABG：TECAB）とよばれる手術支援ロボットを用いた術式も存在します．これらは限られた症例への適応であったり，高度な技術を要するため手術施行ができる施設が限られているなどの理由から決して数は多くありませんが，今後の進歩・普及が期待されます．

術後管理を行ううえで，まず術中から周手術期合併症が起こっている可能性を念頭におきながら，術中情報を収集していきます

- CABG 術後に起こりうるおもな合併症としては，低心拍出量症候群（low cardiac output syndrome：LOS），周術期心筋梗塞（perioperative myocardial infarction：PMI），脳合併症，呼吸器合併症が挙げられます．これらの出現を先読みした情報の収集，モニタリングの質が，合併症の予防や早期発見，適切な対処につながります 表8．
- 術前や術中から何らかの問題が生じている場合，合併症出現のリスクは高くなります．例えば，予定されていた術式であったかどうか，完全血行再建が行われたかどうかなどの情報を収集することで，術直後から合併症のリスクを予測して関わることができます 表9．

表8 CABG 術後に起こるおもな合併症と対策

	なぜ起こるのか？	どう発見するのか？	どう予防するか？	どう対処するか？
LOS	●術後出血 ●人工心肺使用にともなう血管透過性の亢進，膠質浸透圧の低下，肺毛細血管圧が亢進し，サードスペースに体液が移行する ●利尿亢進による循環血液量の減少 ●PMI による壁運動低下	●末梢冷感やチアノーゼの有無など ●頻脈や不整脈の有無 ●尿量低下 ●血行動態パラメータ値の変動（収縮期血圧低下，CI の低下，CVP の上昇・低下など） ●酸素飽和度の低下 ●ドレーン排液の急激な変化	●血行動態モニタリングから得られる規定因子それぞれを反映する情報に関して，どの時点で報告が必要か医師と共有しておく	●規定因子の安定化 ●輸液・輸血の負荷 ●強心薬・ペーシング ●血管拡張薬 ●酸素投与 ●上記で対処が難しい場合，IABP や VA-ECMO による心肺補助を行う
PMI	●術中の低血圧 ●心停止下の手術による不十分な心筋保護 ●グラフト吻合部の閉塞・狭窄などによる血流不足 ●術中に空気や脂肪などの組織が血管内に迷入し，塞栓を起こす場合	●モニタ心電図の ST 上昇・低下，異常 Q 波など変化の推移を追う ●モニタ心電図で ST-T 変化の経時的推移を観察 ●胸部症状の観察 ●採血データの酵素系の確認とピークアウトの状態 ●術後 CPK の上昇 ●術後からの定期的な 12 誘導心電図の測定	●血管拡張薬や Ca 拮抗薬の確実な投与 ●術中の経食道エコーや術後検査の結果で壁運動低下がみられる場合は，PMI の可能性を考慮した観察 ●空気塞栓であれば，冠動脈に与える影響は一過性であることが多い	●血管拡張薬や Ca 拮抗薬の投与 ●PMI を示唆する所見があれば，すぐに医師に報告する ●12 誘導心電図を測定し，吻合部や吻合部以外の冠動脈に新たな異常がないかを確認 ●緊急カテーテル検査を考慮した準備を整えておく（脂肪塞栓であれば緊急カテーテルの適応）

脳梗塞	●術中の血圧低下 ●大動脈壁の石灰化や粥腫の脳塞栓 ●凝固能が亢進している状態で心房細動にリズム変化した場合は，血栓ができやすい状態である ●左心耳内血栓が塞栓症を起こす場合に脳梗塞が発症しやすくなる ●OPCABの場合，人工心肺を使用しないため術中のヘパリン使用量が少ないことで，術後は血液凝固能が亢進しやすいと考えられている ●術後2～3日は利尿期にも入るため，血液の粘稠度が増し，血栓形成されやすい状態となっていることもあり，この時期に脳梗塞を起こす可能性がある	●意識混濁，意識変容などの意識レベル，四肢運動の左右差，けいれんなど神経学的所見の経時的観察 ●脱水状態の観察（循環血液量不足） ●Hb，Hctの確認（血液粘稠度の増加） ●心房細動になっていないか，あるいはなりやすい状態になっていないかを観察する（左記参照）	●適正な血圧維持（術中だけでなく，術後も低血圧を避ける） ●輸液の負荷による脱水の補正と血液粘稠度の低下，昇圧薬の投与 ●心房細動に移行した場合は，持続ヘパリン投与の時期を検討する	●CT，MR撮影に備える ●術後出血をきたさない程度に目標血圧を高めに設定し，脳血流を維持する
不整脈	●術中の大量輸液や輸血などによる ●電解質バランス異常	●術中の輸液や輸血量，出血量，血液検査結果から電解質異常を把握する ●術前の腎機能障害の有無，尿量増加時には血清カリウム値が変動しやすい状態を予測して観察する	●定期的な血液データの確認（Na，K，Ca，Mgなど）	●電解質を補正するための薬剤投与

表9 術中の情報と術後へ活かすポイント

予定術式と実際の術式	完全血行再建ができたかどうか（不完全血行再建の場合は死亡率，心筋梗塞率が高くなる）
術中モニタ	術中のバイタルサインから循環・呼吸状態に異常ないか，各臓器への血流維持ができていたか，合併症が起こっていないか
心筋保護	心筋保護不良による心筋障害やグラフト血流不全がないか，心筋虚血の徴候や不整脈の有無
術中体温	末梢循環不全，代謝性アシドーシス，凝固能への影響を考慮
術中の水分出納	前負荷が足りているのかどうか（循環血液量の評価）
人工心肺の時間	生体侵襲の程度，凝固能への影響
最終ACT	易出血状態かどうか，出血のリスクを予測 急激なヘパリン中和は血栓形成のリスクもある
執刀医や助手を担当した医師からの情報	テクニカルな問題から術後起こりうる合併症を予測

循環管理～術後の最大の目標は，十分な心拍出量を維持することです～

- 術後回復を促進するためにまず優先されることは，循環動態の安定化，つまり手術という侵襲を受けた生体が十分な心拍出量を維持・回復し，各臓器に酸素を運搬することが最大の目標となります．その目安としては，心係数 CI[3] 2.2 L/分/m^2，PCWP[4] または PAP[5] の拡張期圧 20 mmHg 以下，心拍数 100/分以下，尿量 0.5～1 mL/kg/時が基本となります．
- CABG 術後管理でとくに注意したいことは，グラフトの冠血流を維持できる循環動態を維持することです．そのため，CI が 2.2 L/分/m^2 以下になり心拍出量が低下している状態，つまり LOS による循環動態の破綻を回避しなくてはなりません．LOS は程度の差はあれ，心臓外科術後の患者に必ず起こっていると考えて対処します．
- LOS を早期に発見するために重要なことは，心拍出量を規定する因子（前負荷，心収縮力，心拍数，後負荷）を理解し，これらから心拍出量を評価することです．術後は人工心肺の影響，術後出血などさまざまな原因から LOS に移行しやすい状態となっていますが，血行動態パラメータやフィジカルイグザミネーションによって集めた情報から，4 つの因子のどこに異常をきたしているかアセスメントして，LOS をひき起こしている原因を見きわめます 表10．
- 人工心肺を使用した場合，ヘパリン化や凝固因子の減少により易出血状態となり，術後出血を起こしやすくなっています．人工心肺離脱後に

[3] CI：cardiac index（心係数）．

[4] PCWP：pulmonary capillary wedge pressure（肺毛細管楔入圧）．

[5] PAP：pulmonary artery pressure（肺動脈圧）．

表10 心拍出量の評価に用いる客観的・主観的情報の例

	血行動態パラメータから得られる情報	観察から得られる情報
前負荷の異常を判断する指標	CVP（中心静脈圧） PAP（肺動脈圧） PCWP（肺動脈楔入圧） LVEDV（左室拡張末期容積） SVV（一回拍出量変化量）	●頸静脈の怒張や浮腫 ●肺うっ血所見（泡沫状の分泌物，湿性ラ音，呼吸困難など） ●尿量 ●口渇，皮膚の乾燥など脱水を示す所見 ●体重，水分出納バランス
後負荷の異常を判断する指標	SVR（末梢血管抵抗） SVRI（末梢血管抵抗係数） PAP（肺動脈圧） PVR（肺血管抵抗） PVRI（肺血管抵抗係数）	●末梢循環（四肢の温度，皮膚の色調など）
心拍数の異常	HR	脈拍の触知，頻脈や奇脈の有無，心音減弱の有無
心収縮力の異常	術中・術後のエコーによる壁運動と駆出率（EF）	心不全による末梢循環不全の徴候を観察（皮膚の湿潤，capillary refilling time など）

（三浦稚郁子 編：“CCU エキスパート看護マニュアル Part 1．急性期治療と看護”．中外医学社，2011 をもとに筆者作成）

はプロタミン塩酸塩によるヘパリンの中和を行いますが，この中和が不十分だと出血をきたすリスクが高まります．人工心肺離脱後の最終ACT⑧値など術中所見を確認し，術後出血のリスクを考慮して，術後も血液検査による凝固能の回復状況をモニタリングし，術後出血を予測しておきます．100 mL/時を超える出血では緊急止血術の適応になることもあります．

⑧ **ACT**：activated coagulation time（活性凝固時間）．

- 術後は心嚢ドレーンや胸骨下ドレーン，胸腔ドレーンなど各種ドレーン類が挿入されてきます．術直後から持続的に出血することがありますが，通常は時間とともに減少します．しかし，術直後は低体温や凝固因子の減少により出血が増加するおそれがあり，ドレーン閉塞や排液不良によって有効にドレナージがされていないことで，心嚢内や縦隔に血液が貯留し，心タンポナーデをひき起こします．凝固系の検査データの推移を観察して易出血状態なのか，あるいはヘパリン中和剤や止血剤の影響で凝固しやすい状態なのかを考慮しながら，閉塞予防のためのミルキングや排液量と性状の観察を続けます．

周術期心筋梗塞

- おもに術中の低血圧や不十分な心筋保護，冠動脈塞栓，再建グラフトの閉塞・狭窄，冠動脈の攣縮（スパスム）が原因となり，冠血流が十分に維持できないことで心筋虚血や不整脈を惹起します．PMI のもっとも起こりやすい原因としては，心停止下の手術による不十分な心筋保護といわれています．
- とくに CABG 術後では，再建グラフトの閉塞・狭窄に注意します．グラフトのなかでも胃大網動脈や橈骨動脈は，冠動脈スパスムを起こしやすいといわれています．よって，使用されたグラフトに基づいて，PMI が起こるリスクを評価して観察します．
- 予防策として，術中あるいは術直後からニトログリセリンの投与，冠灌流圧維持のための低血圧の回避，Ca 拮抗薬の投与などが行われます．
- 術中に PMI のリスクが高いと判断された場合や，術前から低心機能の場合などは，冠動脈血流の維持を目的として大動脈バルーンパンピング（IABP）が挿入されることがあります．
- 術後 ICU に入室した直後に 12 誘導心電図を測定して，術前の心電図と比較して，新たに起きた心電図変化（ST 上昇，異常 Q 波，脚ブロックや房室ブロックなど）や，血液検査から逸脱酵素の上昇（CK，CK-MB など）を観察します．また，ベッドサイドモニタ上での ST の推移を経時的に観察・記録し，変化をみとめた際には再度 12 誘導心電図を測定して，医師に報告，指示を仰ぎます．患者と意思疎通が可能な場合は，胸部症状の有無などの問診も行います．
- PMI により心筋虚血が起こると，局所または壁全体の運動異常をみとめます．術中の心筋虚血による壁運動異常の確認に感度の高いとされる経食道エコー（TEE[9]）を用いて心筋虚血の評価がされることもあるため，そのような場合は術中の壁運動の状態を確認しておきましょう．また，その簡便さから，術後にベッドサイドで超音波検査による心臓の壁運動の異常を確認することもあります．PMI による壁運動低下から心不全となる場合もありますので，肺動脈圧の上昇や四肢末梢の湿潤など心不全徴候の出現にも注意します．

⑨ TEE：transesophageal echocardiography

脳梗塞

- 脳梗塞の原因として，術中の血圧低下による脳の低灌流，人工心肺使用時のカニュレーションや大動脈遮断にともなう血栓や粥腫の塞栓が考えられます．
- OPCAB については，人工心肺を使用しないことで脳梗塞のリスクは低くなりますが，完全に回避することはできず，術後数日経て起こることがあります（理由は表 7，8 参照）．
- 心房細動は CABG 後の患者の約 25 %にみとめられます．心房細動を起こすことで心拍出量は減少するだけでなく，脈不整により血液はうっ滞して血栓が形成されやすくなります．利尿期には血液の粘稠度が高まるため，さらに血栓形成のリスクが高まります．術後からの適切な水分出納管理や，出血が落ち着いた時点から低分子ヘパリンが開始されているかの確認を確実に行っていきます．
- 術中の低血圧による脳へのダメージも考慮して，麻酔からの覚醒状況の観察や，覚醒後には意識レベル，四肢運動の異常，瞳孔所見から脳梗塞を評価していきます．

呼吸器合併症の回避

- 人工心肺を用いた場合，血管透過性の亢進，膠質浸透圧の低下，肺毛細血管圧が亢進することで肺胞内は水分貯留・浮腫をきたし，肺水腫へ移行しやすくなります．
- 麻酔の影響により，術直後は呼吸抑制が起こっていると考えられます．浅い呼吸，十分な換気が行われているかを観察します．
- 呼吸運動によって胸郭が挙上するため，胸骨正中切開した部位にテンションがかかって創部痛が増強します．人工呼吸による陽圧換気中の患者は胸郭が強制的に挙上されるため，創部痛を感じている可能性があります．挿管中で鎮静薬が投与されているとき，患者からの訴えが困難な場合もあるため，表情や動きで苦痛の有無を評価し，適切に鎮痛されているかを観察します．
- 抜管後には深呼吸の促進など呼吸リハビリを開始したり，排痰ケアなど気道のクリアランス維持を図っていきます．しかしこのときに，疼痛が上手くコントロールされていないと離床を遅らせる原因となり，結果的に新たな無気肺の形成や，排痰不足による肺炎をひき起こす危険性が高くなります．十分に疼痛がコントロールされていることを確認しましょう．

参考文献

1）日本循環器学会：安定冠動脈疾患の血行再建ガイドライン（2018年改訂版）（日本循環器学会/日本心臓血管外科学会合同ガイドライン）https://www.j-circ.or.jp/cms/wp-content/uploads/2018/09/JCS2018_nakamura_yaku.pdf（2021年11月閲覧）
2）夜久　均，高梨秀一郎 編：“心臓血管外科手術エクセレンス3　冠動脈疾患の手術”．中山書店，2020
3）國原　孝 編：“ハートチームのための心臓血管外科手術　周術期管理のすべて”．メジカルビュー社，2017
4）上田裕一 編著：“臨床ナースのためのBasic & Standard　心臓外科看護の知識と実際”．メディカ出版，2009
5）三浦稚郁子 編：“CCUエキスパート看護マニュアル Part 1．急性期治療と看護”．中外医学社，2011
6）天野　篤 監訳：“心臓手術の周術期管理”．メディカル・サイエンス・インターナショナル，2008
7）宇佐美知里：［特集］気づきの感性が高まるフィジカルアセスメント　モニタの波形・数値だけで判断してもよい？　アセスメントを統合するためのポイントを知ろう！　重症集中ケア 13（2）：27，2014

（髙橋 知彦）

成人の術後管理（2）

AR，AS，ASR

～AR と AS の病態の違いを術後管理に活かす～

- AR と AS は病態が異なるため術後管理のポイントも異なる．それぞれの病態を理解して術後管理に活かすことが重要である．
- AR に対して手術を行った場合は，とくに術後の左心不全に注意する．
- AS に対して手術を行った場合は，とくに術後の低(心)拍出量症候群に注意する．
- 術後管理では，患者の異常の前兆をつかみ取り，状態をアセスメントして治療へつなげることで，合併症を予防することができる．

手術に至るまでの経過と患者の認識や思いをアセスメントし，心不全の管理を行うとともに手術に対する不安を軽減できるように関わりましょう

- 大動脈弁疾患には，おもに大動脈弁閉鎖不全症（aortic regurgitation：AR），大動脈弁狭窄症（aortic stenosis：AS），大動脈弁狭窄症兼閉鎖不全症（aortic stenosis and regurgitation：ASR）があります．
- 感染性心内膜炎，大動脈解離などの急性病態にともなって発症する急性 AR では，急激に低心拍出状態を呈することもあるため，迅速な治療が必要となります．慢性 AR は，病態の進行は緩徐ですが，手術が必要となるころには，長期間の代償機転によって左室機能が不可逆的に低下しています．AS では病態が悪化すると，心不全，失神，胸痛の症状を呈します．重症 AR，重症 AS のいずれも，生命予後の改善と QOL の向上のために弁膜症の治療が行われます．
- いずれもリスクの高い手術であり，手術が遅れるほど心機能が低下し，予後が悪化するため，慎重に手術の適応が検討されます．そのため術前に病状が悪化しないよう慎重に心不全の管理を行います．
- 手術までの経過，患者の認識によっては大きな不安を抱えながら手術に臨む場合もあります．患者の認識や不安を知り，不安を軽減できるように関わることが大切です．
- 急で重篤な病状のため，患者自身が手術の意思決定をできないこともあります（患者の意識障害による代理意思決定など）．そのような場合は

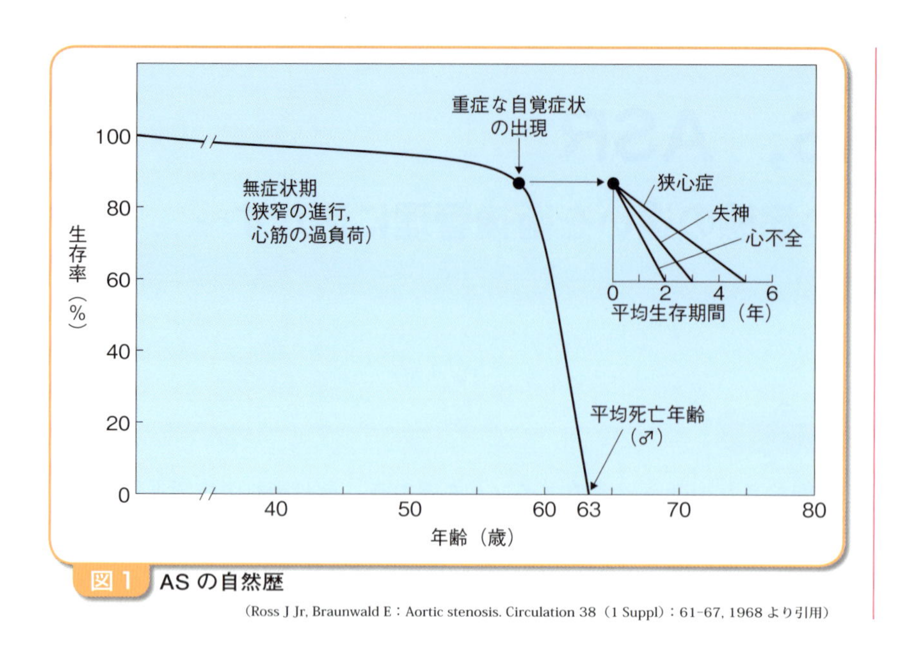

図1 ASの自然歴

（Ross J Jr, Braunwald E：Aortic stenosis. Circulation 38（1 Suppl）：61-67, 1968 より引用）

表1 ARとASの術後循環管理と観察のポイントの違い

	AR	AS
病　態	●左室の遠心性肥大にともなう左室収縮力の低下	●左室の求心性肥大にともなう一回拍出量の低下と左室収縮力の低下
術後循環管理	●左室が拡大し，左室収縮力が低下しているため，過度の前負荷によって左心不全になりやすい ●前負荷をかけすぎないように管理する	●左室内腔が小さいため，一回拍出量が少なく，脱水に弱い． ●低拍出量症候群にならないよう適度な前負荷を保つ
術後観察のポイント	●血圧，脈拍数，尿量の推移，IN/OUTバランスなどの循環動態の指標に加えて，左心不全症状が出現していないか，フィジカルアセスメントを経時的に行う	●血圧の低下が前負荷の低下による場合もあるため，IN/OUTバランスを血圧･心拍数･中心静脈圧，肺動脈圧の推移とともに経時的に観察する ●わずかな前負荷の増加で急激に血圧上昇をきたす場合もあるため，輸液量を増加した場合は，その後の血圧の上昇に注意する

術後の回復過程のなかで，患者の認識を確認，理解したうえで，患者の状況にあわせて経過を説明し，不安の軽減を図ることも重要になります．

術前の状態を把握して，術後の観察のポイントを把握しましょう 表1

- 同じ大動脈弁疾患ですが，ARとASでは病態が異なるため術後管理のポイントも異なります．ASRはARとASを合併した状態で，その病態はより高度な病変を呈しているほうに似ます．たとえば高度ASと軽度ARを合併した場合は，高度ASの病態に似ています．

慢性ARでは遠心性肥大[1]によって左室機能が低下します．術後は前負荷の増加による左心不全に注意します 図2

- ARはリウマチ熱や退行変性（老人性），感染性心内膜炎などの弁自体の病変による場合と加齢による大動脈拡大，大動脈解離などの大動脈基部異常によって起こります．
- 大動脈解離や感染性心内膜炎などによって急激に発症した場合を，急性ARといいます．一方，リウマチ熱や退行性変化（老人性）などによって徐々に病状が進行した場合を，慢性ARといいます．
- 急性ARは集中治療に反応せず心原性ショックに陥ることもあるため，早期に手術が行われます．病状が急速に悪化するため，慢性ARのように**ARが原因で左室拡大や左室機能が低下していることは少ないです．**
- 慢性ARは長い間，無症状で進行します．そのため，大動脈から左室内への血液の逆流による容量負荷，圧負荷が長期間左室にかかることになります．それによって，**左室拡大，左室肥大を呈し，左室機能は低下します．**
- 慢性ARでは，術後に前負荷が増加することによって，左心不全が起こることがあるため，慎重な水分出納管理が必要となります．

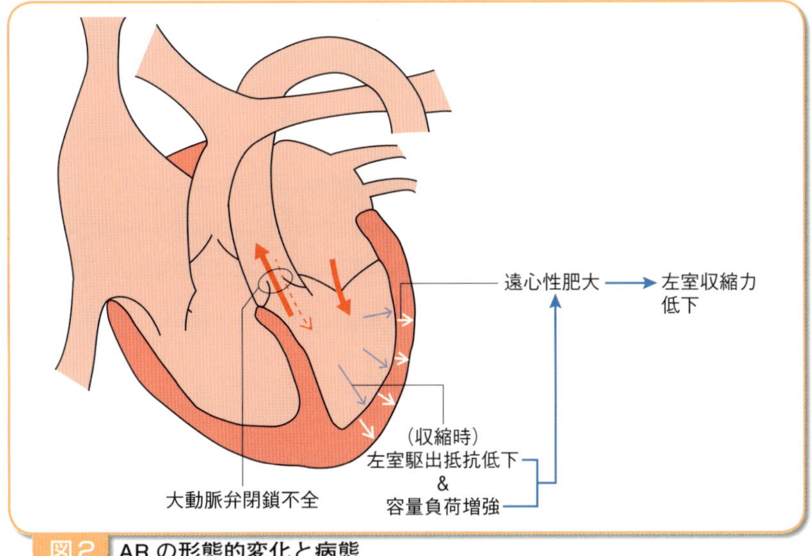

図2 ARの形態的変化と病態

① **遠心性肥大**
心臓壁の肥大とともに容積が増大して心臓の拡張をともなう状態．大動脈弁閉鎖不全症や僧帽弁閉鎖不全症など心臓に容量負荷がかかるときに起こる．

② **求心性肥大**
心臓の内腔が大きくならずに心臓壁が厚くなる状態．大動脈弁狭窄症や高血圧症など心臓に圧負荷がかかるときに起こる．

ASでは左室の求心性肥大[2]によって左室内腔が狭くなり一回拍出量が低下し，左室の収縮力が低下します 図3．術後は低心拍出量症候群に注意しましょう

- 退行変性（老人性），先天性二尖大動脈弁，リウマチによる炎症性変化などによって左心室の流出口が狭くなり，収縮期に左室から大動脈への

駆出障害をきたした病態を AS といいます．

- 収縮期に左室に慢性的な圧負荷がかかるため，左室は求心性肥大を呈します．左室が求心性肥大を呈すると，**左室内腔が狭くなり一回拍出量が低下します**．さらに，心筋の弾力性が乏しくなり，**左室収縮力が低下します**．
- そのため，術後は脱水や心拍数の低下による低拍出量症候群に注意が必要となります．

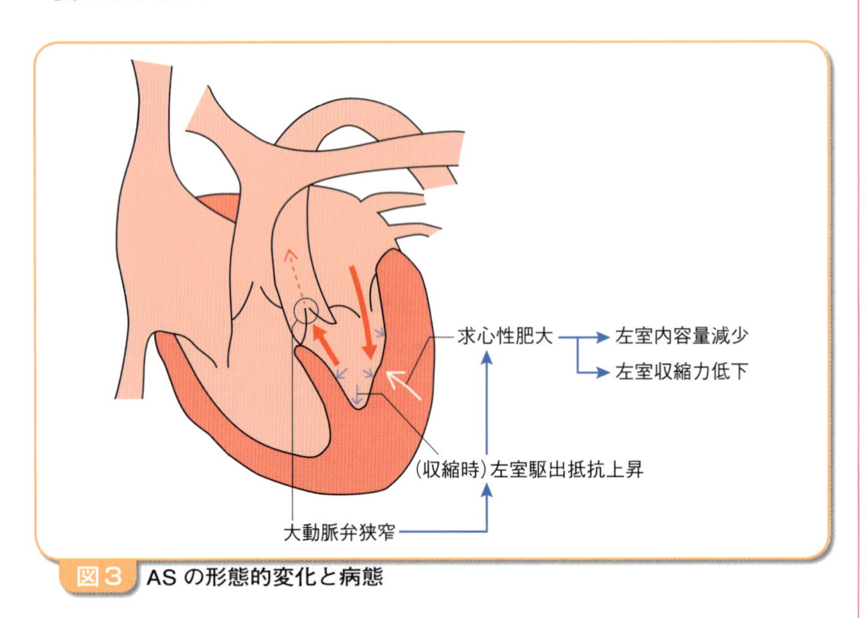

図3 AS の形態的変化と病態

AR，AS，ASR では，おもに大動脈弁置換術が行われます．患者の年齢や病状によっては，それ以外の方法が選択されることもあります

大動脈弁置換術（aortic valve replacement：AVR）

- 弁置換に用いられる人工弁には，機械弁と生体弁の 2 種類があります 表2．
- 機械弁は炭素繊維などの素材で作られ，材質そのものの耐久性は高いですが，人工弁周囲の血栓形成や過剰組織の増殖によって弁が急に動かなくなることもあります．そのため，ワルファリンカリウムによる抗凝固療法が生涯にわたって必要となります．
- 生体弁はウシの心膜やブタの大動脈弁を用いて，外枠（ステント）に縫い付けたものです．最近は固い部分がなく，弁の柔軟性が保たれたステントのない生体弁も使用されています．生体弁の耐久性は 15 年から 20 年といわれ機械弁には劣りますが，術後 3 ヵ月以降は抗凝固療法が不要なことが利点です．

表2 機械弁と生体弁

	機械弁	生体弁	
		ステントあり	ステントなし
外観		A	B
素材	●炭素繊維など	●ウシの心膜・ブタの大動脈弁	
長所	●耐久性が高い	●術後３ヵ月以降は抗凝固療法が不要	
短所	●血栓を生じやすいため，生涯抗凝固療法が必要	●耐久性は 15～20 年程度	
適応	●生体弁の適応を除くすべての患者	●高齢者，出産を希望する女性，出血傾向や凝固異常がある患者	

A：モザイク生体弁（ホルダーなし），B：フリースタイル生体弁

（A，B 画像提供：日本メドトロニック株式会社）

大動脈弁形成術（aortic valvuloplasty：AVP），自己弁温存手術

- 近年，大動脈弁疾患においても弁形成術や大動脈弁輪拡張症に対する自己弁温存大動脈弁基部再建術も選択肢の一つとなってきました．
- とくに，若年者の AVR では機械弁が適応となるため，AVP は，抗凝固療法を回避できるメリットがあります．

経皮的バルーン大動脈弁形成術（percutaneous transluminal aortic commissurotomy：PTAC）

- 経皮的に血管内に進めたバルーンカテーテルを大動脈弁に進め，バルーンを短時間膨らませて AS の重症度を改善する方法です．
- 心原性ショックに陥った場合など，AVR が行えない場合の救命処置として行われることが多いです．術後早期から弁閉鎖不全や再狭窄を生じることがあり，慎重なモニタリングが必要です．

経カテーテル大動脈弁留置術（transcatheter aortic valve implantation：TAVI）

- カテーテルを用いて人工弁を留置する方法です．開心術よりも低侵襲のため，高齢患者や他の疾患を有するなど，ハイリスクで手術が困難な場合に実施されることが多いです．

手術による身体への影響と手術前の病態を把握し，起こりうる術後合併症を予測しながら術後管理を行います

- ここでは，大動脈弁疾患のおもな手術であるAVRの術後管理のポイントをみていきます．
- AVRの術後は，術前の病状が術後に影響するため，手術による合併症と術前の病状の影響の両方を理解して術後管理を行うことが大切です．

ARに対するAVR後は左心不全症状に注意して循環を管理しましょう

- 慢性ARでは左室拡大，左室肥大を呈し，左室機能が低下していることがあります．そのような場合，前負荷が増加しすぎると左心不全になることがあります．
- そのため，前負荷・後負荷のバランスを整えることが重要になります．前負荷が増加しすぎないように輸液を調整し，血管拡張薬を使用して高血圧にならないように管理します．
- 左心不全症状 表3 をみとめる場合は，脈拍数，血圧，尿量の推移，IN/OUTバランス，中心静脈圧，肺動脈楔入圧などの循環動態の指標および呼吸数，呼吸音，SpO_2などの呼吸状態の指標とともに主治医へ報告し対処を検討します．

ASに対するAVR後は低心拍出量症候群にならないように管理しましょう

- ASでは左室の求心性肥大によって，左室内腔が狭くなり，心筋が弾力性を失って収縮力が低下し，一回拍出量が低下しています．
- 心拍出量（L/分）は心拍数（回/分）×一回拍出量（L/分）で決まります．また，一回拍出量（L/分）は心筋収縮力，前負荷，後負荷の影響を受けます 表4 ．したがって，一回拍出量の少ないASの患者の場合，心拍数を高めに維持し，前負荷を増大して左室の充満圧を高めに保つことで循環血液量を保つことができます．
- 心拍数を増加するためには，カテコラミンや心房–心室連続ページング

表3 左心不全と右心不全の臨床所見

	左心不全 （左房圧上昇にともなう肺うっ血と低心拍出量，全身臓器の低灌流にもとづく）	右心不全 （右房圧上昇による体うっ血症状が主体）
自覚症状	1）労作性・安静時呼吸困難・息切れ 2）発作性呼吸困難，起坐呼吸 3）咳嗽 4）全身倦怠感・易疲労感 5）冷汗 6）夜間多尿（比較的早期），乏尿（重症） 7）消化器症状 8）精神神経症状（集中力低下，記銘力低下，意識障害など）	1）浮腫 2）体重増加 3）食欲不振 4）悪心・嘔吐 5）右季肋部痛 6）腹部膨満
身体所見	1）四肢冷感，末梢性チアノーゼ 2）血圧低下，脈圧減少 3）湿性肺ラ音 4）頻脈 5）過剰心音（Ⅲ音，Ⅳ音）	1）頸静脈怒張 2）浮腫 3）肝腫大（脾腫大） 4）腹水・胸水 5）黄疸

注意：
①自覚症状が心不全に起因したものかどうか，また高齢者の場合，非特異的症状を呈することが多いので，注意を要する．
②低心拍出量による症状では，意識障害，不穏，所見は冷や汗，四肢チアノーゼ，低血圧，乏尿，身の置き所のない様相があげられる．
③慢性心不全患者の２つの主要な症状として，筋力低下と易疲労が目立つ．

（眞茅みゆき 監 "心不全ケア教本 第２版"．メディカル・サイエンス・インターナショナル，見返し２，2019 より引用）

編者メモ

ペーシングフェラー

ペースメーカーは対外式と植込み型があり，周術期では前者が多く用いられます．ジェネレータという本体でモード設定し，作動します．電気刺激は，電線（リード）から心筋に伝わり，心臓の収縮を手助けします．モード表記にはルールがあり，**1文字目は「ペーシング（刺激する）部位**（心房:A，心室:V，両方:D）**」**，**2文字目が「センシング（自己脈を感知する）部位**（心房:A，心室:V，両方：D），**3文字目は自己脈を「抑制**（インビット：Inhibit）**」あるいは「同期**（トリガー：Trigger）**」するのか，「両方**（I & T の Double）**」なのか**を示しています．たとえば，モードが「AAI」の場合，１文字目の刺激と２文字目の感知は心房が担い，自己脈への対応は抑制するという解釈になります．ペーシングフェラー（作動不全）の種類は，①ペーシング不全（刺激が伝わらない），②アンダーペーシング（鈍感すぎる感知），③オーバーペーシング（鋭敏すぎる感知）です．［小泉］

表4 心拍出量の調整に関連する因子

	因子		特徴	指標
心拍出量	心拍数		●心拍数が増加するほど心拍出量は増加する ●脈拍数が増加しすぎると，十分に心臓が拡張できず，血液が充満できないため心拍出量は低下する	心拍数
	一回拍出量	前負荷	●心室が収縮を開始する前に心室にかかる負担で，拡張終期に心室に流入した血液量 ●前負荷が大きいほど一回拍出量は大きくなる	中心静脈圧（CVP） 肺動脈楔入圧（PCWP） 左室拡張末期圧（LVEDP）
		後負荷	●心臓が収縮を開始した後に心室にかかる負担で，心室に充満した血液を送り出す際に打ち勝つ必要のある抵抗 ●後負荷が大きいほど一回拍出量は低下する	動脈収縮期血圧
		心収縮力	●収縮能が大きいほど一回拍出量は大きくなる	左室駆出率（LVEF）

を用いて，一定以上に心拍数を増加させます．ペーシングを行っている場合は，設定された回数だけ脈拍数，心拍数をともに認めるかモニタリングします．ペーシングフェラーをみとめる場合は，血圧，心拍数，

IN/OUT バランスなどとともに主治医へ報告します．

- 前負荷を低下させないためには，心拍数，血圧，尿量，IN/OUT バランスの推移，中心静脈圧，肺動脈楔入圧の推移をモニタリングします．前負荷の低下による血圧低下が疑われるときは，主治医へ報告し，輸液量を調整することが必要です．
- わずかな輸液量の増加によって，充満圧が上昇することもあるため，輸液量を調整した後は，より厳重にモニタリングを行います．

心房細動や房室ブロック，心室頻拍の前兆を見逃さないようにしましょう

- 弁膜症術後の 60 %に心房細動が起こるといわれています．心房細動が起こると，左室の充満圧が低下し，その結果心拍出量が低下します．
- 低心拍出量，電解質異常，発熱，貧血にともなって起こることがあります．**心房期外収縮をみとめた場合は，心房細動へ移行するサイン**であることもあります．
- 心房期外収縮の頻度や脈拍数，血圧，IN/OUT バランス，熱型，血液データ（Hb，白血球数，炎症反応，電解質など）などをモニタリングします．そして，原因をアセスメントするとともに，主治医へ報告し，対応を検討します．
- AVR では，手術の際に刺激伝導系近傍を操作するため，組織の浮腫や刺激伝導系の損傷によって，房室ブロックになることがあります．十分にモニタリングを行い，房室ブロックをみとめた場合は，主治医と連携して早期に対応する必要があります．
- 弁膜症の患者では，心機能が低下している場合も多く，スワン・ガンツカテーテルの刺激や電解質異常によって心室期外収縮が増加し，心室頻拍となることも少なくありません．
- **心室期外収縮の頻度が増す場合や，RonT をみとめる場合は，心室頻拍へ移行する可能性がある**ため，心拍数，血圧，心電図，電解質異常，IN/OUT バランスなどを確認し，主治医と連携して早期に対処する必要があります．

術後出血が起こらないようにするためには，血圧コントロールが重要

- AVR では術中の人工心肺の使用によって，術後に血管凝固能が低下することがあるため，術後出血に注意が必要です．
- ドレーンからの排液の性状が鮮血で，100〜200 mL/時以上みとめる場合は，止血術が必要になる可能性があります．とくに術後 6 時間は頻繁にドレーンの流出状況を確認しましょう．

表5 AVR 後の感染予防のための生活上の注意点（患者への説明）

人工弁置換術後は，人工弁が感染を起こす感染性心内膜炎をひき起こしやすくなります．虫歯や歯槽膿漏，医療処置によって細菌が血液に入ることが原因になります．人工弁置換術後は以下の点に注意してください．

1. 虫歯や歯槽膿漏を予防するために，歯ブラシや歯茎のケアを怠らないようにしましょう
2. 入れ歯を使用している場合はブラシで磨き，食べかすや歯垢のかたまりをしっかり取り除きましょう
3. 虫歯や歯槽膿漏を早く発見して，悪化させないために定期的に歯科検診を受けましょう
4. 抜歯や歯槽膿漏の切開などの処置を行う場合は，歯科医に人工弁置換術を受けたことを伝えましょう
5. 病院で手術や処置を受けるときは，医師に人工弁置換術を受けたことを伝えましょう
6. 高熱が出てすみやかに解熱しない場合や，熱の原因が特定できない場合は，循環器科の主治医に相談しましょう．

- 心嚢ドレーンの屈曲や，血塊による詰まりで排液が妨げられる場合は，心タンポナーデになる場合もあります．それまで流出があったドレーンの排液が突然出なくなった場合も注意が必要です．そのため，ドレーンが閉塞しないよう，ルートの屈曲を予防します．
- 血圧の上昇も出血の要因になります．主治医からの指示以上の血圧になっていないかモニタリングします．

人工弁置換術後は感染性心内膜炎のリスクが高まります．感染予防行動をとれるよう支援します

- 感染性心内膜炎による弁膜症で手術を行った場合，術後の感染コントロールが重要になります．
- とくに熱型，血中の白血球数の増加，炎症反応の再燃がないかモニタリングを行い，感染が疑われる場合は主治医へ他のバイタルサインとともに伝えます．
- **人工弁置換術後の患者では，感染性心内膜炎を発症するリスクが高くなります**[4)]．そこで，手術を受けた患者には，感染性心内膜炎を起こさないように予防行動ができるよう生活での注意点 表5 を指導します．

上行大動脈に病変がある場合，脳合併症をひき起こす危険性があります．神経学的サインの観察も十分に行いましょう

- 上行大動脈の高度石灰化や壁肥厚などの病変がある場合，アテローム性塞栓による脳梗塞の危険性があります．
- 麻酔からの覚醒時に命令への応答や四肢の麻痺がないかを確認します．

まとめ

- AR，AS，ASR に対する手術では，おもに AVR が実施されます．しかし，術前の病態が異なるため，術後管理のポイントも異なります．それぞれの病態生理を十分に理解して術後管理を行うことが重要です．
- 低拍出量症候群や不整脈，術後出血では前兆をみとめることが多いです．前兆をみとめた場合は他の症状や徴候，バイタルサインを観察して主治医へ報告することですみやかな対処が行われ，重症化を予防することができます．

ケーススタディ

A 氏　70 代，女性．

主病名：AS，心不全．既往歴：なし．

現病歴：60 代のころより AS を指摘され，外来通院を行っていたが，数ヵ月前より労作時の胸痛，息切れをみとめるようになったため AVR を実施することとなった．

■経　過

AVR を施行し，1 病日の朝に人工呼吸器を離脱した．このときのバイタルサインは脈拍 80 回/分（ペーシング），血圧 110/70 mmHg 前後を推移，尿量 50 mL/時，呼吸数 18 回/分，SpO_2 95 %（酸素投与 5 L/分酸素マスク），呼吸音清明，PCWP 20 mmHg，CI 2.2 L/分/m^2，ドパミン 4 γ 投与中であった．人工呼吸器離脱後 A 氏は「無事手術が終わったのね」と笑顔で話した．

しかし，その日の午後より徐々に血圧が低下しはじめ，HR 80 回/分（ペーシング），血圧 80/40 mmHg，尿量 20 mL/時，呼吸数 18 回/分，SpO_2 95 %（酸素投与 5 L/分酸素マスク），呼吸音清明，PCWP 15 mmHg，CI 1.8 L/分/m^2，ドパミン 4 γ であった．A 氏は胸痛や呼吸苦の訴えはなかったが，倦怠感と口渇を訴え，ベッドで横になっていた．

■解　説

A 氏は AS に対して AVR を施行しているため，術前から求心性の心肥大があり，十分な心拍数と前負荷がないと必要な心拍出量を得られない状態であったと考えられます．午後に血圧が低下したときには，心拍数の変化はありませんが，前負荷の指標である PCWP が低下し，患者は倦怠感と口渇を訴えていることから，前負荷の低下による心拍出量の低下が血圧低下の原因と考えられます．すでに尿量が減少しており，このまま経過をみていくと，低拍出量症候群に陥る可能性があるため，主治医へ状態とアセスメントを伝えました．そうしたところ，まず輸液量を増加する指示がでました．

その後，徐々に血圧，尿量が増加し，その他の症状・徴候の悪化もなく翌日には離床し，ICUを退室することができました．

このケースから学べること・まとめ

- 血圧の低下をみとめた場合は，患者の症状と徴候および心拍出量に関連する指標を観察し，血圧低下の原因をアセスメントする．
- 主治医に血圧低下に関連する要因が伝わるように，情報とアセスメントをまとめて報告する．
- 低拍出量症候群に陥る前に早期に対応することで，合併症の重篤化を防ぐ．

参考文献

1）Ross J Jr, Braunwald E：Aortic stenosis. Circulation 38（1 Suppl）：61-67, 1968

2）日本循環器学会：2020年改訂版 弁膜症治療のガイドライン（日本循環器学会/日本胸部外科学会/日本血管外科学会/日本心臓血管外科学会合同ガイドライン）.
https://www.j-circ.or.jp/cms/wp-content/uploads/2020/04/JCS2020_Izumi_Eishi.pdf（2021年10月閲覧）

3）眞茅みゆき 監：“心不全ケア教本 第2版”．メディカル・サイエンス・インターナショナル，2019

4）Strom BL, Abrutyn E, Berlin JA et al：Dental and cardiac risk factors for infective endocarditis. A population-based, case-control study. Ann Intern Med 129：761-769, 1998

（正垣 淳子）

成人の術後管理（3）

MR，MS

～術後管理のレベルアップには，まず術前の状態を知ることからはじめよう～

- ☑ 術前の左心系の変化は，心房心室への血液流入の仕方でその病態が異なる．
- ☑ 僧帽弁膜症の術後管理は，術前の左心系の変化を考慮して体液管理をする必要がある．
- ☑ 僧帽弁手術後は，血圧を低めに保つことで弁への負担を最小限にする必要がある．
- ☑ 僧帽弁手術では，急激な術後出血は心破裂の可能性も視野に入れる必要がある．
- ☑ 僧帽弁膜症では，術前・術後ともに心房細動による脳梗塞など血栓塞栓症を発症するおそれがあるため，注意が必要である．

僧帽弁の構造とその機能を知ろう

- 僧帽弁（mitral valve）は心臓にある4つの弁のうち，左心房と左心室の間にある弁です．その名前の由来は，カトリックの司教や主教が典礼時に被る冠（Mitra）にその形状が似ていることで命名されたといわれています 図1．
- 僧帽弁の構造は前尖と後尖とよばれる**2つの弁尖**から成り立っており，二尖弁ともよばれています．その構造は，他の心臓弁のように3つの弁尖から成り立っていないことが特徴です．
- また僧帽弁の弁尖の先端にはヒモ状の腱索が出ており，心室壁の乳頭筋とつながっています．このつながりにより弁尖が左心房側に反転しない構造となっています．僧帽弁は弁尖や腱索，乳頭筋，弁輪の協同運動により左心室収縮期に左心房への血液の逆流を防止する機能を担っています．それは左心房が収縮すると同時に僧帽弁は開き，左心室へ血液が流入します．そして左心室が収縮すると同時に僧帽弁は閉じ，左心房への血液の逆流を防止するわけです．それにより左心室から大動脈へと一方向に血液が駆出されるようになります．

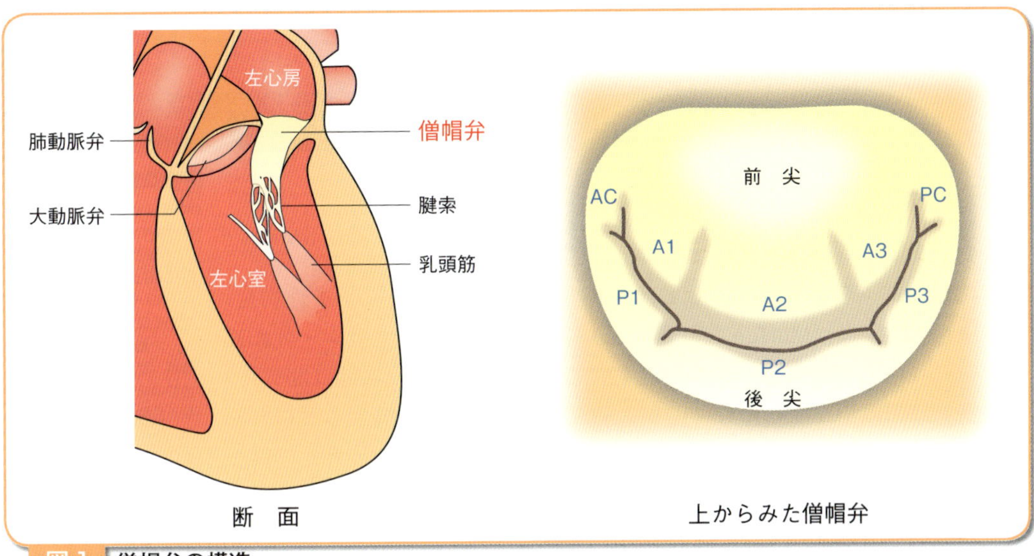

図1　僧帽弁の構造

表1　MRとMSの病態・術式・管理の比較

	MR	MS
術　式	形成術 or 置換術	おもに置換術
左房の状態	拡　大	拡　大
左室の状態	拡大（遠心性心肥大）	縮　小
水分管理	ウェットな管理	ドライな管理
血　圧	低めで管理 収縮期100 mmHg程度で管理	低めで管理 収縮期100 mmHg程度で管理
不整脈	術前から心房細動が起こりやすい	術前から心房細動が起こりやすい
抗凝固療法	形成術後初期は必要	術後必要

僧帽弁に起こる障害は，おおきく分けて3種類

- 僧帽弁膜症は弁尖自体の障害だけでなく，腱索や乳頭筋，弁輪の障害でも生じます．障害は**「閉鎖不全」「狭窄」「狭窄兼逆流」**の3つに分類されます．
- 閉鎖不全は，**弁の閉鎖が不十分なため，左心房内に血液が漏出**する場合をいいます．これには僧帽弁逆流症（mitral regurgitation：MR），僧帽弁閉鎖不全症（mitral insufficiency：MI），僧帽弁逸脱症（mitral valve prolapse：MVP）があります．
- 狭窄は，**弁が適切に開かず，血流が部分的に遮断されてしまう**場合をいいます．これには僧帽弁狭窄症（mitral stenosis：MS）があります．
- 狭窄兼逆流は，閉鎖不全と狭窄を合併した状態をいいます．これは僧帽弁狭窄兼逆流症（mitral stenosis and regurgitation：MSR）があります．

僧帽弁閉鎖不全症のいろいろ（術前編）

僧帽弁閉鎖不全症の病因について

- 僧帽弁閉鎖不全症の原因となる疾患はさまざまあります．
- 僧帽弁閉鎖不全症の原因として，弁膜の器質的病変（リウマチ性病変，感染性心内膜炎，Marfan 症候群など），弁支持組織病変（腱索・乳頭筋断裂，乳頭筋機能不全，僧帽弁逸脱症など）のような一次性（器質性）の僧帽弁閉鎖不全症と，弁輪の拡大や左室収縮異常，心筋症などの弁膜ならびに弁支持組織以外の病変によって起こる二次性（機能性）の僧帽弁閉鎖不全症とに分けられます．
- また僧帽弁閉鎖不全症は，急性のものと慢性のものとに分類することができます．
- 急性の僧帽弁閉鎖不全症で代表されるのが，感染性心内膜炎による弁破壊や急性心筋梗塞で併発する乳頭筋断裂が挙げられます．
- 慢性のものとしてリウマチ性のものが挙げられますが，抗生物質の発達などによりこれは減少しています．しかしその一方で，僧帽弁逸脱症が増加しています．

編者メモ

Marfan 症候群

Marfan 症候群は指定難病であり，日本には約20,000 人の患者がいます．20 代から30 代で発症することが多い現状です．大動脈の中膜壊死，骨格，眼，肺，皮膚など全身の結合組織が脆弱になる常染色体優性遺伝病で，発症率は50％です．また，全体の約75％が親からの遺伝で，約25％は突然変異が占めます．大動脈瘤破裂や大動脈解離では，突然死をきたすことがあります．死に至らなくても，大動脈弁閉鎖不全や大動脈弁輪拡張症により心不全や呼吸困難を呈したり、大動脈解離ではショックに陥る危険性があります．骨格病変としては高身長，長指，側弯，漏斗胸などの胸郭形成不全などを認めます．その他では，水晶体の亜脱臼による視力の低下，自然気胸に起因した呼吸困難など多彩な症状が現れます．［小泉］

僧帽弁閉鎖不全症の病態について 図 2

- 僧帽弁閉鎖不全症を発症すると**左室収縮期に僧帽弁は完全に閉鎖しなくなります**（図 2A）．
- 不完全な閉鎖状態では抵抗の大きな大動脈・体血管へ血液を拍出するだけでなく，抵抗の小さな左心房へ同時に血液が逆流して拍出している状態となります．
- 左室収縮期には抵抗の小さな左心房に肺静脈から流入する血液に加え，左心室から逆流した血液が加わることで容量負荷を受けます．その結果，**左心房の拡大**がみとめられます．
- 左心房はもともと容量変化に対するコンプライアンスが低く，肺静脈からの血液流入と左心室からの血液逆流で生じた容量負荷の増加に対応できなくなります．
- すると肺静脈からの血液流入が障害され，肺静脈圧が上昇します．血液がうっ滞し，肺うっ血や重症例では肺水腫や肺高血圧をきたすこともあります．
- 血液容量が増加した左心房が収縮すると，左心房から左心室へ流入する血液量が増加します．そのため左室拡張期には左心室に容量負荷が加わり，**左心室の拡大（遠心性心肥大**[1]**）**が起こります（図 2B）．

[1] **遠心性心肥大**
拡張期に流入する血液量が過剰になると心臓壁は引き伸ばされ，心腔内の容積は増大する．この状態ではそれに似合った血液容量がないと充満されず拍出量は減少（空打ち）する．また過剰な血液が流入すると引き伸ばされた心臓壁では心臓収縮力が低下してしまうため，拍出量は減少する．

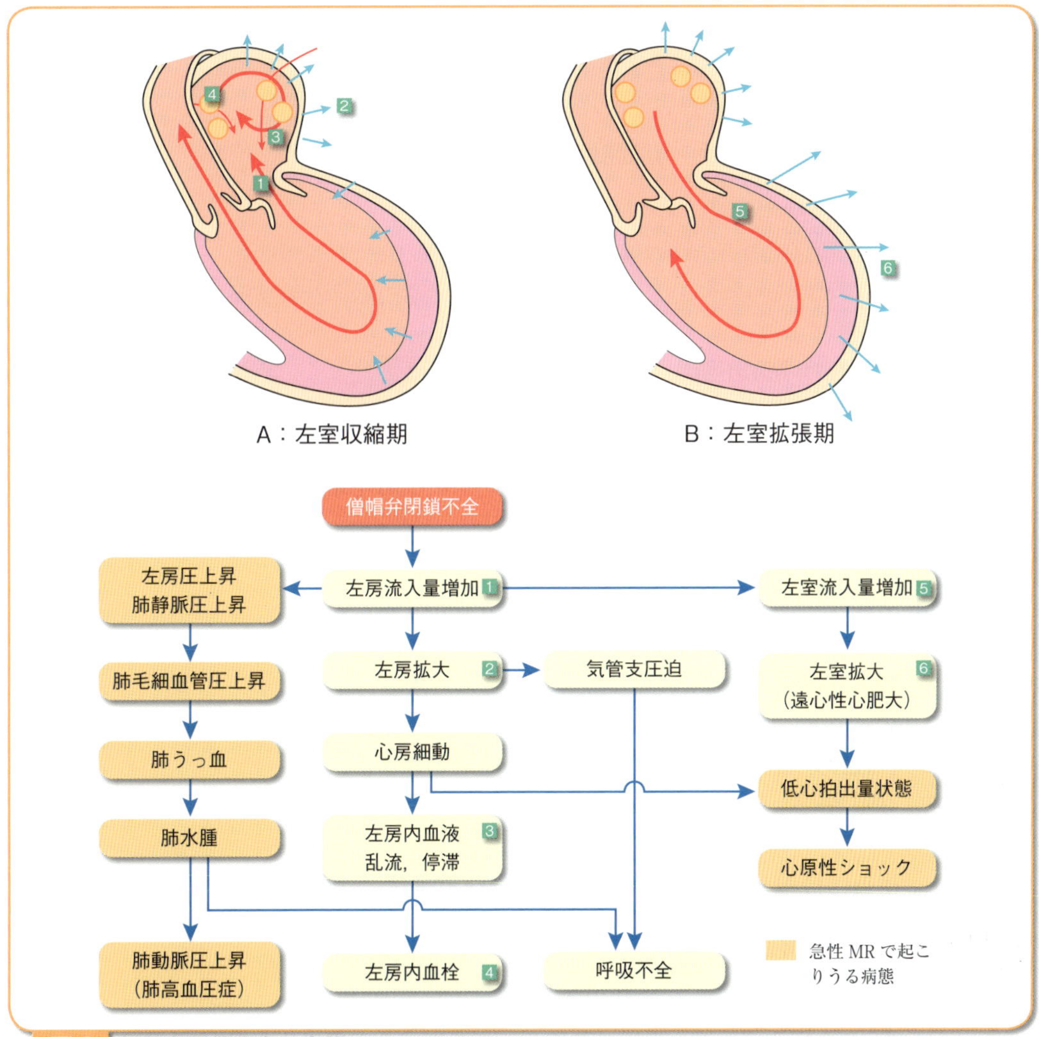

図2　僧帽弁閉鎖不全の病態

- 左心房への逆流によって左心房の血液容量が増加する一方で，その代償として大動脈への血液駆出量が減少し，全身への血液供給に障害を与えます②.
- 容量負荷によって**拡大した左心房では心房細動を誘発**し，血液の駆出に影響を与えることもあります．それは心房からの拍出量が減少し，心室への血液流入量が減少します．その結果，心室からの拍出量も減少し，眩暈や倦怠感などの症状を呈することがあります．また左室肥大や左房負荷（洞調律の場合）といった心電図所見がみられます.
- 急性発症する僧帽弁閉鎖不全症では左心房へ一気に逆流し，肺高血圧症や肺水腫をきたし，ときには**低心拍出量状態，ショック状態に至り致命的になる**こともあります.
- 慢性の僧帽弁閉鎖不全症では，左心房への血液逆流により容量負荷を受

② 僧帽弁閉鎖不全による後負荷の低下（低圧の左心房に駆出するため）によって見かけ上駆出率（EF）は高く評価されるため，心機能の標準的な指標である左室駆出率（LVEF）は他の弁膜症に比べ信頼性が低いといわれている.

けて左心房は拡大していきます．それにより左心房の拍出量が増大し，しだいに左心室も拡大していきます．

僧帽弁閉鎖不全症の診断，重症度について

1．自覚症状

- 急性で重症の僧帽弁閉鎖不全症のほとんどの場合，強い息切れや呼吸困難感を訴えることがあります．ときにショック状態となり救命を要する場合もあります．
- 一方で慢性の僧帽弁閉鎖不全症では初期症状を訴えることがなく，病状の進行にともなって労作時の呼吸困難や息切れ，易疲労感などを訴えることがあります．
- 重症になると強い息切れや呼吸困難感を訴えることもあります．

2．理学的所見

- 心音ではⅠ音の減弱や心尖部収縮期雑音，Ⅲ音を聴取することがあります．
- 心電図では左房負荷や左室肥大の所見，ときに心房細動をみとめます．
- 胸部X線写真では左心系の拡大にともなう心陰影の拡大（左3弓，4弓突出）をみとめ，重症になると肺うっ血像がみられます．

3．心エコー検査

- 心エコー検査は僧帽弁閉鎖不全症の診断，重症度評価には必須です 表2．
- 断層法では左心系の拡大の程度や壁運動の評価，左室の壁肥厚の程度を評価します．
- カラードプラ法を用いて逆流の程度を評価し，また逆流の発生部位を推定することもできます．
- さらにこれらの方法を併用して僧帽弁逸脱症や感染性心内膜炎後・二次性（機能性や虚血性）などの逆流の病因を推定することも可能です．
- 心房細動症例では左房内血栓，とくに左心耳血栓の診断のために経食道エコーが有用です．

4．心臓カテーテル検査

- 心臓カテーテル検査では肺動脈圧などの血行動態の評価，弁口面積の算出，左室機能評価などが行われます．最近では心臓カテーテル検査の意義は減少しつつあります．

表2 心エコー図検査によるMRの重症度評価

	軽症	中等症	重症	備考
心腔の大きさ				
左室や左房の大きさ	正常	−	拡大	急性MRでは，MRが重症でも左室や左房の拡大を伴わないことが多い 機能性MRよりも慢性器質性MRの重症度評価に向く
定性評価				
カラードプラ法の下流ジェット面積	小さく細いセントラルジェット，かつ/または持続時間が短い	−	大きなセントラルジェット（>左房面積の50%）	偏位して左房壁に沿う場合，ジェット面積からは重症度を過小評価しやすい
カラードプラ法の上流吸い込み血流	みえない，短時間，または小さい	−	収縮期を通して大きい	
連続波ドプラ波形	短時間，または薄い	−	収縮期を通して濃い	
半定量評価				
縮流部幅（cm）	<0.3	0.3〜0.69	≧0.7	単断面で計測した本指標は機能性MRの評価には向かない
肺静脈血流	−	−	収縮期陽性波がない，または，収縮期逆流波がある	
左室流入血流速波形	−	−	E波の増高（>1.2 m/秒）	
定量評価				
PISA法によるEROA（cm^2）	<0.20	0.20〜0.39	≧0.40	機能性MRの評価には向かない（過小評価しやすい）
逆流量（mL）	<30	30〜59	≧60	左室一回拍出量が少ない機能性MR例では逆流率が大きくても逆流量は少なくなり，本指標からは重症度を過小評価しやすい
逆流率（%）	<30	30〜49	≧50	有意なAR合併例での評価には向かない

（Zoghbi WA, et al. 2017を参考に作表）
〔日本循環器学会：2020年改訂版 弁膜症治療のガイドライン（日本循環器学会/日本胸部外科学会/日本血管外科学会/日本心臓血管外科学会合同ガイドライン）. https://www.j-circ.or.jp/cms/wp-content/uploads/2020/04/JCS2020_Izumi_Eishi.pdf（2022年1月閲覧）より引用〕

僧帽弁閉鎖不全症に対する手術療法を知ろう

- 僧帽弁閉鎖不全症または狭窄症が高度の場合，自覚症状の有無にかかわらず，左室機能低下や心房細動，肺高血圧症がある場合には手術適応となります.

● ほかに手術適応は以下のものが挙げられます．

・急性僧帽弁閉鎖不全症（急性心不全やショックをともなうもの）
・感染性心内膜炎（菌血症や敗血症，疣贅による塞栓症）
・NYHA Ⅲ～Ⅳ度の心不全
・NYHA Ⅰ～Ⅱ度でも左心機能の低下をともなう場合（EF＜60 %，LVDs≧40 mm）
・MR Ⅲ～Ⅳ度
・僧帽弁逸脱症の可能性が高く，とくに左心室機能の低下がない，心房細動の発症期間が短い場合

● 僧帽弁閉鎖不全症に対する術式は僧帽弁形成術（MVP），僧帽弁輪形成術（MAP），そして僧帽弁置換術があります 図3 ．

僧帽弁形成術について

● 僧帽弁形成術は逆流の原因となっている弁自体の修復（弁の部分的な切除や縫合），弁周囲組織の修復（人工腱索移植，弁輪の補強）などを行い逆流を止める手術です 図4 ．

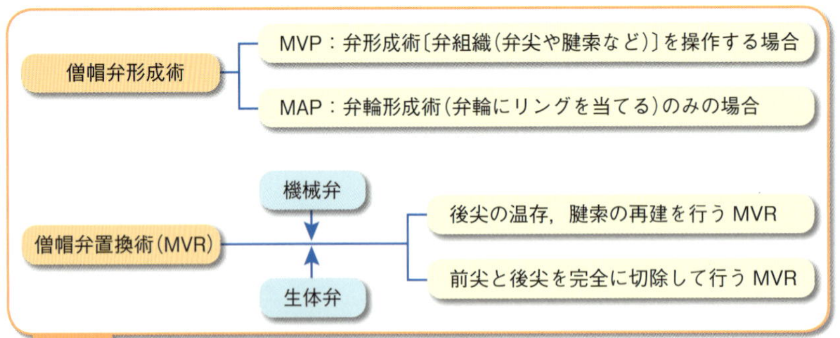

図3 僧帽弁閉鎖不全症に対する手術療法

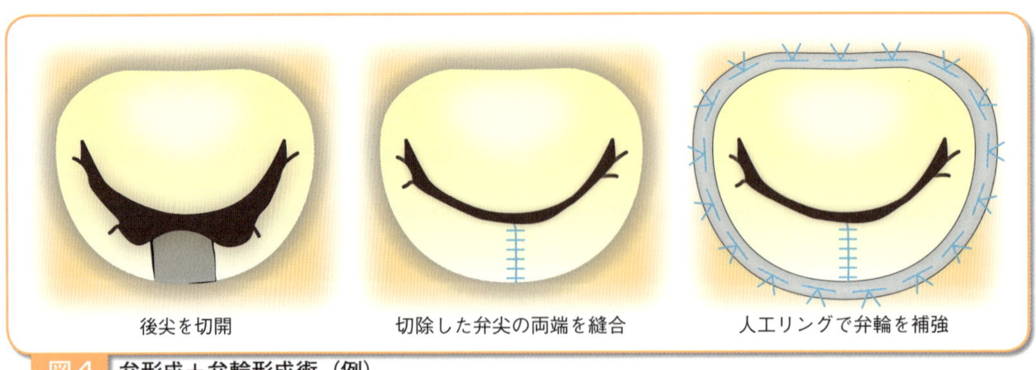

図4 弁形成＋弁輪形成術（例）

- 形成術は機械弁や生体弁を置換する手術手技と違い，**自己の固有の弁が温存され，長期間の抗凝固療法やその他の人工弁に関連した合併症（人工弁感染症，弁機能不全など）の危険性を回避できます．**
- 自己弁を温存することによって，置換術と較べ術後の**左心室の機能が良好に保て，術後の遠隔期の生存率が良好**となる利点があります．
- しかし弁の硬化や石灰化，リウマチ性病変への形成術は不完全な修復となる可能性が高いといわれています．
- 弁形成術を行う際，弁輪形成術も一緒に行われることが多いです．それは術後しばらくして閉鎖不全症や狭窄症が再度出現するのを軽減するためです．
- 弁輪形成術は拡大した弁輪に人工のリングを用いてこれを修復し，僧帽弁の閉鎖不全を解消する方法です．また弁輪の補強としても用いられ，逆流の再発防止にも用いられます．
- 近年，生体弁の耐久性が向上しています．機械弁が選択されていた 65 歳未満の患者にも生体弁が選択される手術が増加しています．

僧帽弁置換術について

- 僧帽弁置換術で使用される人工弁には，生体弁と機械弁があります 図5．
- 生体弁と機械弁を使い分ける判断のポイントは「耐久性」，「年齢」そして「抗凝固療法」です 表3．
- 耐久性は生体弁では 10～15 年（長くても 20 年），機械弁では 30 年以上といわれています．
- 年齢は一般的に 65 歳を基準に，65 歳未満では機械弁を選択し，それ以上では生体弁[3]を選択します．これは人工弁の耐久性を考慮したものといえます．
- 抗凝固療法では生体弁では術後 3～6 ヵ月の抗凝固療法[4]は必要ですが，その後は必要がありません．一方，機械弁では一生抗凝固療法が必要で

③ 近年生体弁の耐久性が延びたことで，これを使用する年齢が次第に若くなっている．

④ 心房細動がある場合は，これ以降も抗凝固療法が必要となる．

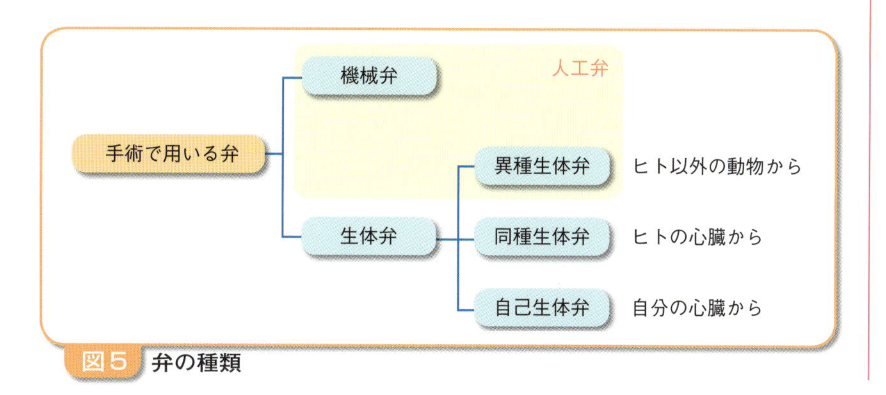

図5 弁の種類

表3 生体弁と機械弁の使い分け

	生体弁	機械弁
外観	A ©2013 Medtronic Japan Co., Ltd. All Rights Reserved	
素材	●牛や豚などの生体組織	●ステンレス合金にカーボンがコーティング
長所	●血栓を生じにくい ●血行動態に支障をきたしにくい ●術後3～6ヵ月の時点で洞調律ならば，抗凝固療法の中止が可能	●耐久性がよい（30年以上といわれている）
短所	●耐久性に欠ける（10～15年程度） ●弁の崩壊，石灰沈着が生じやすい	●血栓を生じやすく，一生涯抗凝固療法が必要 ●開閉音が目立つ
適応	●65歳以上の高齢患者 ●妊娠や出産を希望する女性患者 ●抗凝固療法ができない患者	●生体弁の適応を除く患者

A：モザイク生体弁（僧帽弁用）

（A画像提供：日本メドトロニック株式会社）

す．

●僧帽弁置換術には弁の後尖を温存，腱索を再建して乳頭筋と弁輪の連続性を維持する置換術と，弁を完全に切除し人工弁を置換する方法があります 図6．

●前者の場合，僧帽弁の機能が人工弁によって得られるだけでなく，左心室の拡大予防が期待できます．弁輪と乳頭筋との連続性を温存できるため生存率が良好です．

●後者では弁破壊が高度，腱索の肥厚・癒合や石灰化が高度な場合に完全な切除が必要となります．

●弁置換術後は抗凝固療法が必要です．一般的にPT-INR⑤を指標とし，2.0～3.0を目安に抗凝固療法が行われます．術後はワルファリンを内服し，定期的にPT-INRを測定し適切なワルファリンの内服が行われます．抗凝固療法が行われるため，易出血状態となるため，出血の徴候などに注意が必要です．

⑤ PT-INR：prothrombin time-international normalized ratio（プロトロンビン時間国際標準比）

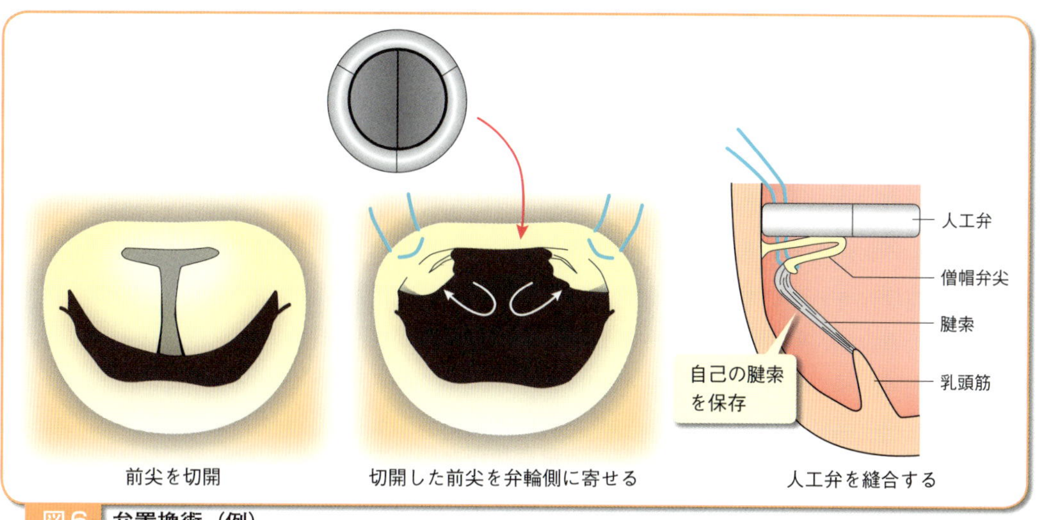

図6 弁置換術（例）

MEMO1

近年，僧帽弁閉鎖不全症の治療で，経皮的僧帽弁クリップ術（MitraClip®⑥）を行う施設が増えています．

⑥ MitraClip®
左室や左房の拡大，または機能不全により生じたMRに対して，カテーテルを用いて弁尖にクリップを留置して逆流を低減する．おもに二次性の僧帽弁閉鎖不全症に対して行われることが多い．p.111参照.

僧帽弁閉鎖不全症の術後ケアのポイント

1．血圧管理・水分管理

- 術後は左心房への逆流が解除され，大動脈方向への血流のみとなります．そのため左心室は大動脈へ駆出するため抵抗が増大し，それに打ち勝とうと心収縮力が増大します．その結果，**血圧は高く**なります．
- しかし，この状況が形成した組織や置換した弁周囲組織に過剰な負荷をかけてしまい，出血や逆流を起こしてしまうことにつながります．そのため**血圧を上げないこと**が重要となります．収縮期血圧で90～110 mmHg程度で管理していきます．降圧薬の投与や復温，鎮痛・鎮静薬を行い，血圧上昇を最小限に抑える必要があります．
- 術後の水分管理は，術前の左心室拡大の有無や程度で管理が異なります．
- 術後はスワン・ガンツカテーテル（肺動脈カテーテル）が挿入されていることがほとんどです．心係数（CI）や混合静脈血酸素飽和度（SvO_2），肺動脈圧（PAP），右房圧（RAP）の連続的モニタリングを行い，術後の心機能や体液バランスの評価に活用します．

- 術前の遠心性の心筋肥大が強い場合や低心機能で手術に臨んだ場合には，術後低心拍出量症候群（low output syndrome：LOS）が起こる危険性があります．操作や人工心肺の影響，不適切な水分管理など，さまざまな要因によって起こりえるため，厳密なモニタリングが必要です．
- 急性に生じた僧帽弁閉鎖不全症の術後では左心室の拡大はなく，**左心室の収縮能は保たれていることがほとんど**です．しかし，術前から心不全状態にあるため，輸液量を軽減して管理していく必要があります．
- 慢性の場合には，逆流した血液が左心房から左心室へ流入するため，容量負荷によって左心室は拡大していることがほとんどです．術後は拡大した左室は残存しており，**ある程度の容量負荷がないと左室駆出量が維持できません**．
- また左室への過剰もしくは過小な容量負荷がかかることで，低心拍出量症候群をまねくおそれがあります．
- 術直後は十分な輸液量を維持し，その後**左心室の拡大が改善するために少しずつ輸液量を軽減して管理していく必要があります**．
- 僧帽弁形成術後で低心拍出量症候群が持続する場合，**修復部の損傷にともなう逆流の増悪も考慮**する必要があります．

2．不整脈

- 心電図変化をチェックすることはもちろんのこと，水分出納や電解質のチェックを厳密に行っていく必要があります．
- 利尿薬の投与で電解質異常（とくに低カリウム血症）をまねきやすく，期外収縮や心房細動などの不整脈を誘発することがあります．
- 血液ガスデータなどでの電解質変化も合わせてチェックしていく必要があります（当施設では血清カリウム値を 4.0 mmol/L 程度に維持できるよう補正しています）．
- さらに心拍出量維持のためにペースメーカ⑦を使用することもあります．ペースメーカの作動状況のチェックを行い，正常に作動しているかどうか，有効な心拍出量が得られているかどうか確認します．
- 術前の左房拡大により心房細動を発症している場合には Maze 手術が行われることがあります．
- Maze 手術を行うことで術直後から心房細動が改善している場合もあります．しかし，しばらく心房細動が改善しない場合もあります（ときに数ヵ月してから洞調律になることもあるそうです）．
- **心房細動は有効な心拍出量が減少**します．そのために心拍数のコントロールも必要となります．
- また，いったん改善した心房細動は，血管内脱水や電解質異常などさまざまな要因で誘発されることもあるため注意が必要です．

編者メモ

心房細動の治療

術前の弁膜症患者の多くは，心房負荷によって心房細動（AF）を併発しています．そこで開心術と同時に Maze（メイズ）手術を実施します．メイズ手術は体外循環を用いて心臓を停止している間に，右心房または左心房を切開して，特殊な機器で凍結アブレーション，高周波アブレーションを組み合わせて行う治療法です．リズム回復の効果が期待できます．また，心房細動による血栓の多くが左心耳で作られるため，左心耳閉鎖を行うことがあります．
メイズ手術後，心房細動はすぐに消失するかといえばそうではありません．一定期間，心臓術後心房細動が出現します．これは心房の炎症にともなうものだといわれており，心臓術後の出現頻度は 20～40％程度です．心臓術後心房細動は一過性のことが多く，メイズ手術後は心房の炎症が治まると消失します．冠動脈バイパス術後では術後 2～3 日に出現のピークがあり，7 日間程度で自然に消失するといわれます．弁膜症手術後では，術後 10～20 日ほどで自然に消失します．［山中］

⑦ 有効な心拍出量を得るためには心房ペーシングもしくは心房心室ペーシングが効果的である．それは心臓の生理学的な心収縮（心房の収縮⇒心室の収縮）が得られやすいからである．

3. 出　血

- 手術操作や人工心肺の影響などにより，術後は出血に注意しなければなりません.
- 術後はドレーンが留置されており，ドレーンからの排液量や性状の変化，ヘモグロビンや血小板値，凝固系データの変化などを随時観察していく必要があります.
- 5 mL/kg/時を超えるような出血では急速に循環動態が増悪する可能性があり，止血薬や輸血では対応が困難な場合は緊急再開胸止血術を施行し，止血を行う必要があります.
- とくに石灰化した僧帽弁輪に操作を加えた際，その操作部位や周辺組織で出血が起こりやすくなります.
- 弁輪の石灰化が高度な場合の弁置換術では，まれに**左心室破裂**に至る場合もあるので注意する必要があります.
- 術直後は，凝固促進薬や輸血（新鮮凍結血漿や血小板製剤）の投与により血液凝固が促進されます．その結果コアグラによってドレーンが閉塞しやすくなります．これらが投与された際には，ドレーンの閉塞には注意が必要です.
- ドレーン排液量が減少し，各種パラメータ（RA 値が上昇など）が変化している場合には，心タンポナーデを疑う必要があります．また頻拍や血圧低下，頸静脈の怒張といった症状が出現した場合もこれを疑う必要があります.
- X 線所見（心陰影の拡大）や心エコー（心嚢液貯留）などで確認することはできます.
- 心タンポナーデに陥ると心室の拡張期充満圧を抑制し，一回拍出量の低下，心拍出量の低下をまねき，血圧低下やショックに至る可能性があります．ドレーン排液量が減少しただけで「出血が落ち着いた」と判断するのは危険なこともあります．場合によっては緊急で解除術（血腫除去術）を施行しなければなりません.

4. 意識レベル・神経症状

- 術直後は麻酔覚醒は未覚醒がほとんどです．また循環動態が安定するまで鎮静薬を投与している場合もあります.
- 麻酔や鎮静からの覚醒を促していく際，意識レベルや瞳孔所見，徒手筋力検査（MMT）などの神経学的所見の変化に注意が必要です.
- また術前に左房内血栓が確認されている場合，**脳梗塞を発症するおそれ**があります．そのため神経学的所見を慎重に観察する必要があります.

僧帽弁狭窄症のいろいろ（術前編）

僧帽弁狭窄症の病因について

- 僧帽弁狭窄症の病因の大部分がリウマチ性です．ほとんどの場合，小児期のリウマチ熱が原因となり，中年以降に僧帽弁狭窄症をひき起こします．リウマチ熱を発症してから約15〜20年無症状で経過し，50〜60歳前後で症状が出現することが多いです．
- 近年，抗生物質の使用などにより，その頻度は減少しています．しかし硬化性病変などの非リウマチ性が原因で起こるものが増加しています．
- その他の病因として先天性（単一乳頭筋によるパラシュート弁）やカルチノイド，全身性エリテマトーデス，人工弁置換術後の血栓弁などが挙げられます．

僧帽弁狭窄症の病態について 図7

- 僧帽弁狭窄症の主病態は**弁の狭窄による左房から左室への血液流入障害**です．
- 左房からの血液流入が障害されると左室内の血液充満量は減少し，**左室への前負荷が減少**します．そのため左室の容積は次第に減少し，**心拍出量は減少**することになります（図7A）．
- その一方で左房は左室へ血液を駆出するために抵抗を受け，左房収縮時に圧負荷がかかり**左心房は拡張します**（図7B）．
- また左房はコンプライアンスが低く，圧負荷によって肺静脈圧が上昇[8]し，肺高血圧症に至ります．
- 肺高血圧に至ると右室の後負荷が増大し，三尖弁閉鎖不全症を併発，ついには右心不全をひき起こすことになります．
- さらに左心房の拡大により，**心房細動**が起こりやすくなります．心房内の血液がうっ滞し，心房内血栓を形成しやすくなります．
- 心房細動が起こると心房内の内圧が高まり，心房内（とくに左心耳内）に血液の淀みが発生し血栓が形成されやすくなります．
- 心房内の形成された血栓が，あるとき突然はがれてしまうと，脳梗塞や心筋梗塞といった**血栓塞栓症**を起こすことがあります．

[8] 弁口面積が1.0 cm^2以下となると，左房圧は約25 mmHg以上となり，肺血管抵抗は一段と増加する．肺動脈の収縮によって一時的に肺水腫を防ごうとする．その結果，右心室の後負荷が増大し，右心系の拡大をきたす．

僧帽弁狭窄症の診断とその重症度

1．自覚症状

- 自覚症状でもっともよくみられる初発症状は，労作時呼吸困難です．
- ときに塞栓症を発症したり，心不全の症状を呈している場合もあります．塞栓症は心房細動症例でみられることが多いですが，まれに洞調律症例

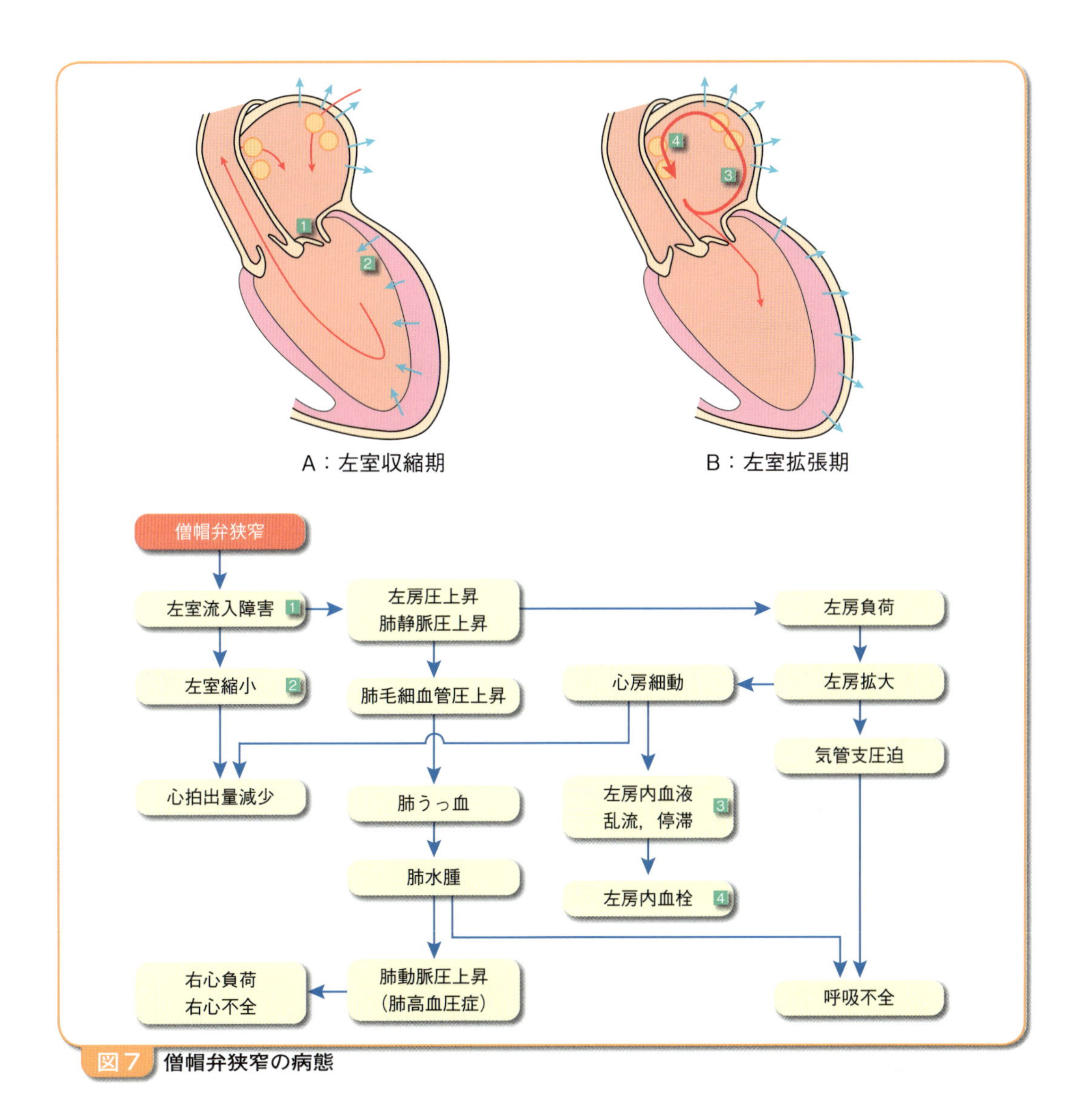

図7 僧帽弁狭窄の病態

でもみられることがあります．

2．理学的所見

- 心音ではⅠ音の亢進や僧帽弁開放音，心尖部拡張中期ランブルなど聴取することができます．
- 心電図所見では心房細動や左房負荷，右軸偏位などをみとめます．
- 胸部X線写真では左2，3弓の突出や気管分岐部の角度の開大などの所見をみとめます．

3．心エコー

- 僧帽弁狭窄症の確定診断，重症度評価には心エコー検査は必須です．

- 断層法では僧帽弁の硬化や肥厚による弁の開放制限，拡張期のバルーニング（あるいはドーミング），交連部癒合による弁口部の狭小化，左房拡大が確認できます．
- 心房細動症例では左房内血栓，とくに左心耳血栓の診断のために経食道エコーが有用です．
- 重症度は弁口面積測定などで判定が行われます 表4．

4．心臓カテーテル検査

- 肺動脈圧などの血行動態の評価，弁口面積の算出，左室機能評価などが行われます．最近では心臓カテーテル検査の意義は減少しつつあります．

表4 MS の重症度評価

	軽症	中等症	重症
MVA	1.5～2.0 cm^2	1.0～1.5 cm^2	＜1.0 cm^2
mPG*	＜5 mmHg	5～10 mmHg	＞10 mmHg
拡張期 PHT*	＜150 ミリ秒	150～220 ミリ秒	＞220 ミリ秒

*mPG および拡張期 PHT は血行動態の影響を受けるため，参考程度とする．
〔日本循環器学会：2020 年改訂版 弁膜症治療のガイドライン（日本循環器学会/日本胸部外科学会/日本血管外科学会/日本心臓血管外科学会合同ガイドライン）．https://www.j-circ.or.jp/cms/wp-content/uploads/2020/04/JCS2020_Izumi_Eishi.pdf（2022 年 1 月閲覧）より引用〕
MVA：僧帽弁口面積，mPG：平均大動脈弁圧較差，PHT：圧半減時間．

僧帽弁狭窄症に対する手術療法を知ろう

- 手術療法の適応として以下のものが挙げられます．

・心エコー上の左房径の拡大や弁口面積の経時的狭小化
・NYHA 心機能分類の悪化（Ⅱ度以上）や運動耐容能の低下
・運動負荷時の肺高血圧の出現
・心房細動の出現
・血栓塞栓症状の出現，あるいは左房内血栓の存在

- 僧帽弁狭窄症で行われる手術は以下のものがあります．

・直視下交連切開術（open mitral commissurotomy：OMC）
・経皮的経静脈的交連切開術（percutaneous transluminal mitral commissurotomy：PTMC）
・僧帽弁置換術

- OMC は人工心肺を用いて体外循環を行い，心停止下で行います．左房を切開し，僧帽弁を直接観察しながら弁の癒合部の狭窄を切開します．また病変に応じて腱索切開や乳頭筋切開，切開部除去などを行います．
- PTMC は特殊なバルーンを経静脈的に挿入し心房中隔穿刺により左房へ

誘導，そして僧帽弁口でバルーンを拡張させて弁口を開大する方法です．

- OMC や PTMC では対応できない病変に対して，僧帽弁置換術が行われます．
- 僧帽弁置換術の術式は僧帽弁閉鎖不全症の項を参照．
- 僧帽弁置換術では，機械弁が選択されることが多いです．それは，生体弁は耐久性が機械弁に比べて劣ることや心房細動を併発している症例が多いためです．

僧帽弁狭窄症の術後ケアのポイント

1．血圧管理，水分管理

- 術後は，血液の流入障害が解消されることで，左心室に流入する血液量が増加することにより前負荷が増大します．しかし，**心臓のポンプ機能は比較的保たれている**ことが多く，術後の心機能低下は通常問題にはなりにくいです．
- しかし，前負荷の増大により心仕事量は増加し，**血圧は高くなります**．左室収縮期に左心室内には高い圧がかかり，修復部の損傷や破綻，逆流などの原因となります．
- そのため，**血圧を上げないように管理**していかなければなりません．術後は，収縮期血圧を 90～100 mmHg 程度で管理していきます．
- 左室は，術前の低い前負荷のために左室容量が減少しています．術後に左心室に過剰な容量負荷をかけることは，低心拍出量症候群（low output syndrome：LOS）をまねくおそれがあります．
- そのため PAP や CI が低下しない程度の**ドライな水分管理**[9]を行い，左心室の圧負荷や容量負荷を軽減していく必要があります．
- さらに術前に右心不全や肺高血圧を併発しているかどうか把握し，肺高血圧を併発している場合は術後右心不全を発症，もしくは増悪する可能性があります．RAP（右房圧）や PAP（肺動脈圧）の上昇に注意し，パラメータの推移に注意が必要です．

[9] 尿量は 1 mL/kg/時を目安に利尿薬などを投与する．

2．不整脈

- 術後はドライな水分管理が行われます．過剰なマイナスバランスでは血管内脱水をまねき，頻拍や心房細動を起こす可能性があります．
- 僧帽弁閉鎖不全症のときと同様なポイントに注意します（p.104 参照）．

3．出　血

- 手術操作や人工心肺の影響などにより術後は出血に注意しなければなりません．
- 僧帽弁閉鎖不全症の場合と同様に注意が必要です（p.105 参照）．

4．意識レベル・神経症状

- 意識レベルや神経症状についても，僧帽弁閉鎖不全と同様な点に注意します（p.105 参照）．

MEMO2

左房粘液腫（left atrial myxoma：LAM）について

心臓腫瘍というとまず粘液腫を考えます．粘液腫は良性腫瘍で，良性腫瘍の大半を占めています．また粘液腫は左房に発生するものが約 75%を占めます（左房内腫瘍といわれることもあります）．

粘液腫は細い有茎性で，粘液基質が豊富に存在する腫瘍です．症状としては腫瘍占拠にともなう血流障害と塞栓症が挙げられます．腫瘍による僧帽弁の閉鎖をまねき（僧帽弁狭窄症），ときに僧帽弁を完全に閉塞してしまい血流を途絶させ突然死をまねくこともあります．また腫瘍の一部が破壊され，破壊された腫瘍が塞栓症を起こすこともあります（粘液腫の約 30～50 %）．この場合，半数以上が脳梗塞を発症するといわれています．治療は腫瘍を切除することです．発生部位によって切除するだけにとどまらず，弁置換術など追加治療が必要となります．

参考文献

1）日本循環器学会：2020 年改訂版 弁膜症治療のガイドライン（日本循環器学会/日本胸部外科学会/日本血管外科学会/日本心臓血管外科学会合同ガイドライン）．
https://www.j-circ.or.jp/cms/wp-content/uploads/2020/04/JCS2020_Izumi_Eishi.pdf（2022 年 1 月閲覧）
2）道又元裕，露木菜緒：“ICU 3 年目ナースのノート”．日総研出版，pp94-102，2013
3）ロバート・M・ボージャー：“心臓手術の周術期管理”．メディカル・サイエンス・インターナショナル，pp19-24，2010

（相良　洋）

成人の術後管理（4）

弁膜症に対するカテーテル治療
～TAVI・MitraClip®～

- 術前は，適切な薬物療法や食事管理で心不全の改善を図ることが重要である．また高齢患者の場合は，高齢者特有の身体的・精神的問題に加え，社会的環境にも着目する．
- TAVI 特有の合併症として，房室ブロック，冠動脈の閉塞，弁周囲逆流がある．
- MitraClip®特有の合併症として，クリップの脱落による MR の増大，クリップ施行による MS の出現，心房細動の出現がある．
- せん妄予防や ADL 低下防止のために，術後早期から離床を促す．
- 退院前に心不全予防の一般的な知識を共有しておく．

TAVI（経カテーテル的大動脈弁留置術）とは，どのような治療でしょう

- 外科手術が不可能，もしくは高リスクな大動脈弁狭窄症（AS）患者に対してカテーテルを用いて人工弁を留置する低侵襲的なカテーテル治療です．
- TAVI は**術後 3～5 日程度で退院が可能**であり，外科的手術による大動脈弁置換術に比べ短期間の入院で治療が行えます．
- TAVI を施行する際は，いちばん低リスクである「経大腿動脈アプローチ」が選択されます．患者の状態によっては，「経心尖アプローチ」「経大動脈アプローチ」「経鎖骨下動脈アプローチ」が選択される場合もあります．
- TAVI 弁は，金属でできたフレームの中に生体弁を縫いつけたものです 図 1 ．TAVI は外科的大動脈弁置換術に対する優越性，もしくは非劣性が証明されていますが，10 年を超える生態弁の耐久性についてはまだデータが少ないため，**適応年齢の目安を 75 歳程度**としています．
- TAVI 治療後は，抗血小板薬の服薬が必要となります．クロピドグレル硫酸塩を 3～6 ヵ月，バイアスピリン®錠は一生内服します．

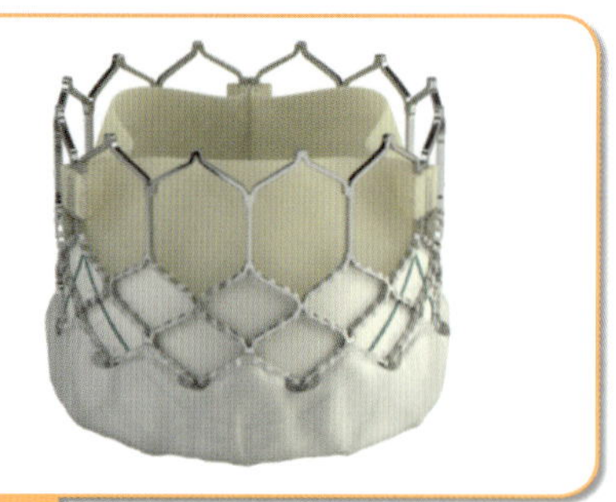

図1 経カテーテル生体弁
（画像提供：エドワーズライフサイエンス株式会社）

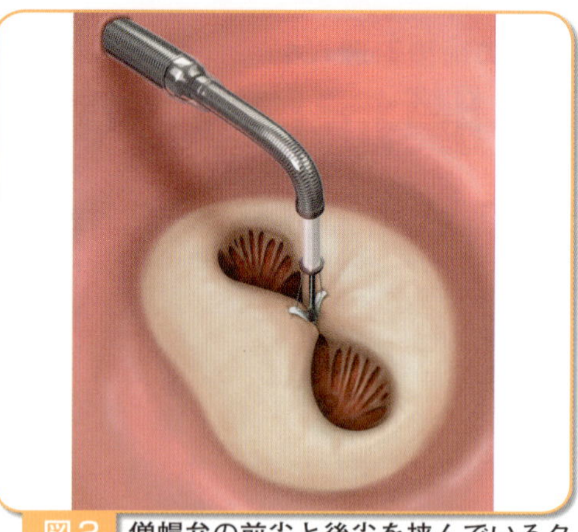

図2 僧帽弁の前尖と後尖を挟んでいるクリップ
（画像提供：アボットメディカルジャパン合同会社）

MitraClip®（経皮的僧帽弁クリップ術）とは，どのような治療でしょう

- 外科手術が不可能，もしくは重症心不全患者や高齢患者のような外科的手術が高リスクな僧帽弁閉鎖不全症（MR）に対するカテーテル治療です．
- 適応基準は，LVEF 30％未満で重症一次性MR①ならびに重症二次性MR②患者のうち外科的開心術が困難な症例，MRの改善により症候改善が期待される症例，MitraClip®を用いた施術に適した僧帽弁の形態であることとされています．
- 一次性MRの患者の多くは外科手術が選択されることが多く，MitraClip®治療はとくに**二次性MRのような心不全に併発するMRに対して行われていることが多い**です．心不全のコントロールに難渋している患者が多いことから，入院期間は治療内容によりさまざまです．合併症がなく，心不全も安定している場合は，術後1週間程度で退院することができます．
- MitraClip®は，大腿静脈アプローチで行います．カテーテルを右心房内まで進め，右心房から心房中隔を穿刺し僧帽弁の逆流部分までクリップを運びます．僧帽弁の前尖と後尖をクリップで挟むことで血液の逆流量を減らします 図2 ．クリップで挟む位置は経食道エコーを併用して，いちばん逆流が少なくなる位置を確認しながら決めます．場合によっては，追加のクリップを留置することもあります．

① 一次性（器質性）MR
僧帽弁弁尖や腱索の構造的異常によるもの．僧帽弁逸脱や僧帽弁腱索断裂，リウマチ性MR，弁穿孔などが該当する．

② 二次性（機能的）MR
拡張型心筋症，心サルコイドーシス，虚血性心疾患などで弁に器質的な異常はないが，左室の拡大によって僧帽弁の腱索が引っ張られることで起こる．

術前は心不全管理と高齢患者ならではの問題に着目します

- TAVIを選択する患者の多くは心不全が有症候性になっています．また

MitraClip®を選択する患者も低心機能であるために心不全増悪による入退院を繰り返している患者がほとんどです．適切な薬物療法や食事管理を行い，心不全の改善を図ります．

- 高齢患者が多いため，入院早期から心臓リハビリテーションを導入しADLの維持に努めます．また，生活リズムを整え，せん妄予防や認知機能低下に注意していく必要もあります．
- 入院時より家族背景や自宅の療養環境，介護度の情報収集を行い，術後早期に患者さんが希望する生活環境に戻れるよう，必要時には医療ソーシャルワーカーや地域と連携をとり，退院後の療養環境を整えていきます．

術後はカテーテル操作にともなう合併症や，それぞれの治療特有の合併症に注意しましょう

- TAVI，MitraClip®術後は，集中治療室に入室し全身管理を行っていきます．状態変化がなければ翌日一般病棟に移動します．

カテーテル操作にともなう合併症

- カテーテル操作にともなう血管損傷や心穿孔による心タンポナーデ，カテーテル穿刺部位の血腫の形成のおそれがあるため，脈拍や血圧の変動に注意します．
- とくにTAVIを選択する患者の多くは高齢者であり，動脈硬化が進んでいることが多いことから，カテーテル操作により硬くなった血管の壁が剥がれることで，脳梗塞を発症する可能性があります．神経学的所見にも注意が必要です．

TAVI特有の合併症

1．房室ブロック

- 硬くなった大動脈弁に人工弁を留置する際に，近くを通っている**刺激伝導系を圧迫することで，伝導障害を起こす場合があります**．術前に右脚ブロックがあると，完全房室ブロックになる確率が高いといわれています．手術後，一時的ペースメーカを留置したまま集中治療室に帰室します．心電図モニタを装着し，徐脈性不整脈の出現がないか観察を行います．場合によっては，恒久的ペースメーカの植込みが必要になる場合もあります．

2．冠動脈の閉塞

- 人工弁を留置する際に冠動脈口に弁があたってしまうことで，冠動脈閉

塞を起こす可能性があるため，自覚症状の有無や心電図モニタを注視していく必要があります．

3．弁周囲逆流（paravalvular regurgitation：PVL）

- TAVI は自己弁を押しのけて人工弁を留置するため，人工弁と自己弁の接着面に隙間ができてしまうことがあります．その隙間から血液の逆流が起き，左心不全を生じることがあります．自覚症状と合わせ，脈拍や血圧，呼吸状態，IN/OUT バランスを確認し，心不全症状の早期発見に努めます．

MitraClip®特有の合併症

1．クリップの脱落による MR の増大

- 弁尖を挟んでいるクリップが外れてしまうことで，MR が再増悪する可能性があります．肺うっ血にともなう，呼吸状態の悪化や低心拍出症候群に注意していきます．

2．クリップ施行による MS の出現

- クリップを挟む位置は慎重に決めて施行されていますが，逆流は減ったものの僧帽弁狭窄症に似た状態になる場合があります．左房圧上昇にともなう肺うっ血や右心不全症状，低心拍出症候群の出現に注意します．

3．心房細動の出現

- MitraClip®を選択する患者は，慢性的な僧帽弁閉鎖不全症による左心房の拡大により心房細動を併発することが多いです．**心房細動で頻脈が続くと心拍出量の減少が起こる**ので心房細動による心拍数の上昇に注意します．

せん妄予防や ADL の低下防止のために，術後早期から離床を促します

- 高齢患者の場合は，せん妄のリスクや ADL の低下のリスクが高いです．

看護の視点

- 早期 ADL 拡大を目指します．手術翌日には動脈ラインや尿道カテーテルなどを抜去します．
- ただし，合併症の出現がないことを確認し，安静度拡大は医師の指示が必要です．また理学療法士との連携も欠かせません．

退院前に心不全予防の一般的な知識を共有しておきましょう

- **術後も心不全の増悪リスクは残存しています．**とくに，MitraClip®術後患者は，完全に僧帽弁逆流がなくなっていないことや低心機能の患者が多いため注意が必要です．自宅退院後に心不全を増悪させない生活を心がける必要があります．

看護の視点

- 術後は心不全の増悪因子について説明し，体重や血圧は毎日測定して記録すること，服薬は忘れずに行うこと，定期受診は必ず行うことを共有します．
- 高齢で体調の自己管理や薬の管理が難しい患者は，家族の協力を促す，訪問看護師などの社会資源を活用するなど，**自宅で心不全の増悪予防ができるように調整します．**

参考文献

1）日本循環器学会：2021年JCS/JHFSガイドラインフォーカスアップデート版 急性・慢性心不全診療（日本循環器学会/日本心不全学会合同ガイドライン）
https://www.j-circ.or.jp/cms/wp-content/uploads/2021/03/JCS2021_Tsutsui.pdf（2021年12月閲覧）

2）日本循環器学会：2020年改訂版 弁膜症治療のガイドライン（日本循環器学会/日本胸部外科学会/日本血管外科学会/日本心臓血管外科学会合同ガイドライン）
https://www.j-circ.or.jp/cms/wp-content/uploads/2020/04/JCS2020_Izumi_Eishi.pdf（2021年12月閲覧）

（水谷 美緒）

成人の術後管理（5）

胸部大動脈瘤

～瘤の位置による症状･術式･管理のポイントを押さえよう～

- 大動脈のどの位置に瘤があるのか，大きさはどの程度か，分枝血管への影響はあるのか，血管の走行をイメージしながら考えていこう．
- 瘤の位置，大きさ，合併症の有無などによって，術式や術後管理で注目すべき点が異なってくる．術前の病態をしっかり把握することで，術後の管理のポイントが見えてくる．
- 近年，外科的に開胸・開腹をする人工血管置換術に加え，血管内治療も主流となってきている．

大動脈の解剖と血管の構造を押さえましょう！ 図1

- 胸部大動脈瘤では，大動脈のどの位置に瘤があるかで，症状や術式，術後の管理が異なってきます．基本的な解剖生理・大動脈の名称・大動脈から分枝する主要な血管の名称を復習しておきましょう．
- まず，心臓から上に向かって出ていく部分を**上行大動脈**→腕・頭へ行く血管が分枝（腕頭動脈，左総頸動脈，左鎖骨下動脈）し弓なりに曲がっている部分を**弓部大動脈**→さらに下に向かう部分を**下行大動脈**とよびます．また，心臓から横隔膜までの部分を**胸部大動脈**，横隔膜から左右の足へ向かう動脈（左総腸骨動脈，右総腸骨動脈）へ分枝したところまでを**腹部大動脈**とよび，大動脈はここで終わります．
- 次に，正常な血管壁の構造をおさえましょう 図2．大動脈は他の動脈と同じように，内膜・中膜・外膜の３層構造になっています．とくに大動脈の中膜は弾性線維に富み，心臓から拍出された高圧の血液を受け止められるような構造になっています．

胸部大動脈瘤ってどんな病気？

- 胸部大動脈瘤は，大動脈疾患の一つです．大動脈疾患は，大別して「**大動脈解離**」と「**大動脈瘤**」があります．両疾患とも，破裂した場合には救命はかなり困難です．そのため，**破裂の予防と早期治療**が治療の重要なポイントとなります．

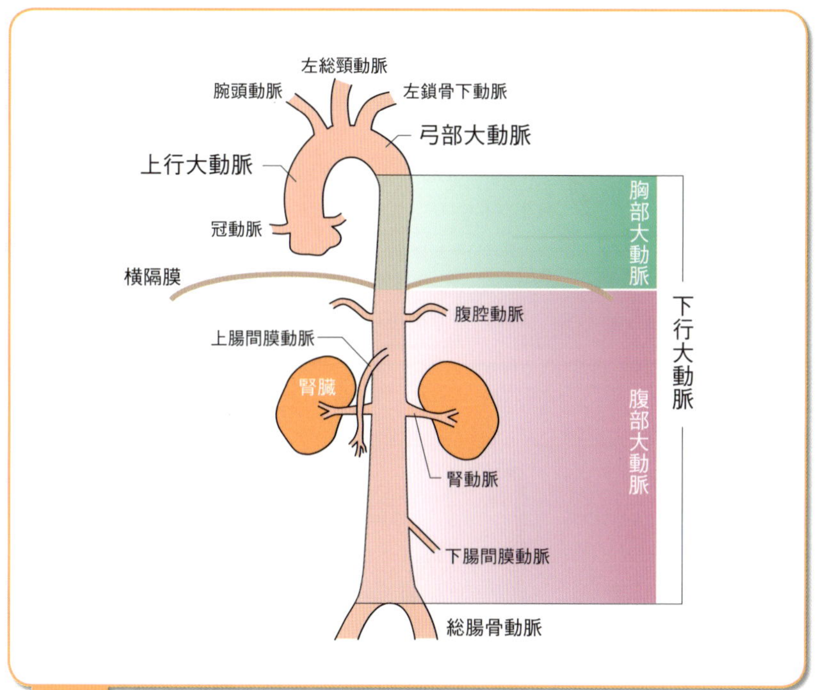

図1 大動脈の解剖と分枝血管の名称

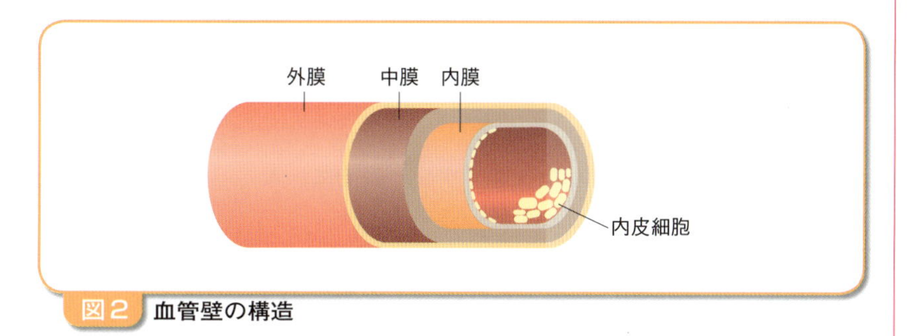

図2 血管壁の構造

大動脈瘤ってどのくらいの大きさなの？

- 大動脈瘤は，大動脈が正常径の 1.5 倍に拡大した状態をいい，**胸部では 45 mm 以上，腹部では 30 mm 以上**と定義されています[1)].

大動脈瘤にはどんな種類があるの？

1．瘤壁の形態による分類

- **真性大動脈瘤，解離性大動脈瘤，仮性大動脈瘤**の 3 つに分類されます 図3 .

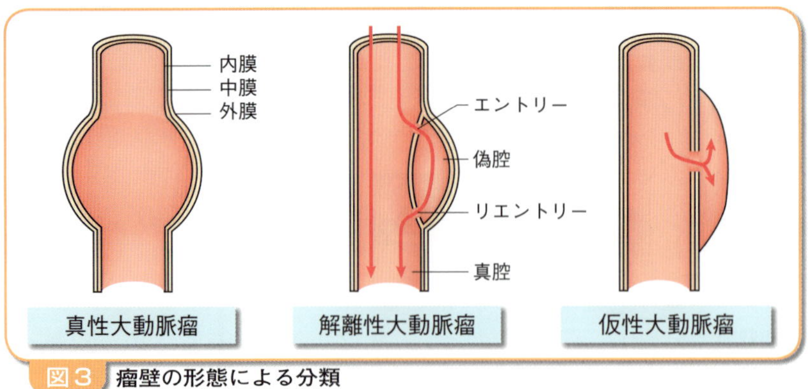

図3 瘤壁の形態による分類

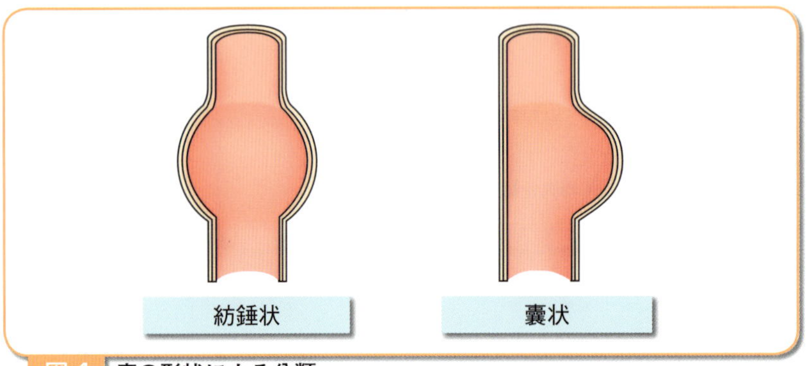

図4 瘤の形状による分類

a）**真性大動脈瘤**

- 大動脈の**3層構造が保たれたまま**径が拡大した状態です．一般的に，大動脈瘤というと，この真性大動脈瘤をさすことが多いです．

b）**解離性大動脈瘤**

- 急性大動脈解離（他章参照）の慢性期に瘤化した状態で，**大動脈の3層構造は保たれてなく，瘤の壁は外膜と中膜の一部で構成されています**．急性大動脈解離の発症直後には，先ほど挙げた瘤の定義を示すほど血管径が拡大していない場合もあるため，急性期には解離性大動脈瘤とはよばれず，急性大動脈解離とよばれます．

c）**仮性大動脈瘤**

- 大動脈壁が破綻して血腫が形成され，それが瘤となった状態です．**瘤の壁は，血管壁ではありません**．原因としては，外傷性や感染性の瘤の場合にみられることが多いです．

2．瘤の形状による分類

- 紡錘状と嚢状に分けられます 図4．嚢状の場合は瘤にかかる圧力が均等ではないため，紡錘状に比べ破裂する危険が高いといわれています．

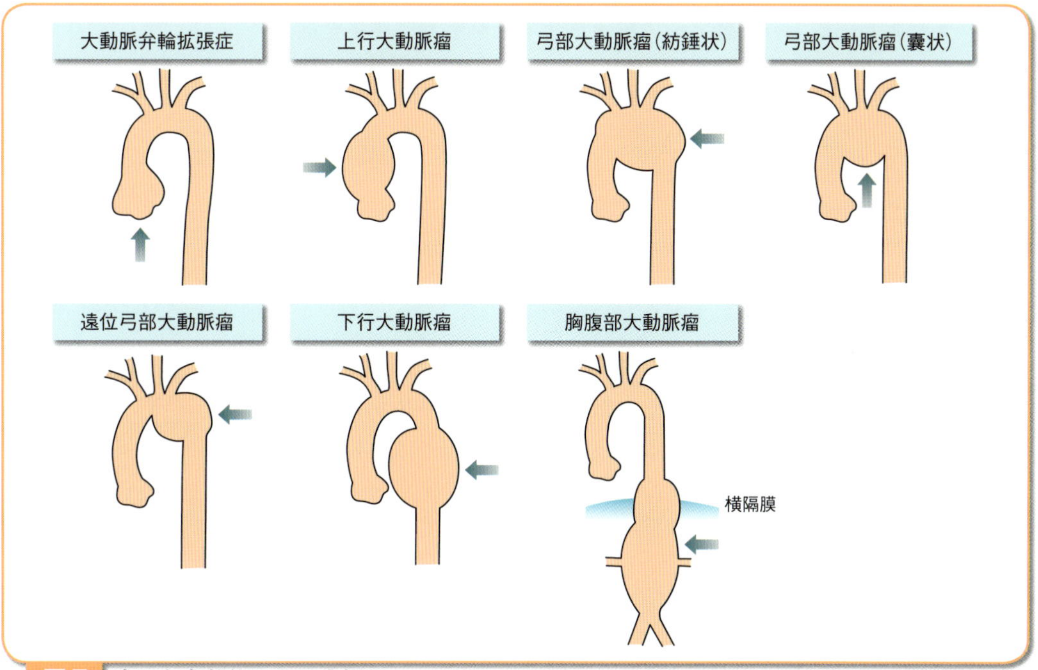

図5 瘤の存在部位による分類

3. 瘤の存在部位による分類

- 瘤の位置によって胸部・腹部・その両方にまたがる胸腹部の3つに分かれます．一言に胸部大動脈瘤といっても，瘤のある位置によって 図5 のような名称があります．

上行大動脈瘤と下行大動脈瘤の原因の違いは？

- 上行大動脈は心臓から高圧で駆出された血液を受け止めているため，大動脈の組織はより弾性線維に富んでいます．そのため，上行大動脈瘤の多くは弾性線維の変性が原因であることが多くみられます．これに対し，下行大動脈瘤は，おもに粥状（じゅくじょう）動脈硬化が原因といわれています．
- 本章では，大動脈瘤の分類のうち，とくに胸部大動脈瘤についてくわしく述べていきます．

胸部に瘤があると，どのような症状が起きるの？

- 無症状で経過することが多いのですが，瘤の拡大によって次のような症状が出現してきます．症状が出現したときには，瘤の拡大が示唆されるので，早急にCTなどの画像評価をする必要があります．
- 下記におもな症状を示します．

1）大動脈基部や上行大動脈瘤の拡大による大動脈弁閉鎖不全症，これにともなう心不全徴候
2）瘤の拡大によるさまざまな圧排症状
・反回神経の圧迫による嗄声
・食道の圧排による嚥下障害
・気管や主気管支の圧排による咳・息切れ・喘鳴
・交感神経の圧迫によるホルネル症候群（眼瞼下垂，縮瞳，顔面の発汗低下）
・上大静脈の圧迫による上大静脈症候群①
・胸腔内の周囲臓器の圧迫による胸痛や背部痛

- 破裂すると一般的には救命はかなり難しく，破裂を予防する介入がもっとも大切となります．破裂に至ると，胸部大動脈瘤では激裂な胸痛や背部痛が生じ，出血性ショックから意識障害をきたします．
- 瘤の範囲や位置，大きさ，合併症の有無などによって，術式や術後管理で注目すべき点が異なってくるので，術前の病態をしっかり把握しておきましょう．

① 上大静脈症候群
胸部大動脈瘤の拡大によって上大静脈が圧排されると，上半身からの静脈血の還流が阻害されるために，上半身にうっ血や腫れが生じる．主として頭部（顔面）や頸部に症状が現れやすく，ほかには，頸静脈の怒張，上腕の浮腫などが出現する．また上大静脈の灌流障害にともない右房への静脈血の流入が減ることで低心拍となり，呼吸困難，頻脈，チアノーゼなどがひき起こされることもある．

胸部大動脈瘤のおもな原因は？

上行大動脈瘤

- **血管変性**：高血圧などの生活習慣病による，血管の弾性線維の変化，粥状硬化によって動脈瘤が形成されます．
- **遺伝性大動脈疾患**：マルファン症候群など弾性線維異常による遺伝性大動脈疾患では，動脈壁が脆弱なため，圧負荷により上行大動脈とバルサルバ洞および大動脈弁の付着部の弁輪が拡大することで，大動脈弁輪拡張症（annuloaortic ectasia：AAE）をともなう上行大動脈瘤が多くみられます．そして，大動脈弁輪拡張により，大動脈弁閉鎖不全（aortic valve regurgitation：AR）を合併することがあります．
- **大動脈弁狭窄症（aortic stenosis：AS）**：ASにより，細い弁の出口を高速で通り抜けた血液の圧力の負荷が上行大動脈にかかることで，瘤形成をきたす場合があります．また，大動脈二尖弁の場合には，発生学上の異常から大動脈が脆く動脈瘤化しやすいといわれています．
- **炎症や感染**：炎症では，高安病やベーチェット病などが有名です．感染性大動脈瘤②では，黄色ブドウ球菌やサルモネラによるものがあります．また梅毒性動脈瘤もみられます．感染性大動脈瘤では，術前の炎症のコントロールが重要となります．炎症が生じている血管は脆く，短期間に急速に瘤が拡大し破裂に至ることがあるので，注意が必要です．また，炎症により血管が脆弱になっていることから，術中では吻合部の止血に難渋することも多く，術後の出血に注意が必要です．

② 感染性大動脈瘤
大動脈の壁に何らかの理由で細菌が付着して瘤化した場合と，もともと瘤があり，そこに細菌が付着する場合の2種類がある．一般的な瘤と比べて，瘤の拡大が早く，破裂しやすい特徴がある．抗菌薬で感染のコントロールを行いながら，準緊急で手術が行われる．

- **外傷性**：転落や交通事故など外傷性での急性発症の場合，他臓器の損傷も合併していることが多いため，救命のために手術が必要となった場合には，他臓器の出血助長の危険性も考慮したうえで手術適応や手術時期を慎重に決定していく必要があります．

弓部および下行大動脈瘤

- **粥状硬化**
- **慢性解離**
- **感染・炎症**
- **外傷性**

どのように診断されるの？

- 解離性大動脈瘤（急性大動脈解離が慢性期に瘤化した状態）の場合には，定期的にフォローアップのCTを撮影し，大動脈径の変化から瘤の拡大がないか観察しています．また，健康診断の胸部X線写真で，大動脈の陰影の拡大を指摘されて発見されることもあります．ほかには，瘤の圧排による嗄声・嚥下困難感などの症状が出現して受診し発見される場合，切迫破裂による胸背部痛やショックで救急搬送される場合などがあります．

X線写真

- **上行大動脈瘤**：上行大動脈の輪郭に連続して右方に突出する陰影，縦隔影の拡大，気管・食道の圧排像がみとめられます．
- **弓部大動脈瘤**：左側の弓の突出像がみとめられます．
- **下行大動脈瘤**：大動脈が蛇行し拡張している像がみとめられます．

心臓エコー

- 心機能の評価に加え，弁膜症の合併を評価します（大動脈弁輪拡張にともなうARの評価，上行大動脈瘤の要因となるASの評価など）．弁膜症の有無・程度により術式も異なってくるため，正確な評価が必要とされます．

CT

- 3D-CTでは，動脈の形態と径の詳細な評価ができます．粥腫や壁在血栓の有無・存在部位を確認することができるので，体外循環の送血にともなう血栓飛散による臓器塞栓の予防に有用です．また，術後の脊髄神経障害予防のために，どの血管を再建するか，アダムキーヴィッツ動脈の位置や同定をするのに役立ちます（後述 MEMO）．

MRI

- CT と同様に，瘤の形や内部構造，アダムキーヴィッツ動脈の同定に役立ちます．しかし検査時間がかかるため，時間的に余裕のある待機手術の場合に限られます．

治療にはどのようなものがあるの？

- 内科的治療，外科的治療，血管内治療の 3 つに大別されます．

内科的治療

- 非手術症例では，降圧と安静が治療の主となります．収縮期血圧は 120 mmHg 以下を目標に，厳密な血圧コントロールが行われます[1]．
- また術後症例においても，人工血管置換部位の強度は十分であると考えられますが，吻合部の瘤化やその他の大動脈の瘤化を予防するためにも，収縮期血圧 130 mmHg 以下を目標に血圧コントロールが行われます[1]．

外科的治療

- 瘤のある部分を切除し，人工血管に置き換える人工血管置換術が行われます．瘤の位置によって 図 6 のような置換が行われます．
- 胸部大動脈瘤の場合，大動脈径 50～60 mm が手術適応の基準とされています．また，下行大動脈瘤・胸腹部大動脈瘤では対麻痺の合併症のリスクが高いため，大動脈径 60 mm が基準とされています．血管壁が脆弱なマルファン症候群や嚢状瘤は，一般の手術適応の瘤径よりも小さいサイズでも手術適応を検討する必要があります．

大動脈基部再建術

- 大動脈弁拡張症やバルサルバ洞拡張をともなう上行大動脈瘤では，大動脈弁も一緒に置換する必要があります．そこで以下の術式がとられます．

1．ベントール法③

- あらかじめ人工弁を縫着した人工血管を左室流出路に縫合して，冠動脈をその人工血管に移植する方法です．

③ ベントール手術ともいわれる．

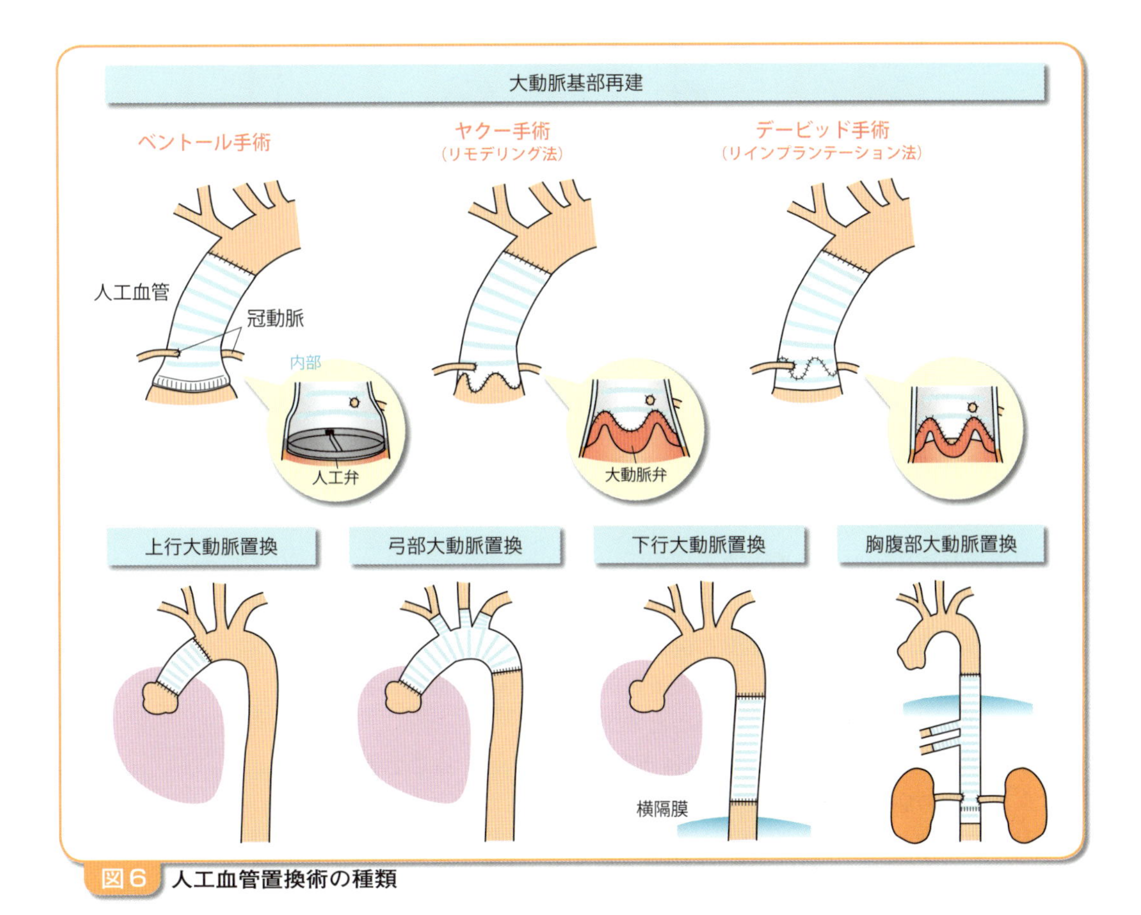

図6 人工血管置換術の種類

2．リモデリング法[4]・リインプランテーション法[5]

● 自己弁を温存した大動脈基部再建術です．自己の大動脈弁を温存し，人工血管を用いて弁輪やバルサルバ洞など大動脈基部の形態を再構築する手術です．弁の機能異常が軽微の場合には，自己弁を温存する術式をとる施設が増えてきています．

④ ヤクー手術ともいわれる．

⑤ デービッド手術ともいわれる．

血管内治療〔胸部大動脈瘤ステントグラフト内挿術：thoracic endovascular aortic repair（TEVAR)〕

● 2008 年 3 月に胸部用ステントグラフトが承認され，日本においても急速に普及しつつある治療法です．おもに下行大動脈瘤，胸腹部大動脈瘤，外傷性大動脈損傷，胸部大動脈瘤破裂において，外科手術と同等もしくは第一選択として血管内治療が選択され行われます．

● ステントグラフトとは金属の鋼に裏打ちされた人工血管であり，これは外径が大きいため大腿動脈を外科的に開窓し挿入されます．留置予定のところまできたらシースを抜去すると，ステントグラフトが広がり血管

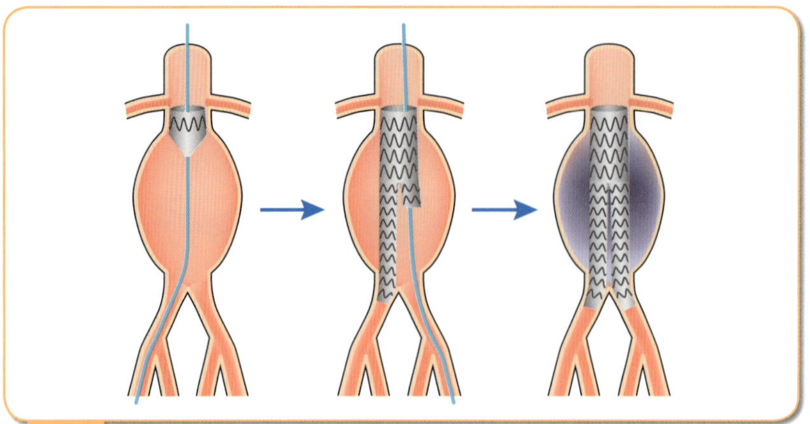

図７ ステントグラフトの仕組み

に固定される仕組みです 図７.

- カテーテル治療は手術に比べ，身体への侵襲が少なく，脳梗塞や対麻痺（次ページ MEMO）の発生頻度も少ないことがメリットとして挙げられます．デメリットは，ステント挿入予定部位までの間の血管に狭窄がみとめられる場合には使用できないことです．
- ステント留置の位置により，左鎖骨下動脈をカバーすることがあります．大部分の症例では左上肢や脳の虚血症状をともなうことはありませんが，脳梗塞，脊髄神経障害（対麻痺）の合併症が多いことも指摘されています．左鎖骨下動脈をカバーした場合には，右鎖骨下動脈および右椎骨動脈の開存・左右椎骨動脈が脳底動脈レベルで交通していることを確認する必要があります．もしこれらの動脈の狭窄が疑われ血流が不十分であると考えられる場合には，左鎖骨下動脈へのバイパス術が必要となります．また腹腔動脈をカバーする場合では，多くは上腸間膜動脈からの側副血行路で灌流されるため，腹部臓器の血流に支障をきたすことは少ないですが，左鎖骨下動脈カバーと同様，脊髄神経障害の発生率が上昇するといわれており，注意が必要です．

大動脈瘤術後患者の看護ケアのポイント

- 上述したように，大動脈瘤の発生部位によって術後合併症が異なってきます．ここでは，発生部位別に術後に特有な合併症を中心に説明していきます．

MEMO

対麻痺って？　アダムキーヴィッツ動脈って？

胸部下行大動脈瘤や胸腹部大動脈瘤の手術では，対麻痺（両下肢の運動麻痺）の合併症に注意が必要です．対麻痺は，前脊髄動脈への血流不足による脊髄梗塞が原因で生じます．前脊髄動脈は脊髄の腹側 2/3 に血液を送っている血管です．大動脈から前脊髄動脈に流入する主要な動脈をアダムキーヴィッツ（Adamkiewicz）動脈と称し，第 8 胸髄（Th 8）～第 1 腰髄（L 1）レベルで最大の肋間動脈です．つまり，手術により大動脈→アダムキーヴィッツ動脈→前脊髄動脈の血流不足が生じることで，対麻痺が出現してしまいます．対麻痺のほかに，解離性知覚障害（温痛覚脱失，深部覚は正常），膀胱直腸障害などが生じます．高精度の CT で術前にアダムキーヴィッツ動脈の位置を確認し，脊髄神経障害予防のためにどのアダムキーヴィッツ動脈を再建するべきかプランを立て手術に臨みます．

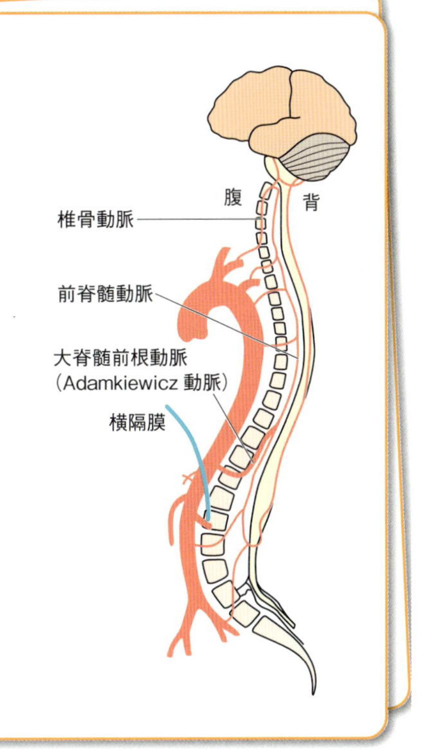

大動脈起始部から上行大動脈置換術後

1．狭心症症状・術後心不全

- 大動脈基部では，冠動脈の再建により冠動脈の狭窄による狭心症症状を合併する可能性があり，症状や心電図，不整脈の有無，心機能の低下に注意する必要があります．また，術後の水分管理に注意し，術後心不全の予防，改善に努めます．
- 大動脈起始部にまで大動脈瘤や解離が及ぶ場合には，大動脈弁閉鎖不全症（AR）が出現することがあります．AR が出現している場合は，大動脈基部再建術が行われます．この際の代表的な術式がベントール（Bentall）手術・デービッド（David）手術です（図 6 参照）．大動脈基部再建を行っているのか，再建していない場合には AR は残存しているのかなど，術式とともに確認する必要があります．AR が残存する場合は，AR の程度を確認し，術後心不全に対しとくに注意し観察していく必要があります．

弓部大動脈置換術後

1．術後出血

- 弓部置換術では弓部３分枝（腕頭動脈・左総頸動脈・左鎖骨下動脈）の人工血管置換術を実施するため，吻合部が多く，とくに術後出血に注意が必要です．出血を助長する要因として以下のことが考えられます．

> ・瘤内血栓形成にともなう術前からの凝固因子の減少
> ・人工心肺使用による血液のヘパリン化
> ・術中の低体温管理による凝固能の低下
> ・広範囲にわたる瘤および肺の剥離操作による大量出血にともなう凝固因子の減少

- 出血予防としてまずいちばん大切なことは血圧コントロールです．高血圧が続くと，人工血管吻合部から出血をする可能性があります．大動脈瘤の患者は，もともと動脈硬化が進行し高血圧の既往のある場合も多く，覚醒や吸引などの刺激により血圧上昇をきたしやすいため，十分注意が必要です．術後は，心嚢前縦隔ドレーンが挿入されており，ドレーンの性状や量を注意深く観察することが大切です．出血やドレナージ不良により心嚢内に血液が貯留し，心タンポナーデや心破裂を起こす可能性があるため，適宜ドレーンのミルキングを行いドレーンの閉塞予防に努めます．またモニタリングをしっかり行い，心タンポナーデの徴候を早期に発見することが重要です．

> **Point**
> ACT[6]が延長している場合に硫酸プロタミンを使用することがあります．使用後はその効果によってドレーンからの排液の粘稠性が高まるため，しっかりミルキングを行い，ドレーンの閉塞に注意しましょう．

⑥ **ACT**
activated clotting time. 活性化凝固時間.

2．脳合併症

- 弓部大動脈瘤は脳へ血液を送る血管が分岐している部分の動脈瘤です．したがって，この部分を人工血管に取り換える弓部大動脈置換術では，脳保護の観点から体外循環として大きく２つの方法が選択されます 図８．
- 一つは，逆行性脳灌流法です．これは，上大静脈から酸素化血を逆行性に送血する方法で，大動脈の遮断を行わないので動脈硬化病変があっても，脳塞栓症・大動脈損傷などを避けることができる，という利点があります．一方，超低体温での管理が必要であり，血液凝固能の低下による出血が懸念されます．
- もう一つは選択的脳灌流法で３分枝（腕頭動脈・左総頸動脈・左鎖骨下動脈）を切断後，それぞれの動脈にバルーン付きの送血用カニューレ

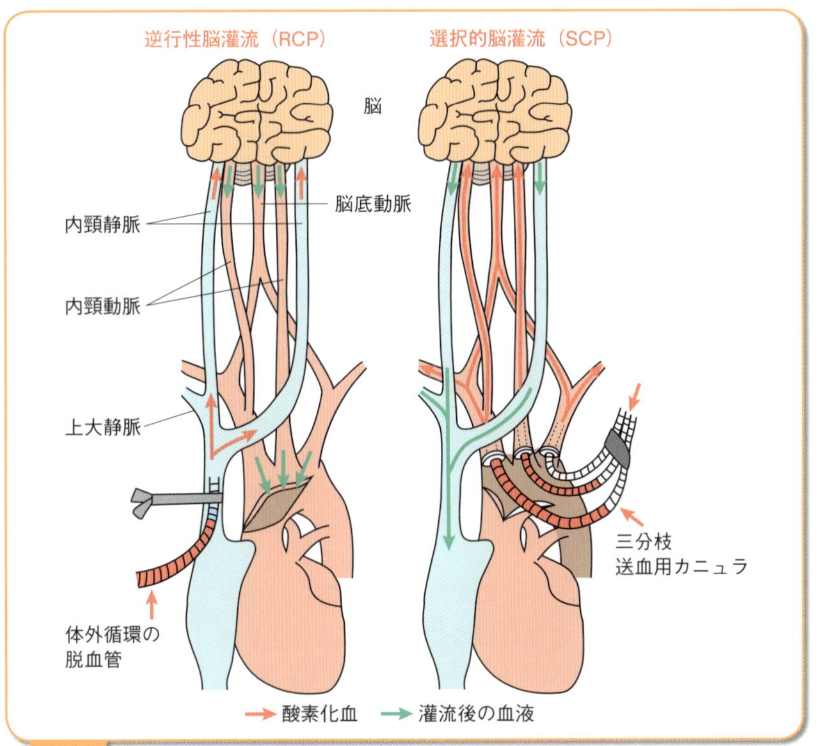

図8 逆行性脳灌流と選択的脳灌流

を挿入してポンプを用いて脳灌流を行います．この方法では弓部分枝に送血カニューレを直接挿入するので，動脈硬化病変による内膜の損傷により血栓などが送られることで脳梗塞の危険性が高まります．一方で，逆行性脳灌流法に比べより生理的な循環であり，また体温を高めに管理できるため，低体温による血液凝固能の低下からの出血が減少するとされています．

- 上記の術式からもわかるように，術後は，脳虚血や塞栓物質による脳梗塞などの脳合併症をきたす可能性があります．覚醒状況（覚醒遅延の有無）や，四肢麻痺の有無，けいれんの有無，アイサイン（瞳孔径，偏位の有無，瞳孔不同の有無，対光反射の有無）を注意深く観察していく必要があります．

3．呼吸器合併症

- 解剖学的位置から，術操作により左半回神経麻痺が出現する可能性があります．左半回神経麻痺がみとめられる場合は，誤嚥から誤嚥性肺炎を併発するおそれがあるため，抜管後の嗄声の有無や嚥下状態をしっかり観察する必要があります．

胸部下行大動脈置換術・胸腹部大動脈全置換術後

1．脊髄麻痺

- 横隔膜近傍病変のため，脊髄を栄養する動脈（アダムキーヴィッツ動脈）を分枝するTh 8～L 1レベルの肋間動脈分枝部が瘤に巻き込まれている場合，再建を行う術操作中に脊髄の虚血が生じることがあります．脊髄虚血や再灌流障害により脊髄麻痺（対麻痺）をきたす可能性があり，早期発見と治療が重要となってきます．術後は脊髄虚血を予防し灌流を維持する観点から，出血をしない程度の高めの血圧で管理します．術後覚醒時には，意識の確認と同時に両下肢の動きに注目しましょう．両下肢の自動運動がみとめられず対麻痺の可能性がある場合には，脊髄液のドレナージや，平均血圧を高めに保つため投薬などの早期の対応が必要となります．通常，2～3日のドレナージが必要とされ，下肢の動きが確認され，髄液の流出がみられなくなった時点でドレーンを抜去します．

Point

対麻痺は，術直後に出現する場合と術後数日経過してから出現する場合があります．その発生時期は中央値で21時間，最長は27日，発生率は2.7％という報告があります[4)]．ドレーンが抜去されICUから病棟へ帰室後も，下肢の脱力や感覚障害，膀胱直腸障害など脊髄虚血症状の出現に注意し，観察していく必要があります．

2．呼吸器合併症

- 下行大動脈瘤の場合，解剖学的に左開胸での手術となります．動脈瘤と肺が癒着している場合があり，剥離時に肺を損傷する可能性があります．また術中は，左肺を虚脱させており，左肺の虚脱と術操作により，肺機能の低下や術後血痰がでる可能性もあります．術後胸水が貯留することも多く，呼吸音や副雑音の有無，SpO_2，痰の性状や量，左胸腔ドレーンの性状や量を注意深く観察していきます．また，胸腹部大動脈瘤では，左開胸に加え横隔膜も切開するため創部が大きく，また血胸も懸念されます．

Point

肺胞出血がみとめられる場合には，健側の肺に出血した血液が垂れこまないよう，体位にも注意する必要があります．

人工血管置換術の術式に限らず，術後共通して押さえておきたいポイント

1．疼痛コントロール

- 創痛は有効な咳嗽を妨げたり，体位ドレナージ，早期離床の妨げとなります．また，術後急性期には疼痛による血圧上昇から出血を助長させることもあるため，積極的に疼痛コントロールを行っていくことが大切です．患者によっては鎮痛薬を使用することに抵抗があり，痛みを我慢してしまう方もいらっしゃいます．疼痛コントロールの重要性を説明し，創痛は我慢せず教えてもらうよう説明していきます．
- とくに，胸腹部大動脈置換術後は腹部の筋肉も大きく切開しているため，術後の創痛は強くなります．多くの場合，硬膜外カテーテルが挿入され持続的に鎮痛薬が投与されます．
- 疼痛の部位・程度，鎮痛薬の効果，咳嗽や体動時の患者の様子，血圧・脈拍変動などを注意深く観察し，効果的に疼痛コントロールが行えるよう積極的に介入していきます．

2．人工心肺時間による影響

- 通常，人工血管置換術では人工心肺が使用されます．人工心肺での血流は，心臓から拍出された拍動流と異なり非拍動流であり，人工心肺時間が長いほど術後の脳合併症の頻度が高くなります．また，ポンプを通過することにより凝固線溶系が活性化されて出血傾向がより顕著となります．そのため，術後管理において人工心肺時間を把握し，使用が長時間に及ぶ場合には，とくに術後覚醒の状況や術後出血に注意する必要があります．

> Point
>
> 感染瘤での人工血管置換術の場合には，炎症状態にある血管は非常に脆く，術前の炎症コントロールが重要となります．脆い血管の吻合部は術中術後の止血に難渋することがあり注意が必要です．

ステントグラフト内挿術（TEVAR）後

1．エンドリーク

- ステントグラフトの圧着不良や，ステントグラフトが移動しズレが生じたり，大動脈瘤内に落ち込んでしまう場合があります．これらの要因により，ステント挿入後に瘤の部分へ血液が流入してしまうことを**エンドリーク**といいます．エンドリークの部位や程度にもよりますが，追加治療を行う必要が出てくる場合があります．

2. 脊髄神経障害

- 外科的人工血管置換術同様，ステントグラフト治療においても，対麻痺（脊髄神経障害）が生じることがあります．リスクファクターは，①広範囲の肋間動脈カバー，②腹部大動脈瘤手術の既往（ならびに内腸骨動脈の閉鎖），③左鎖骨下動脈のカバーが挙げられます[1]．これらのリスクファクターのある症例では，脳脊髄液ドレナージ法（spinal drainage）など予防措置の検討が必要です．

脊髄神経障害の予防のための周術期管理の point!

脊髄に対してしっかり酸素供給を行うことが大切です．そのために，以下のアプローチを行います．

- ・適切な脊髄灌流圧を維持する．
  - →低血圧を避ける．とくに平均動脈圧の維持が大切です．それとともに，スパイナルドレナージによって脳脊髄圧を下げます（目標≦12 cmH_2O）．
    この関係は，以下の式からもわかります．
    脊髄灌流圧（SCPP）＝平均動脈圧（MAP）－脳脊髄圧（CSFP）
- ・低心拍出量を避ける（心拍出量の測定）．
- ・貧血を改善する（必要時輸血にて対応）．
- ・酸素飽和度の維持（必要に応じて酸素投与）．
- ・低二酸化炭素血症を避ける．

3. 大動脈解離

- もともと血管変性をきたし血管壁の弾力が低下し硬くなっている血管にステントを挿入するため，カテーテル挿入手技中やステントを固定させる際に，動脈が解離してしまう場合があります．その際には，その解離した部分に追加ステントを挿入し治療が行われます．

参考文献

1）髙本眞一 他：“循環器病の診断と治療に関するガイドライン（2010年度合同研究班報告）．大動脈瘤・大動脈解離診療ガイドライン（2011年改訂版）”．日本循環器学会 他，2011
2）早川弘一 他編：“ICU・CCU看護”．医学書院，2013
3）上田裕一 編：“心臓外科看護の知識と実際”．メディカ出版，2009
4）Estrera AL, Miller CC 3rd, Huynh TT et al：Preoperative and operative predictors of delayed neurologic deficit following repair of thoracoabdominal aortic aneurysm. J Thorac Cardiovasc Surg 126：1288-1294, 2003
5）特集「心臓外科手術の術後管理」．HEART 3（7），2013

（山口 庸子）

成人の術後管理（6）

腹部大動脈瘤

～低侵襲性のステントグラフト内挿術（EVAR）へのパラダイムシフト～

- 腹部大動脈瘤（abdominal aortic aneurysm：AAA）とは，横隔膜下の下行大動脈から腎動脈または腸骨動脈に及ぶ動脈瘤で，95 %が腎動脈分岐部下に発生する．
- 腹部大動脈瘤の破裂の 3 徴は，腹痛･背部痛，血圧低下，拍動性腹部動脈瘤の触知であるが，3 つ揃わなくても破裂を疑う．
- ステントグラフト内挿術（EVAR）は，小手術創，手術時間短縮，出血量軽減と，低侵襲性の手術である．
- 人工血管置換術の血管遮断，EVAR のグラフトによる塞栓血管による合併症の観察が重要．

腹部大動脈瘤とは，横隔膜下の下行大動脈から腎動脈または腸骨動脈に及ぶ動脈瘤です

- 大動脈とは，心臓から駆出される動脈血を全身の臓器に運ぶ動脈であり，**横隔膜から下**を腹部大動脈といいます 図 1 ．
- 腹部大動脈瘤とは，腹部の大動脈壁の一部または局部が正常径の 1.5 倍（30 mm）以上に拡張した状態であり，**横隔膜下の下行大動脈から腎動脈または腸骨動脈に及ぶ動脈瘤**です 図 2 ．
- 腹部大動脈瘤の 95 %が腎動脈分岐部下に発生しています．
- 動脈硬化性の大動脈瘤の 75 %が腹部大動脈瘤であり，腹部大動脈瘤の 3～29 %に末梢動脈閉塞症が合併します．
- 腹部大動脈瘤は，紡錘状（全周性に拡張している）の形状が多く，60～70 代の男性に多いのが特徴です．
- 腹部大動脈瘤は，無症状で経過することが多いのですが，拍動性の腫瘤が視診や触診により発見されることがあります．
- 腸骨動脈以下に動脈硬化症や瘤内血栓の遊離による末梢循環が生じた場合は，間欠的跛行[①]や下肢のしびれ感がみられます．

① **間欠的跛行**
歩行を続けると下肢の痛みや疲労感を感じ，足をひきずるようになるが，休憩をとると再び歩行が可能となる状態をさす．

腹部大動脈瘤が破裂した場合は，急速にショック状態に陥ります

- 腹部大動脈径の正常径は，約 20 mm であり，瘤の直径が 50 mm を超

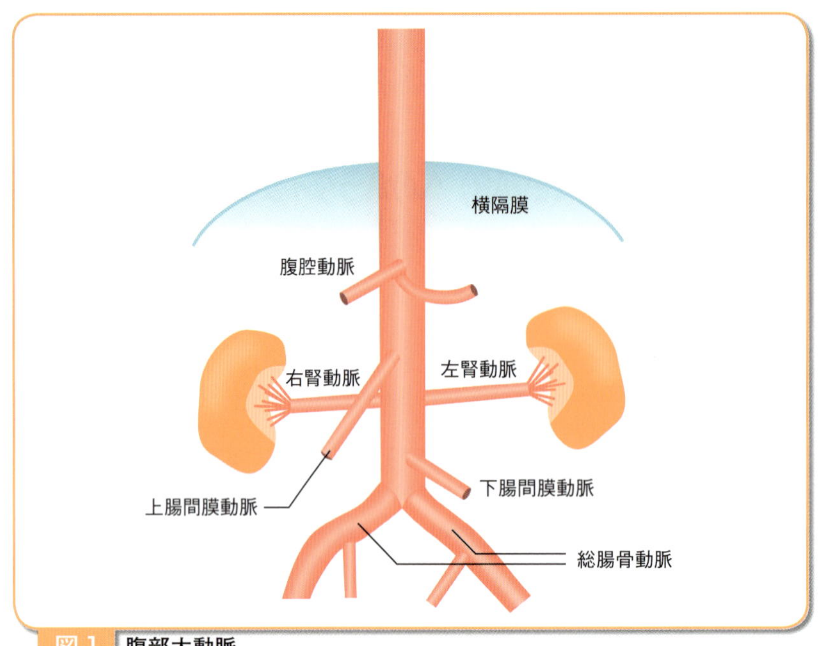

図1 **腹部大動脈**

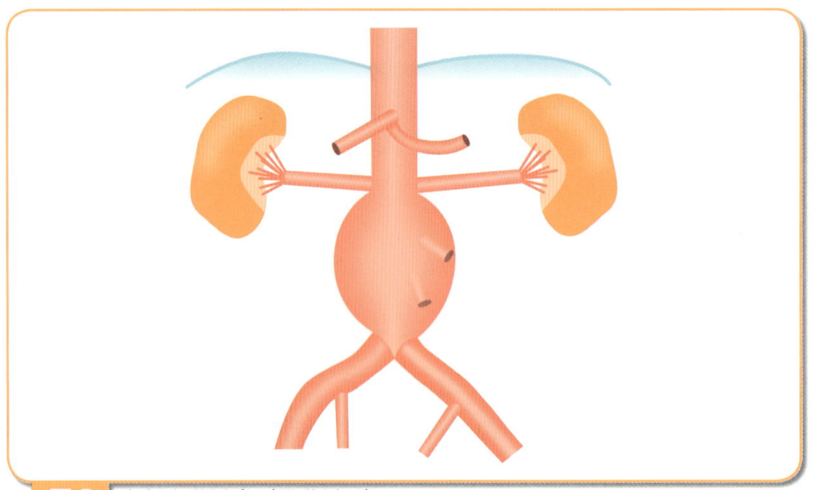

図2 **腹部大動脈瘤（腎動脈下）**

えると破裂の危険性が高まります.

- 瘤の形状として紡錘形よりも嚢状（一部分がこぶ状に突出した場合）のほうが破裂の危険性が高いです.
- 腸骨動脈領域は, 瘤径が小さくても破裂の危険性が高いとされています.
- 瘤の破裂を助長させる要因として高血圧, 喫煙, 慢性閉塞性肺疾患などが挙げられています.
- 腹部大動脈瘤の破裂の３徴は, **腹痛・背部痛**, **血圧低下**, **拍動性腹部動脈瘤の触知**です.

- 腹部大動脈瘤が破裂した場合は，後腹膜出血，腹腔内出血により急速に出血性ショック②の状態に陥ります．すぐに緊急手術が必要となります．
- 瘤径（最大短径）が男性 55 mm 以上，女性 50 mm 以上が治療の適応となります．女性は破裂のリスクがあり，45 mm 以上も治療介入を考慮します．また囊状瘤や急速拡大が半年で 5 mm 以上の場合も治療を考慮します[1)]．

② **出血性ショック**
出血のために重要な臓器の有効な血流が維持できず，細胞機能が保てなくなる状態．顔面蒼白，冷感，頻脈などの症状，血圧低下がみられる．

腹部大動脈瘤の治療は，ステントグラフトの登場で大きく変化しています

- 腹部大動脈瘤の治療は，今まで人工血管置換術が標準的治療でしたが，2006 年 7 月にデバイスが承認されて以来，腹部大動脈瘤に対する**ステントグラフト内挿術**（endovascular aneurysm repair：EVAR）が施行されています．ステントグラフト実施委員会によると 2021 年 4 月までに 58,842 症例が治療・登録されています[2)]．
- EVAR の登場により，人工血管置換術が難しく保存的治療で経過観察していた高齢者の複雑な疾患をもつハイリスク症例の治療が可能となっています（呼吸機能低下症例，透析患者や悪性腫瘍合併例など）．
- ステントグラフト内挿術（EVAR）は，小手術創，手術時間短縮，出血量軽減と**低侵襲性**の手術です．その結果，早期離床が可能となり，入院期間も短縮され，患者の身体的・精神的負担も少なくなっています．
- ステントグラフトは，人工血管にステントといわれるバネ状の金属を取り付けたものです 図３．
- 現在，5 機種（Zenith®, Excluder®, Endurant™, Aorfix®, AFX®）が使用されています．

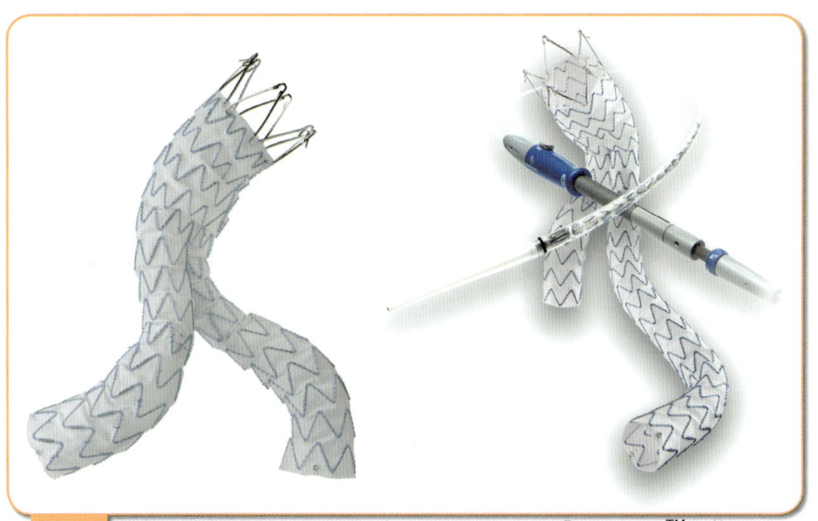

図３ 腹部大動脈瘤用ステント（メドトロニック「Endurant™ Ⅱ」）
（画像提供：日本メドトロニック株式会社）

- CTによる詳細な計測を行い，中枢および末梢のネック径，動脈瘤の治療長などから使用するステントグラフトのサイズを選択します．
- EVARとは，シースの中に納めたステントグラフトを，足の鼠径部を小切開し，大腿動脈よりカテーテルを挿入して，動脈瘤の部位に進め内側から大動脈瘤を覆うようにステントグラフトを放出する方法であり，開腹を行わない侵襲の少ない手術です 図4 ．
- この方法では，大動脈瘤は切除せずに残存していますが，瘤はステントグラフトにより蓋をされることになり，瘤内の血流がなくなり，次第に縮小していく傾向があります．たとえ，瘤が縮小しなくても，ステントの中だけを血液が流れることで，瘤の瘤壁には血圧がかからず，拡大を防止でき破裂の危険性が減少します 図5 ．

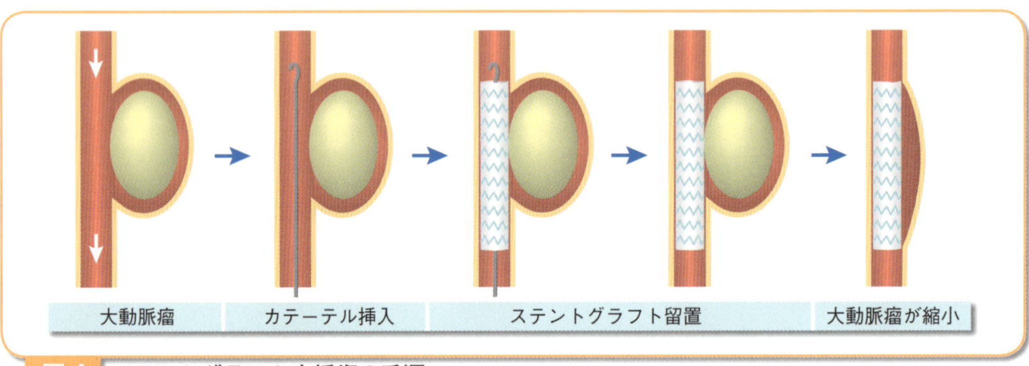

図4 ステントグラフト内挿術の手順

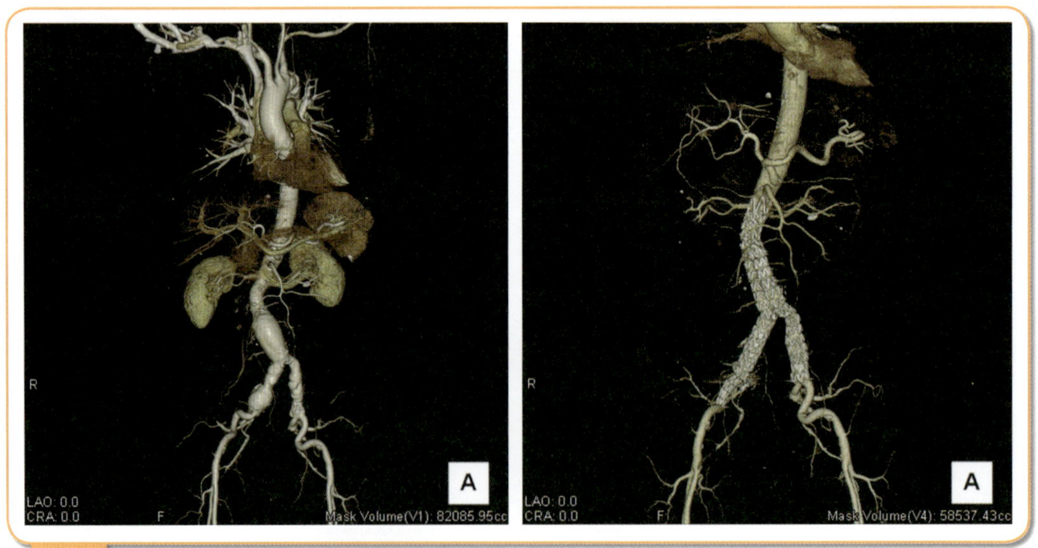

図5 術前3D-CT（左）と術後3D-CT（右）

腎動脈下に最大短径49 mm程度のAAA（腹部大動脈瘤）あり．
右総腸骨動脈も最大短径30 mm程度の瘤あり．
EVAR（Endurant™使用）と右内腸骨動脈コイル塞栓術が施行された．

●EVARの解剖学的適応は,

（1）適切なアクセスルート：安全な挿入を可能とする動脈の径，性状
（2）適切な中枢側および末梢側ネック：ステントグラフトが瘤の中枢と末梢で動脈に確実に密着し，瘤内への血流が遮断できるだけの長さと性状を有するネックがあること

が条件とされています[3].

●破裂症例においても血行動態が安定している場合や切迫破裂の場合，EVARが行われます.

EVAR後の特有な合併症はエンドリーク③，グラフト閉塞，ステントグラフトのずれ（migration），破裂などがあります

●EVAR後のもっとも頻度の高い合併症として，エンドリークがあります．エンドリークは，直後から発生するものと遅延性に発生するものがあり，長期にわたる画像診断によるフォローが必要となります．エンドリークは5型に分類され，タイプⅠとⅢエンドリークは，瘤破裂に直結する危険性があり，治療が必要となります 図6 .

・タイプⅠ：ステントグラフトの端から血液が瘤内に浸入している状態．ステントグラフトのずれにつながるとされます.
・タイプⅡ：瘤から出ていた腰動脈などから血液が逆行して瘤内に入る状態
・タイプⅢ：ステントグラフト間の接合部あるいはステントグラフトの損傷により血液が瘤内に浸入している状態
・タイプⅣ：ステントグラフトの膜を通過して血液が瘤内に浸入している状態
・タイプⅤ：画像上明らかなエンドリークはないが，拡大傾向をきたすもの

③ **エンドリーク**
グラフト周囲（動脈瘤の中）に血液が漏れる状態.

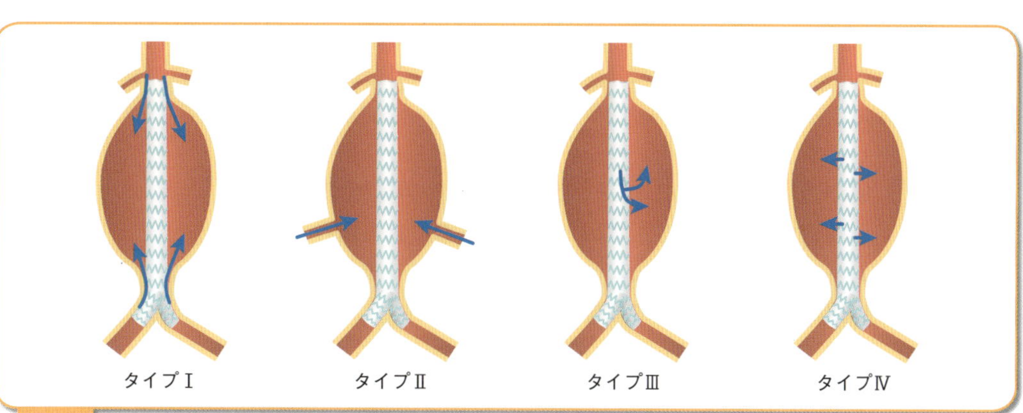

図6 エンドリークの種類

- 造影でエンドリークがある場合，まだ**破裂のリスク**が残存しており，術後に厳密な血圧コントロールが必要となります．瘤内への血流が残ると，術直後に凝固異常などがみられることがあります．
- グラフトの閉鎖は，比較的まれな合併症ですが，閉塞した場合は血栓除去，血栓溶解などの治療が行われます．腹痛や下肢の色調の変化，末梢冷感，末梢の血流（足背動脈，後脛骨動脈の触知）の観察が必要です．
- 後腹膜出血による腹部膨満，急激な血圧低下は，動脈瘤の破裂が考えられ，緊急の開腹術が必要となります．

術中の塞栓血管による合併症の観察が重要です

- EVAR では，治療部位によりステントグラフトで閉塞させる血管がある場合があります．
- 内腸骨動脈をコイル塞栓した場合（上臀動脈と下臀動脈遠位側），**臀筋跛行**が生じることがあり，術後の歩行時の臀部の痛みの有無を観察し，疼痛管理を行う必要があります．後に，側副血行路の発達により改善することが多いとされています．男性の場合は，勃起障害を生じることがあります．
- 両側内腸骨動脈を閉塞させて Y 字ステントグラフトを留置した場合，上腸管膜動脈経由の血流が不十分となり**直腸の虚血**（下血）が生じる危険性があり，腹痛，腸蠕動，血便の観察が必要となります．

EVAR 術後は，疼痛，腎不全，穿刺部位の血腫，出血などの合併症の観察が必要です

- 大腿動脈，外腸骨動脈の径が 7 mm ない場合は，下腹部斜切開して，外腸骨動脈を露出します．外腸骨動脈の露出の手術操作により術後，強い痛みを生じることがあるため，NRS（Numeric Rating Scale）で痛みの程度を確認し，鎮痛薬を使用して疼痛管理を行う必要があります．
- 造影剤を 50～150 mL 程度使用するため，**造影剤腎症**をひき起こす可能性があります．また，造影剤の高比重による浸透圧利尿が起こるため，血管内脱水による二次的な腎障害を予防するために，術前より生理食塩水でハイドレーション（水負荷）を行います．術後十分な尿量の排出があるか，尿素窒素（BUN），クレアチニンなどの検査値を確認します．
- 太いシースを血管内に挿入するために，**血栓や粥腫による塞栓**をひき起こすことがあり，腸管や下肢虚血に留意する必要があります．また，術後穿刺部位の出血や血腫の形成に注意します．
- 腹膜外にドレーンを留置する場合，ドレーンの排液量，性状，Hb 値など出血の状況を観察します．

腹部大動脈瘤ではまれですが，EVAR 後に脊髄障害の早期発見が重要です

- おもに胸部大動脈瘤の手術後に，大前根動脈（アダムキーヴィッツ動脈）の虚血が生じたときに脊髄障害が生じます．
- 術後の血圧低下や脱水は対麻痺の助長となるため，適切な循環管理が必要となります．
- 腹部大動脈瘤ではまれですが，脊髄障害の早期発見が重要であり，術当日は，下肢の動き（自動運動の有無，左右差）や感覚知覚の有無や程度を定期的に確認することが重要です．病棟で歩行が許可された後に，血圧低下などによる遅延性対麻痺が出現することもあり，術後 24 時間は下肢の動きの観察が必要です．
- 脊髄障害がみられれば，血圧を 80 mmHg 以上に保ち，脊髄ドレナージの管理が行われます．

EVAR 術後は早期離床，QOL の維持で快適な療養生活が送れるように支援しましょう

- EVAR は侵襲が少ない手術であり，術後早期より離床が図れ，食事も開始されます．
- 術後合併症に注意するとともに，術後 4 日頃まで 38 ℃の間欠熱[4]をともなうことが多くみられるので，発熱にともなう倦怠感などの症状を緩和し，患者が術前と同じようにセルフケアができ，快適な療養生活が送れるように環境を整えることが大切です．

④ **間欠熱**
1 日のうち体温の差が 1 ℃以上あり，高熱期と無熱期が交替で現れる熱型．

人工血管置換術とは，腹部または側腹部を切開して瘤を人工血管で置換し，縫合糸で縫合することで大動脈を修復する手術です 図 7

- 人工血管置換術は，**腹部正中切開アプローチ**と**後腹膜アプローチ**（左腹部斜切開，右腹部斜切開）があります．後腹膜アプローチは，腹膜を開けないので術後腸閉塞の頻度が少ない利点があります．
- 腹部正中切開は，基本的なアプローチ方法で，動脈瘤上下の視野が広く，両腸骨動脈の確認もできます．緊急の破裂例や開腹手術の既往のある症例に対しても可能です．剣状突起下から恥骨上縁に至る正中切開を行います．
- 人工血管の種類は，ダクロン®製の人工血管にアルブミンなどでシールがされているシールグラフトや，一体形成されたグラフト感染に強いとされる GORE-TEX®などがあります．
- 腹部大動脈から両大腿動脈への分岐部周囲に動脈瘤がある場合は，Y グラフトを用いて人工血管置換術を行います．
- 総腸骨動脈分岐直上にある腹部大動脈のみを人工血管置換術する場合

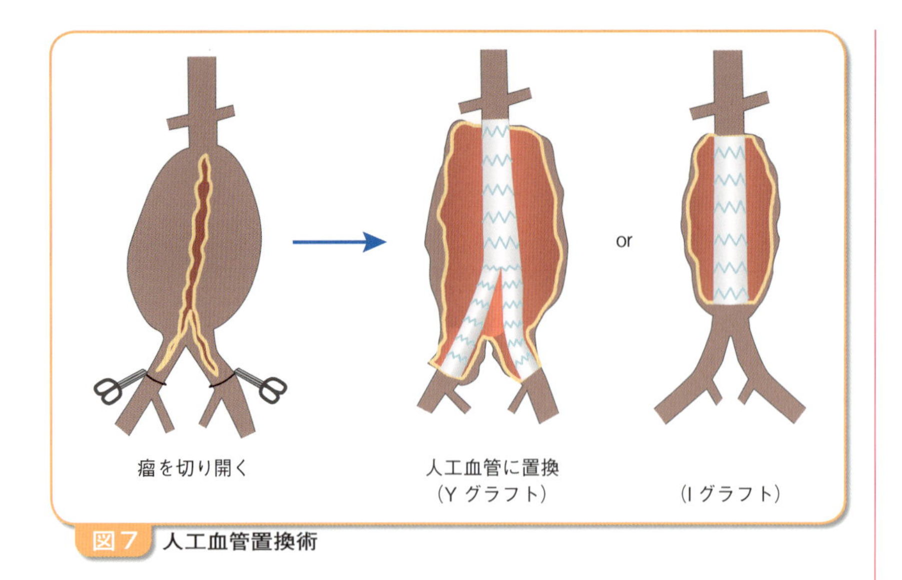

図7 人工血管置換術

は，I グラフト（ストレート）を用いて置換します．

人工血管術後は出血，イレウスなどの合併症の観察が必要です

- 術直後は，血圧などのバイタルサイン，呼吸，出血などの問題がなければ，人工呼吸器を離脱して手術室を退室します．
- 後腹膜アプローチの場合，後腹膜ドレーンを留置するため，ドレーンの排液量，性状，Hb 値などから出血の状況を観察します．
- ドレーンが留置されていない場合は，腹部膨満，腹痛，Hb 値から出血の有無をアセスメントします．
- 開腹後に腸をよけて視野を確保するため，腸蠕動運動が抑制され，術後**イレウス**を生じることがあるため，腹部膨満，腸蠕動の有無，腹痛，排ガスの確認を行う必要があります．

⑤ **硬膜外麻酔**
局所麻酔の一つで，硬膜にカテーテルを留置して持続的に薬を注入する．投与された薬は脊髄や周囲の神経線維に浸透して鎮痛効果を示す．

人工血管置換術後は，適切な創部の疼痛コントロールを行い，早期離床を進めていきましょう

- 腹部または側腹部を切開しているため，術後，**創部痛**は強いです．創部痛は，一般的に術後 2〜6 時間がもっとも強くなります．NRS で痛みの程度を確認し，鎮痛薬を使用して疼痛管理を行います．疼痛管理として，**硬膜外麻酔**[5]や **PCA**（**patient controlled analgesia**）ポンプ[6]が使用されます．PCA ポンプを使用して疼痛コントロールする場合，患者に操作方法を説明し，鎮痛効果をアセスメントしていく必要があります．
- また，創部痛は，咳嗽を抑え，排痰を困難にさせ浅速呼吸となることから，術後の肺炎，無気肺などを生じる可能性が高いです．効果的な呼吸

⑥ **PCA**
患者調節鎮痛法であり，専用機器であるPCA ポンプに鎮痛薬を注入し，痛みのあるときに患者自身が操作して，安全かつ効果的な量の鎮痛薬をすぐに投与できる方法．

練習ができるように，疼痛コントロールを図る必要があります．

- また，創部痛による離床の遅れは，深部静脈血栓症（DVT）の発症にも影響します．リハビリを行う前に，NRS 4 以下に疼痛コントロールをしておく必要があります．

術中の血管遮断による合併症の観察が重要です

- 腸骨動脈を遮断した場合，動脈内血栓や粥腫が末梢側に飛んだり，血管損傷（解離）を起こしたりと**下肢動脈血栓症**の危険性があり，下肢の色調の変化，しびれ，末梢冷感の有無，足背動脈の拍動の有無を確認します．
- 下腸間膜動脈や内腸骨動脈の処理または遮断した場合，**腸管虚血**の可能性が考えられ，腹部膨満，嘔吐，下血，アシドーシスの進行，乳酸値の上昇を確認し，異常の早期発見が重要です．
- 瘤が腎動脈上にある場合，腎動脈より中枢側で大動脈を遮断して行うため，腎虚血に陥りやすく，術後**腎不全**をきたすことがあります．術後十分な尿量の排出があるか，尿素窒素（BUN），クレアチニンなどの検査値を確認します．

参考文献

1）日本循環器学会：2020 年改訂版 大動脈瘤・大動脈解離診療ガイドライン（日本循環器学会/日本心臓血管外科学会/日本胸部外科学会/日本血管外科学会合同ガイドライン）
https://www.j-circ.or.jp/cms/wp-content/uploads/2020/07/JCS2020_Ogino.pdf（2021 年 10 月閲覧）
2）日本ステントグラフト実施基準管理委員会　https://stentgraft.jp/pro/report/（2021 年 11 月閲覧）
3）加藤憲幸，井内幹人 他：ステントグラフト治療　腹部大動脈瘤．日外会誌 112（1）：32-37，2011
4）大木隆生 編："腹部大動脈瘤　ステントグラフト内挿術の実際"．医学書院，2010
5）野村　実 編："周手術期管理ナビゲーション"．医学書院，2014
6）古森公浩 編："腹部大動脈瘤ステントグラフト内挿術　マスターガイド"．南山堂，2011
7）森下清文 編著："ステントグラフト内挿術マニュアル　腹部編"．日本医事新報社，2020

（飯塚 裕美）

成人の術後管理（7）

大動脈解離術後の管理

～合併症を意識した管理が大切！～

- 大動脈解離は早期死亡率，手術死亡率ともにきわめて高い重篤な疾患である．
- 上行から弓部大動脈にかけての解離は，冠動脈閉塞，心タンポナーデ，脳血流障害などを合併することにより，緊急性が高くなる．
- 下行大動脈の解離は，malperfusion，代謝性筋腎症候群（MNMS），非閉塞性腸管虚血（NOMI）など灌流障害を合併することにより致死率が高くなる．
- 大動脈解離術後のリハビリテーションは，残存解離や血栓化の状態，合併症に応じた個別のプログラムが必要である．

大動脈解離の疫学と病型 表1

- わが国の疫学調査によると，大動脈解離の年間発症頻度は10万人あたり2.6～5.2人とされ，冬季に多発しています[1,2]．男性に多い疾患ですが，女性ではおよそ半数が70歳以上の高齢者に発症し，発症後短時間で死亡する例が多いことが特徴といえます．さらにStanford A型解離はStanford B型解離より発症頻度が高く予後が不良で，DeBakey Ⅱ型解離では発症後短時間での死亡例が多くみられます．わが国の剖検例では，大動脈解離を発症した患者の61 %が病院到着前に死亡し，入院加療後も24 %が死亡すると報告されており[1]，心臓血管外科領域でも致死率の高い疾患といえます．
- 大動脈解離は，大動脈壁が中膜レベルで剥離し動脈走行に沿って二腔になった状態をいいます．解離入口部の部位と範囲による分類は，Stanford分類とDeBakey分類があります．Stanford分類は入口部の位置にかかわらず，解離が上行大動脈に及んでいるか否かにより，A型・B型に分類されます．これに対し，DeBakey分類は解離の範囲と解離入口部（エントリー）の位置による分類となります．また，偽腔の血流状態から偽腔開存型，偽腔閉塞型，ULP型に分類され 図1 ，さらに発症後2週間以内に診断されたものを急性解離，それ以降に診断されたものを慢性解離と定義します．大動脈解離は，刻々と病状が進行し，解離の範囲が広範囲になるほど，さまざまな臓器障害の合併リスクが高く

表1 大動脈解離の分類

1. 解離の範囲による分類

 Stanford 分類

  A 型：上行大動脈に解離があるもの

  B 型：上行大動脈に解離がないもの

 DeBakey 分類

  Ⅰ型：上行大動脈に tear があり，弓部大動脈より末梢に解離が及ぶもの

  Ⅱ型：上行大動脈に解離が限局するもの

  Ⅲ型：下行大動脈に tear があるもの

  Ⅲa 型：腹部大動脈に解離が及ばないもの

  Ⅲb 型：腹部大動脈に解離が及ぶもの

 DeBakey 分類に際しては以下の亜型分類を追加できる

  弓部型：弓部に tear があるもの

  弓部限局型：解離が弓部に限局するもの

  弓部広範型：解離が上行または下行大動脈に及ぶもの

  腹部型：腹部に tear があるもの

  腹部限局型：解離が腹部大動脈のみにあるもの

  腹部広範型：解離が胸部大動脈に及ぶもの

  (逆行性Ⅲ型解離という表現は使用しない)

Stanford A 型　Stanford B 型

2. 偽腔の血流状態による分類

  偽腔開存型：偽腔に血流があるもの．部分的に血栓が存在する場合や，大部分の偽腔が血栓化していても ULP から長軸方向に広がる偽腔内血流を認める場合はこの中に入れる

  ULP 型：偽腔の大部分に血流を認めないが，tear 近傍に限局した偽腔内血流（ULP）を認めるもの

  偽腔閉塞型：三日月形の偽腔を有し，tear（ULP を含む）および偽腔内血流を認めないもの

3. 病期による分類

  急性期：発症後 2 週間以内．この中で発症 48 時間以内を超急性期とする

  亜急性期：発症後 2 週間を超えて 3 ヵ月以内

  慢性期：発症後 3 ヵ月を超えるもの

〔日本循環器学会：2020 年改訂版 大動脈瘤・大動脈解離診療ガイドライン（日本循環器学会/日本心臓血管外科学会/日本胸部外科学会/日本血管外科学会合同ガイドライン）．https://www.j-circ.or.jp/cms/wp-content/uploads/2020/07/JCS2020_Ogino.pdf（2021 年 10 月閲覧）より引用〕

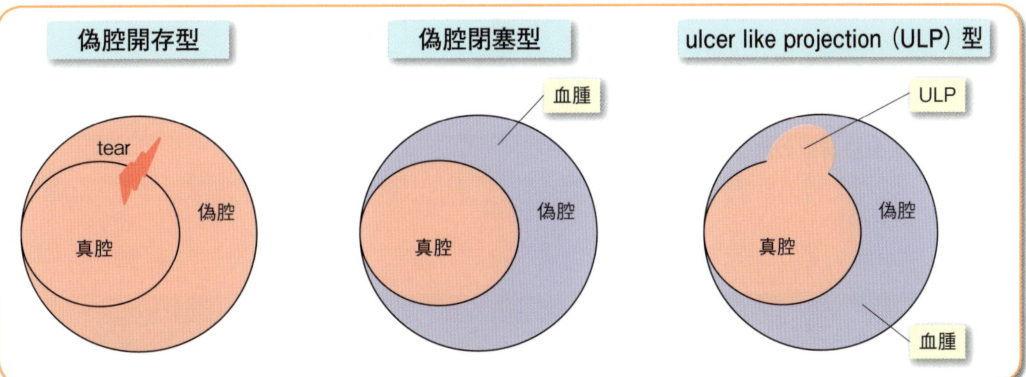

図1 偽腔の血流状態からみた分類

〔日本循環器学会：2020 年改訂版 大動脈瘤・大動脈解離診療ガイドライン（日本循環器学会/日本心臓血管外科学会/日本胸部外科学会/日本血管外科学会合同ガイドライン）．https://www.j-circ.or.jp/cms/wp-content/uploads/2020/07/JCS2020_Ogino.pdf（2021 年 10 月閲覧）を参考に著者が作図〕

なります 図2．

MEMO

tear とは

解離でみられる内膜・中膜の亀裂部位（裂孔，内膜裂孔，裂口）で，真腔と偽腔が交通する部位を指します．intimal tear も慣用的に tear の同義語として用いられます[6]．

ULP（ulcer-like projection）とは

おもに急性大動脈解離の画像診断における画像所見の表現の一つであり，造影 CT や血管造影において「閉塞した偽腔における頭尾方向の広がりが 15 mm 未満の造影域」と定義[6] されています．

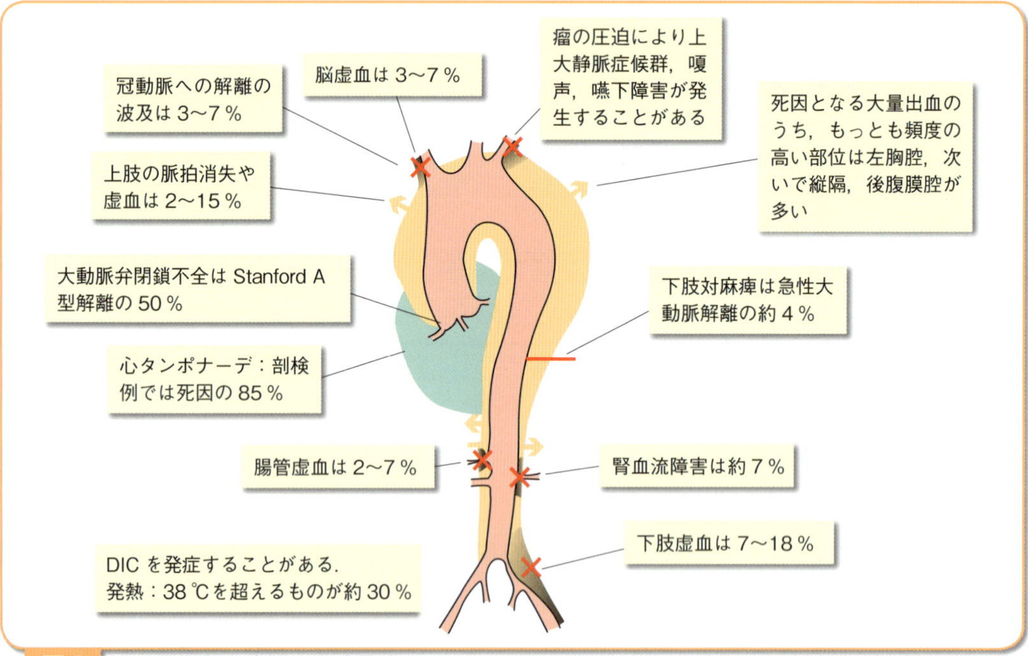

図2 大動脈解離の病態と発生頻度

〔日本循環器学会：2020 年改訂版 大動脈瘤・大動脈解離診療ガイドライン（日本循環器学会/日本心臓血管外科学会/日本胸部外科学会/日本血管外科学会合同ガイドライン）．https://www.j-circ.or.jp/cms/wp-content/uploads/2020/07/JCS2020_Ogino.pdf（2021 年 10 月閲覧）を参考に著者が作図〕

外科的治療と成績

- Stanford A 型解離は，急性・慢性発症にかかわらず手術適応となります．Stanford B 型解離では，一般的には降圧，安静による保存的療法が行われますが，解離腔が拡大し，血液成分が外側に染み出す切迫破裂や解離腔が真腔を圧排し腹部臓器や下肢への血流が阻害される malperfusion（灌流障害）を合併した場合は，緊急手術の適応となります．慢性期の Stanford B 型解離では，大動脈径が拡大し最大 60 mm を超えると大動脈瘤破裂のリスクが高くなるため，手術適応となります．

malperfusion って何ですか？

A

malperfusion とは，偽腔拡大による真腔閉塞または分岐入口部閉塞，解離による分岐部閉塞，偽腔伸展，血栓化による分岐内の閉塞によって生じる灌流障害です 図3．閉塞を起こす分岐が多いほど，急性期の予後は悪く，malperfusion を合併した場合の手術死亡率は 20～30 %以上とされています．また，malperfusion のほかに，MNMS①や NOMI②なども，大動脈解離や大動脈解離術後の合併症として生じる灌流障害で，MNMS や NOMI も malperfusion と同様に死亡率の高い合併症です．

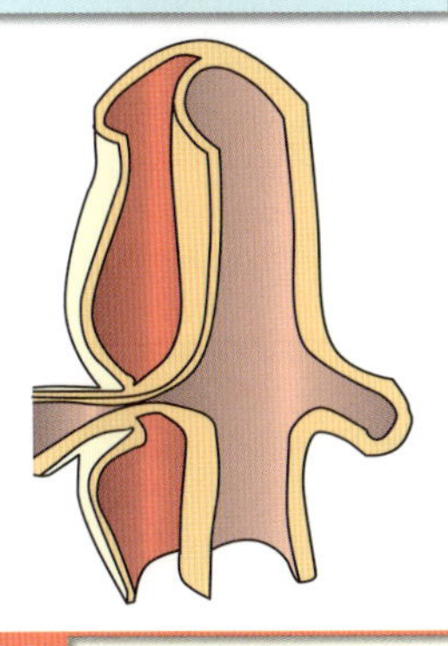

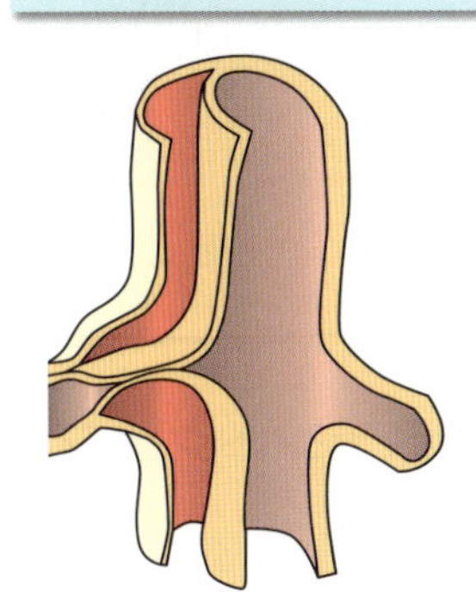

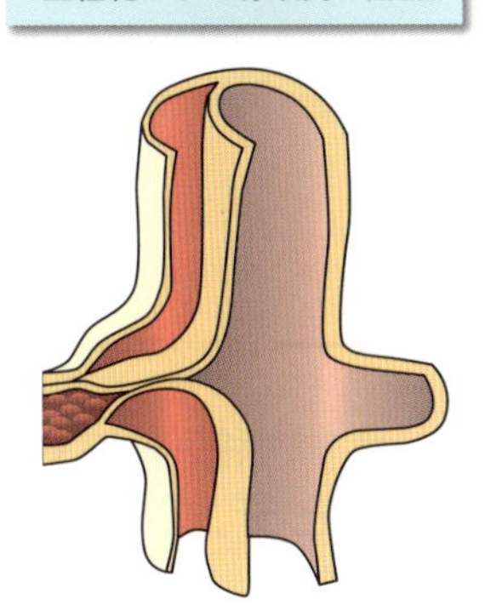

図3 malperfusion

① MNMS

myonephropathic metabolic syndrome（MNMS）とは，虚血再灌流傷害あるいは代謝性筋腎症候群といわれるもので，発症すれば死亡率は 80%ともされる．ミオグロビンによる腎尿細管障害に加え，活性酸素やサイトカイン，アポトーシスなどの関与により，腎不全や呼吸不全など重篤な多臓器障害を起こす．

② NOMI

非閉塞性腸管虚血（non-occlusive mesenteric ischemia：NOMI）とは，腸管膜の主幹動静脈に器質的な閉塞がないにもかかわらず，腸管の虚血ないし壊死をきたすものである．動脈硬化と関連する心血管系の基礎疾患を有することが多いのが特徴とされている．重篤な病態であるが，特異的な臨床所見や血液検査所見に乏しく気づかれにくいケースもある．

表2　大動脈解離手術成績

	院内死亡率
Stanford A 型　急性期	10.5 %
Stanford B 型　急性期	7.9 %
Stanford A 型　慢性期	4.3 %
Stanford B 型　慢性期	3.2 %

〔Committee for Scientific Affairs, The Japanese Association for Thoracic Surgery, Shimizu H, Okada M, et al. Thoracic and cardiovascular surgeries in Japan during 2018：Annual report by the Japanese Association for Thoracic Surgery. Gen Thorac Cardiovasc Surg 69（1）：179-212, 2021 を参考に著者が作表〕

- 大動脈解離の治療の原則は，エントリーを切除し人工血管で置換することです．エントリーの場所や解離の進行程度などにより術式が考慮されます．Stanford A 型解離では，大動脈弓部の 3 分枝に解離が及んだ場合は全弓部大動脈人工血管置換術，解離が大動脈基部に及んだ場合には大動脈基部置換術というように多様な術式が選択されます．しかしながら，大動脈解離の治療は，手術侵襲が大きいため，急性期症例では患者の年齢や術前の状態によって，救命の目的で上行大動脈人工血管置換術のみを行い，残存する大動脈解離は二期的に加療することもあります．
- 診断技術や術中の補助手段の向上などにより大動脈解離の治療成績は年々向上してはいるものの，Stanford A 型急性大動脈解離の院内死亡率は 10.5 %であり，また，Stanford B 型急性大動脈解離手術における院内死亡の割合は 7.9 %と，他の心臓血管外科手術症例に比べ死亡率が非常に高い治療となります 表2．

Q　大動脈解離に対するステントグラフト治療のエビデンスはありますか？

A　大動脈解離におけるステント治療は増えており，とくに急性・亜急性 B 型解離に対しては，外科手術よりもステント内挿術が優先して推奨されるとガイドラインには明記されています．しかしながら急性期の死亡率は高く，また急性期では治療できる部位も限られています．

術後管理のポイント

- 大動脈解離の術後の管理では，他の大血管疾患手術での術後管理の対応以外に，大動脈解離術後に特有の合併症に対する対応に注意が必要となります．術直後の急性期の管理では大動脈解離の手術は，循環停止や低体温など非生理的な状態下にさらされるため，術後急性期は多くの侵襲による術後合併症がもっとも出現する時期であり，術後の回復に向けての重要な時間帯になります．大動脈解離術後，とくに注意が必要なポイントを押さえましょう．

手術直後の体温は 36℃以上に保ちましょう

- 術後の体温管理は，あらゆる合併症を回避するうえで重要な管理となります．術中，体外循環離脱時に復温がされていても開胸下では体温低下が進みます．とくに大動脈解離の手術は止血に難渋することが多いため，低体温となりやすく，十分に体温が復温されないまま ICU に入室することがあります．このため，ICU 入室時の 36 ℃以下の低体温は，経皮的空気加温装置システム（Bair Hugger™ システムなど）や電気毛布などで積極的に保温しましょう．保温に際しては，末梢血管拡張にともなう血圧の低下に注意しましょう．

術後の低体温は何が悪いのでしょうか？

A 36℃未満の低体温状態が続くと以下の状態になりやすいので，術後合併症を避けるためにも積極的に対応しましょう．

①心房性・心室性不整脈が誘発されやすい．
②体血管抵抗が上昇し，血圧上昇の原因となる．
③骨格筋収縮による酸素消費量増加と二酸化炭素産生が増加する．
④血小板機能異常，凝固能力の機能障害が誘発され出血の原因となる．

ICU 入室後も予断を許さない状況です

- 大動脈解離の手術では，人工血管吻合部が脆弱な組織であることが多く，生体糊やフェルトなどの補強にもかかわらず，吻合部からの出血が遷延し止血に難渋することがあります．とくに緊急手術の場合，常用薬服用下の手術になることもあり，抗血小板薬や抗凝固薬服用患者などは止血に難渋することがあります．また，出血が長引くと，血小板や凝固因子の消費により凝固機能が低下し，さらに出血を助長するといった悪循環に陥ります．このため，ドレーンから血性排液がある場合，外科的に対応するか，血小板やFFPの成分輸液などで対応するか判断が必要になります．一般的に，ドレーンからの排液が突然増加した場合は外科的な要因を考慮しますが，体位変換の後に血液の貯まりが急激に排液されることもあります．出血量が増加している場合は，外科的な要因であるのか，貯留した血液が排出されただけなのかを見きわめる必要があります．ドレーンからの排液量や性状はもちろん，血液データやX線所見，末梢循環状態など総合的なデータからアセスメントをします．

患者ごとの適正血圧を考慮した管理を行いましょう

- 高血圧は人工血管吻合部からの出血，低血圧は人工血管内血栓形成のリスクが増します．残存瘤や偽腔開存がある場合，動脈瘤の拡大やさらなる解離の進行を予防するため，降圧療法が必要となりますが，大動脈解離の患者はもともと高血圧であることが多く，健常者よりも高い血圧でなければ尿量が維持できないこともあります．さらに，術後早期には低体温と交感神経の緊張による血管収縮に加えて，体外循環の使用によりさまざまなホルモンの分泌が促進され，血圧が上昇しやすい状態となります．解離の状態も含め，患者ごとの適正血圧を考慮した管理が必要となります．

末梢のチアノーゼは，単なる血液中の酸欠状態ではないものもあります

- 通常，四肢末梢にみられるチアノーゼは，血液中の酸素が欠乏した状態で出現しますが，血管術後にみられる皮膚の色調変化は，このようなチアノーゼとは異なるものがあります．大動脈瘤壁内にみられる粥状硬化または血栓が，術中操作により末梢動脈に流出し，遮断解除とともに末梢動脈塞栓症をひき起こすことや，残存解離の影響で四肢の循環不全をきたすことがあります．この場合にみられるチアノーゼ様の皮膚の色調変化は，blue toe 症候群③とよばれるものに起因する可能性があります．blue toe 症候群によるチアノーゼ様の色調変化は，通常のチアノーゼと異なり境界が明瞭で，疼痛をともなったり潰瘍形成する場合もあります．動脈の触知，チアノーゼの特徴，冷感の有無，知覚の有無，さらにこれらの所見に左右差があるかを観察し，末梢循環不全か塞栓によるものかアセスメントしましょう．塞栓の場合は，血液ガス分析での代謝性アシドーシスの進行をみとめる場合もあります．皮膚色調の変化の経時的な観察も重要になります．

③ **blue toe 症候群**
blue toe 症候群(BTS)は大動脈内，瘤内の微小栓子（コレステリン結晶）が播種状に足趾の末梢動脈に飛散し塞栓することで発症する病態である．足趾の症状は，軽症では数日で軽快することもあるが，腎臓，腸管，膵臓などの内臓にも微小塞栓症を併発することがあり，多臓器塞栓症の予後は不良となる．

Q 大動脈解離術後はせん妄を発症する患者が多いように思うのですが，なぜですか？

A せん妄発症の原因はさまざまですが，大動脈解離の手術を受ける患者は緊急症例であることや，長時間の人工心肺の使用，高齢，術中・術後の低灌流障害など，せん妄発症のリスクがとても高い状態であるといえます．さらに，心臓血管外科術後は他の手術後と比較し，鎮痛が不十分であるとPADISガイドライン④でも指摘されていました．術後の適正な鎮痛管理，早期離床，せん妄に対する早期の介入により，せん妄を悪化させないようケアに取り組むことが重要です．

④ PADISガイドライン
Clinical Practice Guidelines for the Prevention and Management of Pain, Agitation/Sedation, Delirium, Immobility, and Sleep Disruption in Adult Patients in the ICU（日本語訳：集中治療室における成人患者の痛み，不穏 / 鎮静，せん妄，不動，睡眠障害の予防および管理のための臨床ガイドライン）

Q 大動脈解離術後はARDS（acute respiratory distress syndrome：急性呼吸促迫症候群）をひき起こす可能性が高いと聞きましたが，なぜですか？

A 大動脈解離や手術の侵襲により血中に放出されたサイトカインの影響により，正常であった肺領域の毛細血管の透過性が亢進し，炎症細胞の浸潤が起こります．そのため肺がびまん性に傷害されARDSがひき起こされます．また，大動脈解離術後は，創部やドレーン挿入部の痛みのため，胸郭の柔軟性（コンプライアンス）が低下し，呼吸は浅く，咳嗽がしっかりできないことが多くあります．呼吸努力の低下や，大動脈解離後の炎症にともなう胸水貯留により，無気肺や肺炎などの呼吸器合併症も生じやすくなります．さらに，まれに術中操作や大動脈瘤による反回神経の圧排により反回神経麻痺が生じ，術後に誤嚥性肺炎をひき起こすこともあります．

大動脈解離術後の炎症反応上昇は，術後感染症か否か見きわめが重要です

● 手術創部に加え，鼠径部，鎖骨下部など体外循環用の送脱血管挿入部の創感染，肺炎や尿路感染などさまざまな感染症の合併に注意することはもちろんですが，急性大動脈解離発症後は血管の炎症，凝固線溶系の活性化から全身の炎症反応がひき起こされることもあります．大動脈解離の炎症反応なのか，合併症をひき起こしたのか，見きわめる必要があります．発熱の遷延，白血球数やCRPなどの血液データ，胸部X線の確認，創部の性状（排液の有無）などを観察し，術後感染症か否かの見きわめも重要です．

大動脈解離術後の離床は，残存解離や合併症など患者の病態を考えながらリハビリプログラムを進めましょう

- 大動脈領域におけるリハビリテーションはガイドラインで指針が示されてはいますが，病型や病態，合併症が多岐にわたり，リハビリテーションの適応や方法は定まったものがないのが現状です 表3 .

表3 大動脈疾患に対する心臓リハビリテーションの推奨とエビデンスレベル

		推奨クラス分類	エビデンスレベル
胸部	大動脈外科手術において，ADL や運動耐容能向上（合併症の抑制，在院日数の短縮，早期社会復帰）を目的として，運動療法や呼吸・嚥下リハビリテーションを行う	I	C
腹部	大動脈外科手術において，ADL や運動耐容能向上（合併症の抑制，在院日数の短縮，早期社会復帰）を目的として，運動療法や呼吸・嚥下リハビリテーションを行う	I	A

推奨クラスⅠ：手技・治療が有効・有用であるというエビデンスがある．あるいは見解が広く一致している．
エビデンスレベル A：複数のランダム化介入臨床試験またはメタ解析で実証されたもの
エビデンスレベル C：専門家および/または小規模臨床試験（後ろ向き試験および登録を含む）で意見が一致したもの

〔日本循環器学会：2021 年改訂版 心血管疾患におけるリハビリテーションに関するガイドライン（日本循環器学会/日本心臓リハビリテーション学会合同ガイドライン）. https://www.j-circ.or.jp/cms/wp-content/uploads/2021/03/JCS2021_Makita.pdf（2021 年 10 月閲覧）を参考に著者が作表〕

大動脈解離術後のリハビリテーションで注意すべきことは何ですか？

『心血管疾患におけるリハビリテーションに関するガイドライン』[7] によると，大血管術後は残存解離がない場合は基本的なプログラムを行い，残存解離がある場合は別個の対応が必要で，より厳重な血圧コントロールが必要であると示されています．残存解離がある場合は偽腔の血栓化などを評価しながら医師と相談し離床を進めるのがよいでしょう．

大動脈解離の術後急性期は，経腸栄養をしないほうがよいのですか？

腸管虚血を合併していなければ，早期に経腸栄養を導入しましょう．開心術後では，経腸栄養開始にともない，消化管血流の増加により血行動態が不安定となることから危惧される場合もあります．しかしながら大動脈解離の術後は心機能が

正常である患者が多いため，循環血液量の管理が十分に行われていれば，血行動態への影響もほとんどありません．胆汁うっ滞やバクテリアルトランスロケーションの予防も含め，経腸栄養の導入はできるだけ早く開始するのが望ましいでしょう．ただし，NOMI の合併など，腹部臓器への灌流障害がある場合は経腸栄養を行わず，高カロリー輸液管理となります．

おわりに

- 大動脈解離は循環のかなめである大血管の障害でひき起こされる疾患であるがゆえに，全身・多臓器への循環障害，灌流障害によりさまざまな合併症をともないます．そのうえ，急激に発症することで緊急性の高い症例も多く，術前の状態や重症度も多岐にわたり，症例間でもさまざまな病態をひき起こすことが特徴です．また，手術侵襲も大きいため，術後管理にはきめ細かい病態把握や大動脈解離術後に特有な観察が必要になります．大動脈解離の術後管理においては，いまだエビデンスが確立していないことも多くあります．個々の症例に応じた，柔軟なケアと観察が重要です．さらに，エビデンスの確立へ向け，各施設におけるデータの収集・分析や多施設共同研究なども今後の課題といえます．

参考文献

1）村井達哉：大動脈解離と突然死―東京都監察医務院における 1,320 例剖検例の統計的研究―．日法医誌 42：564-577，1988
2）田辺正樹，中野　赳：疫学．脈管学 48：13-18，2008
3）大北　裕：大動脈解離の予後，治療．脳卒中 30：447-449，2008
4）松尾　汎：大動脈解離の定義．脈管学 48：7-11，2008
5）Bojar RM 著，天野　篤 監訳："心臓手術の周術期管理"．メディカル・サイエンス・インターナショナル，pp217-268，2008
6）日本循環器学会：2020 年改訂版 大動脈瘤・大動脈解離診療ガイドライン（日本循環器学会/日本心臓血管外科学会/日本胸部外科学会/日本血管外科学会合同ガイドライン）．https://www.j-circ.or.jp/cms/wp-content/uploads/2020/07/JCS2020_Ogino.pdf（2021 年 10 月閲覧）
7）日本循環器学会：2021 年改訂版 心血管疾患におけるリハビリテーションに関するガイドライン（日本循環器学会/日本心臓リハビリテーション学会合同ガイドライン）．https://www.j-circ.or.jp/cms/wp-content/uploads/2021/03/JCS2021_Makita.pdf（2021 年 10 月閲覧）
8）Committee for Scientific Affairs, The Japanese Association for Thoracic Surgery, Shimizu H, Okada M, et al. Thoracic and cardiovascular surgeries in Japan during 2018：Annual report by the Japanese Association for Thoracic Surgery. Gen Thorac Cardiovasc Surg 69（1）：179-212, 2021

（大森さゆり，佐藤 麻美）

先天性心疾患の術後管理

～10の病態別に術後管理をマスターして，全体像を把握しよう！～

- 術後管理を，疾患別ではなく，病態別に10のタイプに分けて特徴をまとめた.
- 全体像が把握できるよう，基礎・総論から説明し，各タイプの病態の比較もしている.
- 適切な“重症感”や“怖さ”を理解したうえで術後管理できるよう，各タイプの重症度を記載した.

はじめに

- 先天性心疾患の術後管理は,「小さい」「わからない」「難しい」から「なんとなく怖い」というイメージをもたれているかもしれません．また，多くの書籍が疾患別に解説されていますが，先天性心疾患はたくさんの疾患と術式があり，バリエーションが非常に多いため，先天性心疾患全体を把握することは「頂上が見えない高い山を登ること」のように思われているかもしれません.
- 先に何があるのかわからない道を進むのが怖いように，術後管理もどの病態でどういう急変が起こりうるのかがわからなければ不安です．しかし「この先はこういう道になっているのでこういう注意をしよう」というのがわかっていれば先に進みやすいように，この病態では術後どうなるか，悪くなる前にどういう前兆があるのか，悪くなったらどうすればいいのかを知っていれば，不安は少なくなります.
- この章の解説では，おもな疾患の術後管理を網羅し，全体像が把握できるように，**術後管理を，疾患別ではなく，病態別に10のタイプに分けて，それぞれの特徴をまとめました**．各タイプの，術前・術後の病態生理，術前・術式のチェックポイントと想定される術後経過，術後管理の注意点，治療について記載しています.
- 同じ術式でも疾患によって病態が異なるもの（例えば，同じBTシャントでもファロー四徴症と，Fontan適応症例では病態が異なる）は別のタイプに分けて記載し，それぞれの病態を比較することでより理解が深められるようにしています.
- また，**各タイプの術後管理の重症度も記載しました**．先が開けた広い道か，両脇が断崖絶壁の細い道か，道の危険度を事前に知っておく，つまり，適切な“重症感”や“怖さ”を知ったうえで術後管理をすることが重要です．

- 内容は術後急性期，とくにICUでの術後管理を中心に記載しています．術後管理に焦点をあてるため，手術の術式については詳しく記載していませんので成書をご参照ください．
- **先天性心疾患は，成人の心疾患よりも手術成績における周術期管理の比重が大きいです**．だからこそやり甲斐があると思います．一人でも多くの医療スタッフが，先天性心疾患の術後管理に興味をもち，より理解し，先天性心疾患の手術成績が向上することを祈っています．

先天性心疾患の術後管理をする前に 成人とは全く違う，知っておくべき 3 つのことがあります

血行動態は「オームの法則」と同じ！

- 中学校の理科で習う「電圧（E）＝抵抗（R）×電流（I）」という「オームの法則」を覚えていますか？ 「突然，先天性心疾患の術後管理の話と何の関係が？」と思われるかもしれませんが，これがすべての基本で，実は血行動態もこのオームの法則と同様の理論で成り立っているのです．

正常は「直列回路」なので「Qp（肺血流量）＝Qs（体血流量）」つまり「Qp/Qs（肺体血流比）＝1」ということを押さえておきましょう

- 図 1 のとおり，「血圧」「血管抵抗」「血流量」の関係は，オームの法則と同じです．また，正常は肺循環と体循環の 2 つの循環が一方通行の**「直列回路」**になっています．つまり，「肺血流量（Qp）」と「体血流量（Qs）」は同じであり（Qp＝Qs），**「肺体血流比（Qp/Qs）＝1」**になります．この**「肺体血流比（Qp/Qs）」**が，先天性心疾患を理解するために，とても重要です．

先天性心疾患のほとんどが「肺血流量（Qp）＝体血流量（Qs）」ではありません

- 先天性心疾患は，成人の心疾患と違い，心臓の中に穴（シャント）があったり，心房・心室・大血管の位置関係に異常があったりするため，肺血流と体血流が混ざり合い，血流量に偏りが生じます．この血流量の偏りを表す値が**「肺体血流比（Qp/Qs）」**です 表 1 ．シャントがなければ「肺

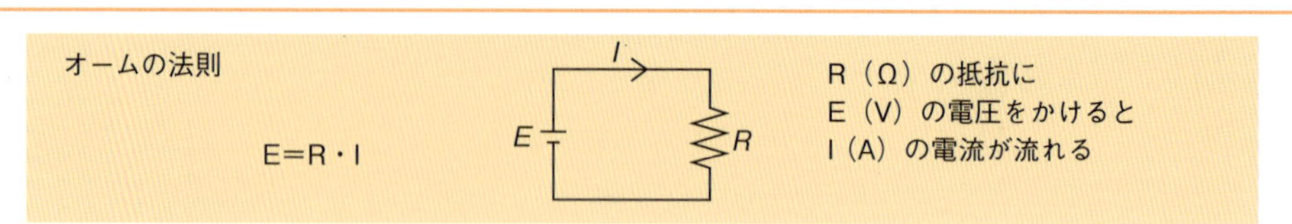

「血圧」「血管抵抗」「血流量」の関係はオームの法則と同じ！

E：電圧＝血圧（P：Pressure）
R：抵抗＝血管抵抗（R：Resistance）
I：電流＝血流量（Q：Quantity，Flow）

P（血圧）＝R（血管抵抗）・Q（血流量）

身体の中には肺循環（pulmonary circulation）と体循環（systemic circulation）の2つの循環があるため，それぞれに「p」と「s」をつけて下記のように表記．

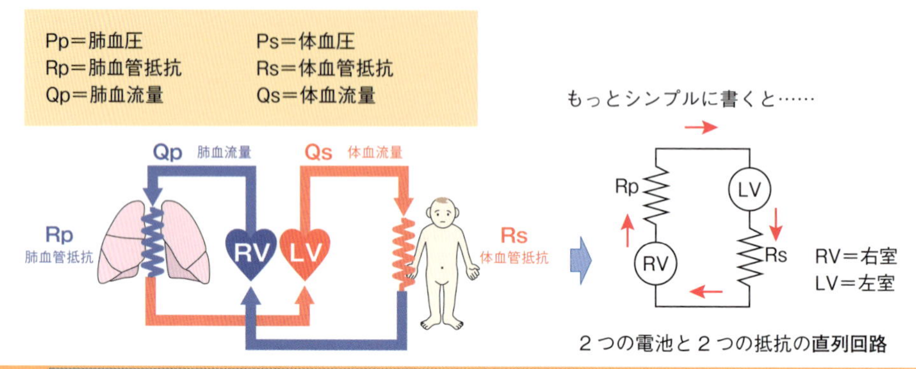

図1 オームの法則と血行動態の関係

表1 肺体血流比（Qp/Qs）について

肺体血流比（Qp/Qs）	
Qp/Qs＞1	肺血流量が，体血流量より多い
Qp/Qs＝1	肺血流量と，体血流量が同じ
Qp/Qs＜1	肺血流量が，体血流量より少ない

血流量（Qp）＝体血流量（Qs）」でQp/Qs＝1です．しかし，**先天性心疾患では，ほとんどの症例で何らかのシャントがあるため，Qp/Qs＝1ではない，**というのが成人の心疾患との1つ目の違いです．

- 肺血流量が体血流量より多いと値は1より大きくなり，少ないと値は1より小さくなります（表1）．手術の前後の血行動態の変化を理解するために，**どの疾患，どの病態で，Qp，Qsがどう変化かするか？　を知ることが重要です．**

先天性心疾患では，心室が1つ分しか使えない症例があります

- 成人の心疾患との違いの2つ目は，通常は右室と左室の2つの心室が

ありますが，先天性心疾患のなかには，心室がそもそも1つしかない疾患（解剖学的単心室症）や，片方の心室が非常に小さい，2つ心室はあるけれど2つに分割して修復することが難しいなど，心室が1つ分しか使えない疾患（機能的単心室症）が多々あります．例えば，左心低形成症候群（hypoplastic left heart syndrome：HLHS）や三尖弁閉鎖症（tricuspid atresia：TA），左室性単心室症（single left ventricle：SLV），右室性単心室症（single right ventricle：SRV）ほか，両大血管右室起始症（double outlet right ventricle：DORV）の一部などです．

- 先天性心疾患の手術の目的は，**循環回路を“直列回路”にしてチアノーゼをなくし**，心機能を維持してよりよい生活が送れるようにすることです．
- 使える心室が2つ分あれば，通常と同じ循環になる**「2心室修復（biventricular repair：BVR）＝解剖学的修復」**が可能です．しかし，使える心室が1つ分しかない場合，1つ分の心室を体循環のための体心室とし，肺循環のための心室がない循環にします 図2 ．この**肺循環のための心室がない循環を「Fontan循環」**とよび，この循環にするための手術を**「Fontan（型）手術」**[①]または**「右心バイパス術」**といいます．2心室修復に対して，Fontan手術のことを**「1心室修復（univentricular repair：UVR）＝機能的修復」**とよびます 表2 ．

① Fontan（フォンタン）手術
詳細についてはp.189を参照．

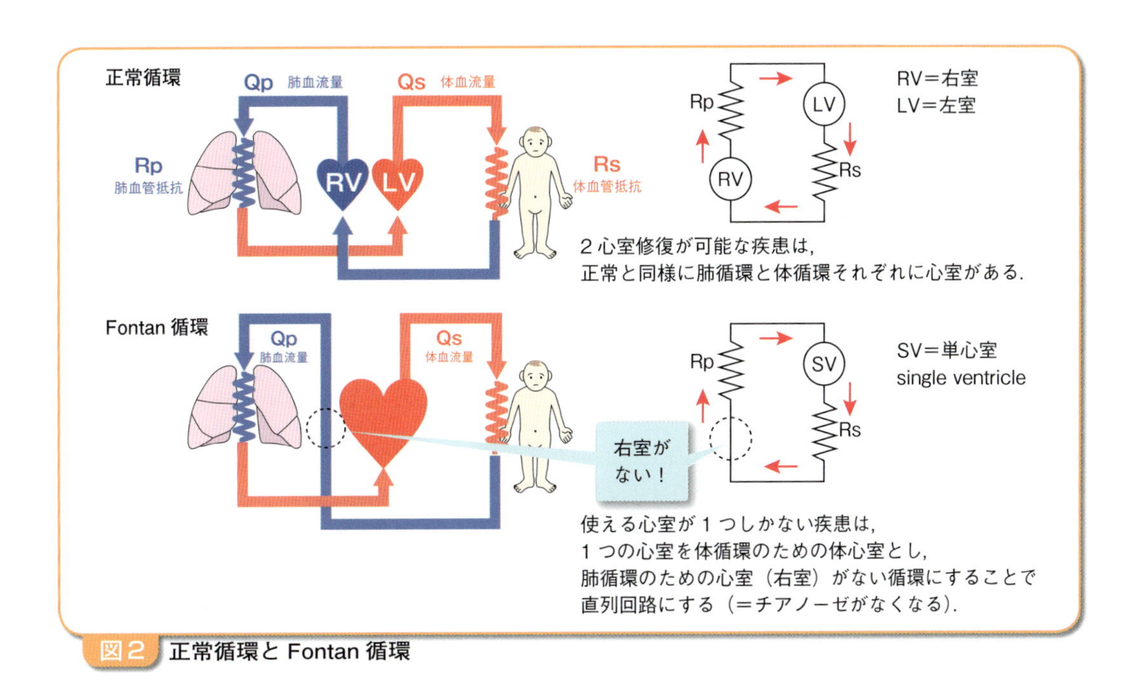

図2 正常循環とFontan循環

表2 2心室修復と1心室修復

使える心室が2つ	2心室修復（biventricular repair：BVR）または 解剖学的修復
使える心室が1つ	1心室修復（univentricular repair：UVR）または 機能的修復 →Fontan（型）手術＝右心バイパス術

表3 段階的手術（staged operation）

姑息手術	現在は「修復術」をより良い状態で行うための準備の手術
修復術	2心室または1心室修復により，基本的にチアノーゼがなくなる手術 最近は患者が完治したと誤解しないよう「根治術」とよばない方向に

チアノーゼのない修復術に至るまでに，複数回の手術が必要な症例があります

- 成人の心疾患との違いの3つ目は「複数回に分けて段階的に手術を行うことがある」ということです．大血管手術などでも複数回に分けることがありますが，先天性心疾患では，計画的に複数回行う**段階的手術（staged operation）**を基本方針とする疾患が多くあります．段階的に行う理由は，身体が小さく，一回で手術をするのが難しかったり，最終的な手術を良い条件でするための準備手術が必要だったりとさまざまです．
- 小児心臓血管外科の黎明期は，多くの疾患で修復術が確立しておらず，「姑息的に，その場をしのぐために」，チアノーゼや心不全を改善する手段として，体肺動脈シャントや肺動脈絞扼術などの**姑息手術（palliative operation）**が行われていました 表3 ．
- しかし，現在ほとんどの疾患で修復術が確立し，「姑息手術」として行われてきた手術は，あくまで姑息的ではなく，修復術をより良い状態で行うための準備の手術という位置づけになりました．「姑息的」というと患者にはネガティブな意味にも取られる可能性もあるため，「準備手術，前段階手術」と説明したほうがよいかもしれません．

先天性心疾患の術後遠隔期の問題が明らかになり，「根治術」とはよばず「修復術」とよぶようになってきています

- 先天性心疾患の治療の劇的な進歩により，現在では多くの患者が手術を乗り越えて成人に達するようになりました．しかし，長期遠隔期に達した患者の増加とともに，疾患や手術によっては長期遠隔期にさまざまな問題が生じることが明らかになりました．
- 以前は最終手術を「根治術（definitive repair）」とよんでいましたが，「根治術」といわれて手術をした患者は「もう完治した」と思い込み，フォ

ローアップの必要があるにもかかわらず病院に通わなくなり，遠隔期に起きる問題によってかなり状態悪化してから病院に来られることが多々あります．このため，**最近では「根治術」といわず「修復術」といい，**フォローアップの必要性についても説明するようになっています（表3）．

病態別 術後管理の 10 のタイプ

- 先天性心疾患は，専門書に載っている疾患でも少なくとも 20〜30 種類あります．また，1 人の症例に「両大血管右室起始症（DORV），心室中隔欠損症（ventricular septal defect：VSD），肺動脈閉鎖（pulmonary atresia：PA）……」のように複数の診断名がついていることが多く，そのバリエーションは非常に多岐にわたります．しかも，同じ「両大血管右室起始症（DORV）」でも症例によって全く違う手術になるなど，疾患や術式別に術後管理を理解するには時間を要します．これを解決すべく，**全体像が把握できて，かつ網羅的に術後管理がマスターできるように，先天性心疾患の術後管理を「10 タイプ」に分類しました**．なるべく頻度の多い疾患の術後管理は網羅するようにしましたが，比較的頻度の少ない疾患や，シャントのない先天性大動脈狭窄症，僧帽弁閉鎖不全症・狭窄症，肺動脈弁狭窄症などについては記載していませんので，ご了承ください．

先天性心疾患は「チアノーゼがあるか？　ないか？」「肺血流量が増えているか？　減っているか？」で分類されます

- 先天性心疾患は，**①チアノーゼの有無，②肺血流量の増減**で大きく分類されます．チアノーゼのない**「非チアノーゼ性心疾患」は基本的に肺血流量は増加するため**（Eisenmenger 症候群②の場合を除いて），表 4 のように，**3 つ**のグループに分類されます．

② **Eisenmenger（アイゼンメンジャー）症候群**
高肺血流量の状態が続くと肺高血圧が進行し，肺動脈圧が大動脈圧を上回ることで右→左シャントとなり，チアノーゼが生じる病態．

表 4　先天性心疾患の分類

		①チアノーゼ	
		あり （チアノーゼ性心疾患）	なし （非チアノーゼ性心疾患）
②肺血流量	増加	完全大血管転位症（Ⅰ型） 総肺静脈還流異常症 左心低形成症候群　など	心房中隔欠損症 心室中隔欠損症 房室中隔欠損症 動脈管開存症
	減少	ファロー四徴症 完全大血管転位症（Ⅲ型）など	

ポイント：非チアノーゼ性心疾患は肺血流量増加タイプのみ

各疾患の手術の流れと手術タイミング：非チアノーゼ性心疾患

- まず全体像を把握しましょう．おもな疾患の手術の流れと手術のタイミングを大まかにまとめたものが，図３と図４になります（施設間で治療方針が異なるため，必ずしもこのとおりでないこともあります）．
- 図３は**非チアノーゼ性心疾患**のグループに含まれる，動脈管開存症（patent ductus arteriosus：PDA），心房中隔欠損症（atrial septal defect：ASD），心室中隔欠損症（VSD），房室中隔欠損症（atrioventricular septal defect：AVSD）といった頻度の高い疾患の手術の流れです．手術のタイミングは診断・発症時期や，重症度によって違いますが，**このグループの疾患のほとんどの症例が手術は１回だけ（修復術のみ）**になります．一部の肺高血圧をともなう症例のみ，姑息（準備）手術として肺動脈絞扼術（PAB）[3]を施行した後に，体重増加を待って段階的に修復術を行います．
- このグループの疾患の特徴は，**心臓の形態はほぼ正常**で，右房-左房，右室-左室，大動脈-肺動脈の間のどこか（または複数）に穴があるだけなので，**ほとんどの症例は２心室修復（解剖学的修復）**です．
- 非チアノーゼ性心疾患の術後管理の病態で分類すると，次に挙げる２つのタイプになります．詳細は記載のページをご参照ください．

③ **肺動脈絞扼術（PAB）**
pulmonary artery banding. p.164を参照.

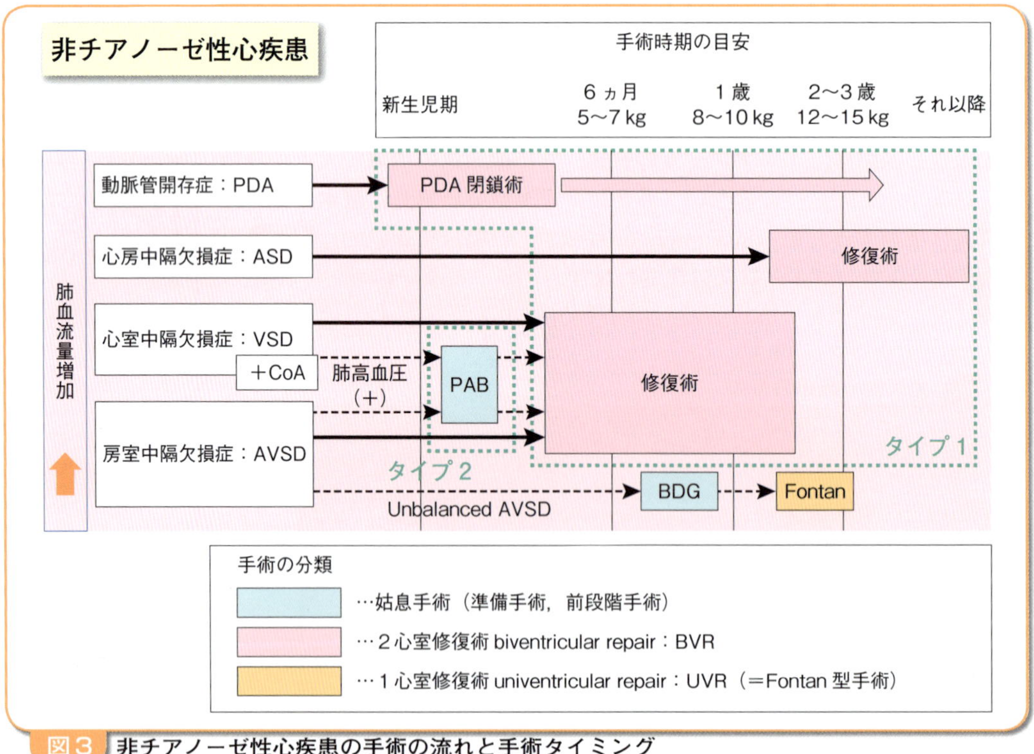

図３ 非チアノーゼ性心疾患の手術の流れと手術タイミング

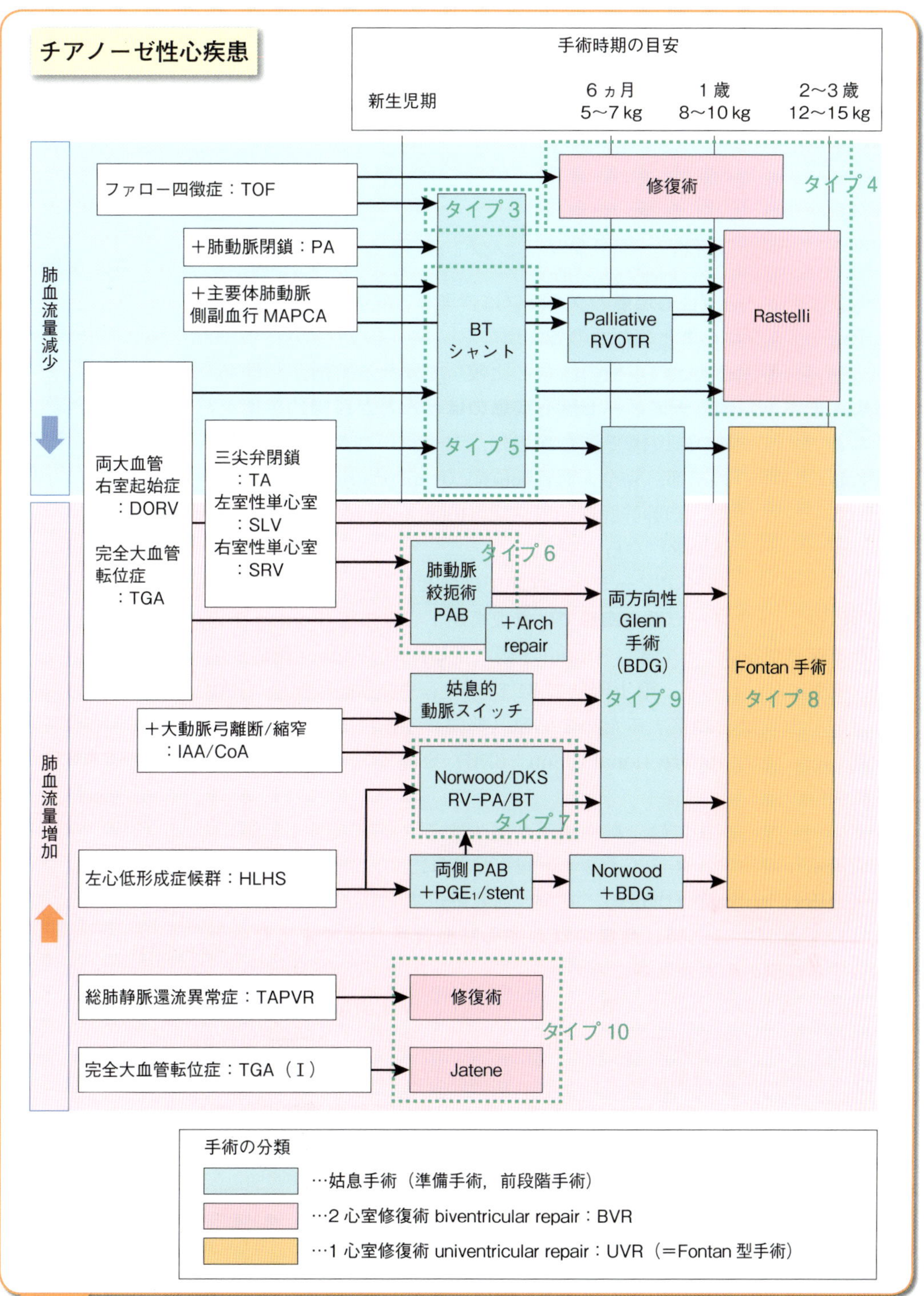

図4　チアノーゼ性心疾患の手術の流れと手術タイミング

術後管理の病態タイプ

タイプ1：非チアノーゼ性心疾患に対する2心室修復術後（→ p.159）
タイプ2：2心室修復術適応症例に対する肺動脈絞扼術後（→ p.164）

各疾患の手術の流れと手術タイミング：チアノーゼ性心疾患

- 図4 は**チアノーゼ性心疾患**のグループに含まれる疾患の，手術の流れと手術タイミングをまとめたものです．
- 非チアノーゼ性心疾患の手術の流れと比較して異なる特徴が2つあります．まず1つは，**チアノーゼ性心疾患のほとんどが段階的手術**を行うことです．1回の修復術で済む疾患は，ファロー四徴症（tetralogy of Fallot：TOF）の一部，完全大血管転位症（transposition of the great artery：TGA）I型，総肺静脈還流異常症（total anomalous pulmonary venous return：TAPVR）ぐらいです．
- 2つ目の違いは，非チアノーゼ性心疾患ではほとんどが2心室修復であるのに対し，**チアノーゼ性心疾患では修復術が1心室修復（Fontan手術）になる疾患が多い**ことです．Fontan手術に至る症例（Fontan適応症例）は，疾患にかかわらず，第1段階のBTシャントや肺動脈絞扼術（PAB）などの肺血流量を調整するための姑息（準備）手術，第2段階の両方向性Glenn手術（bidirectional Glenn：BDG）を経て[4]，最後にFontan手術を行います．
- チアノーゼ性心疾患には，肺血流量が減少するタイプ（図4上側）と肺血流量が増加するタイプ（図4下側）があります．注目すべき点は，両大血管右室起始症（DORV），完全大血管転位症（TGA），三尖弁閉鎖症（TA）などでは，**同じ疾患のなかでも肺血流量が増加する症例と，減少する症例の両方があること**です．
- そして，第1段階の姑息（準備）手術として，肺血流量が減少する症例では，肺血流量を増加させる「BTシャント」を行い，肺血流量が増加する症例は肺血流量を減少させる「肺動脈絞扼術（PAB）」を行います 図5．つまり，**疾患にかかわらず，個々の症例の肺血流量の増減に**

④ **両方向性Glenn手術**
p.193参照．

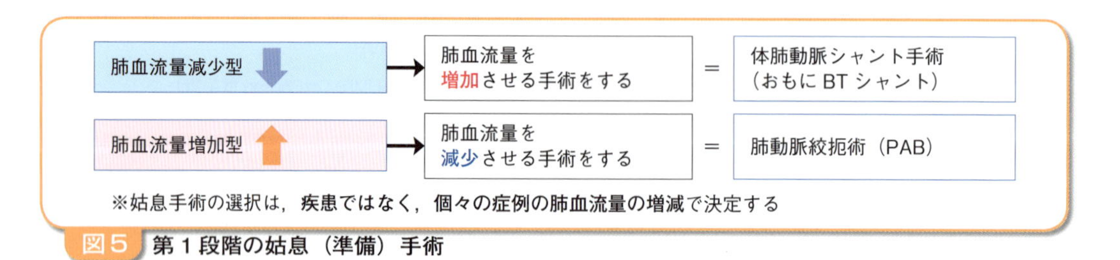

図5 第1段階の姑息（準備）手術

よって姑息（準備）手術の治療方針が決まることになります．

- 非チアノーゼ性心疾患のおもな術後管理を病態で分類すると，以下の 8 つのタイプになります．詳細は記載のページをご参照ください．

術後管理の病態タイプ

タイプ 3：ファロー四徴症に対する BT シャントの術後（→ p.167）

タイプ 4：ファロー四徴症に対する修復術の術後（→ p.172）

タイプ 5：Fontan 適応症例に対する BT シャントの術後（→ p.174）

タイプ 6：Fontan 適応症例に対する肺動脈絞扼術後（→ p.180）

タイプ7：Norwood/DKS 手術＋RV-PA/BT シャント手術後（→ p.183）

タイプ 8：Fontan 手術後（→ p.189）

タイプ 9：両方向性 Glenn 手術後（→ p.193）

タイプ 10：新生児期の一期的修復術後（→ p.197）

タイプ 1：非チアノーゼ性心疾患に対する修復術の術後　重症度★

“非チアノーゼ性心疾患”を理解して，先天性心疾患の 3/4 をまず押さえましょう

- 心房中隔欠損症（ASD），心室中隔欠損症（VSD），房室中隔欠損症（AVSD），動脈管開存症（PDA）に代表される**非チアノーゼ性心疾患は，先天性心疾患の約 80 %を占めます** 図6．前ページで出てきたような複雑なチアノーゼ性心疾患は残りの約 20 %であり，疾患の頻度は多くありません．
- 非チアノーゼ性心疾患の特徴は，心房，心室，大血管の間いずれか（ま

病　名	頻　度
心室中隔欠損症	34.2%
心房中隔欠損症	19.4%
動脈管開存症	10.3%
肺動脈（弁）狭窄症	8.4%
ファロー四徴症	4.3%
房室中隔欠損症	2.7%
大動脈縮窄症	2.3%
両大血管右室起始症	2.3%
大動脈（弁）狭窄症	1.8%
完全大血管転位症	1.8%
単心室症	1.5%
総肺静脈還流異常症	1.1%
左心低形成症候群	0.9%
三尖弁閉鎖症	0.6%

非チアノーゼ性心疾患
↓
先天性心疾患全体の約 80%

図6 先天性心疾患の内訳
（日本小児循環器学会 2016 年 新規発生先天性心疾患・希少疾患サーベイランス調査結果より作成）

たは複数）に交通があるだけで，心房，心室，大血管の位置関係には異常はありません．

非チアノーゼ性心疾患は，基本的に肺血流量（Qp）が増加します．そして，肺体血流比（Qp/Qs）が大きいほど重症で，肺高血圧をきたします

- 非チアノーゼ性心疾患の特徴は，体循環と肺循環の間のどこかに交通があり，血圧の高い（＝血管抵抗の高い）体循環から血圧の低い（＝血管抵抗の低い）肺循環へ，つまり，左心系から右心系に左→右シャントをきたします．酸素化された血液の流れる体循環から，静脈血の流れる肺循環に血液がシャントするため，①**チアノーゼは生じず**，②**肺血流量は増加する**，という共通する特徴があります 図7．
- 正常では，Qp（肺血流量）＝Qs（体血流量），Qp/Qs（肺体血流比）＝1ですが，非チアノーゼ性心疾患ではQpが増えてQsは減るため，「Qp/Qs＞1」になります．図7のように，**シャントする血流量が多くなるほど肺血流量（Qp）は多くなり，肺体血流比（Qp/Qs）の数値が大きくなるほど重症です．非チアノーゼ性心疾患では，肺体血流比（Qp/Qs）が手術適応の一つの指標となっています．**
- Qp/Qsが大きいと，肺動脈に過剰な血流が流れることで，肺の血管壁が傷んで肥厚し，肺高血圧をきたします．肺高血圧になっても，早期に手術をすれば可逆的で術後しばらくすれば正常化しますが，長期間経つと不可逆的になり，手術適応から外れることもあります．
- 長期間，肺高血圧の状態が続くと，徐々に悪化して肺動脈圧が大動脈圧（血圧）より高くなることがあります．肺動脈圧が血圧より高くなり，

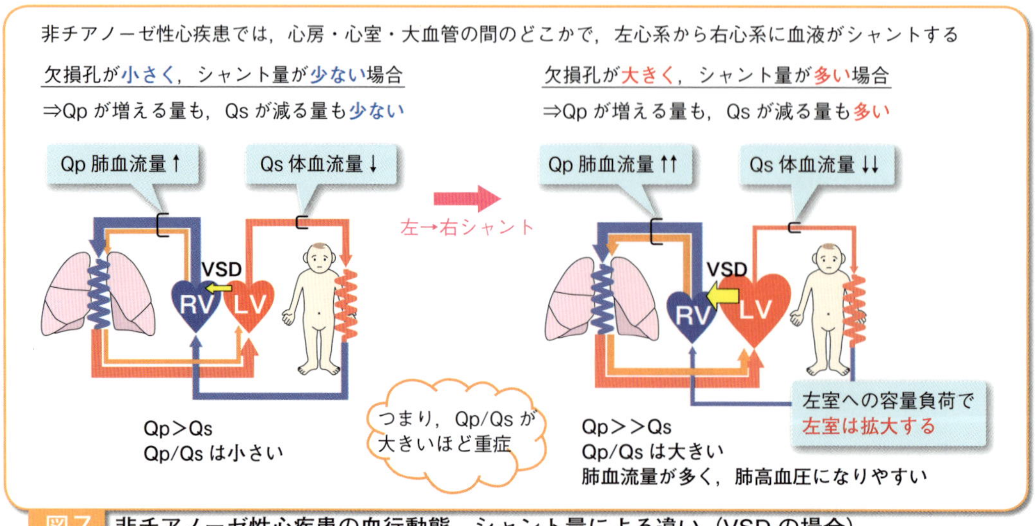

図7 非チアノーゼ性心疾患の血行動態，シャント量による違い（VSDの場合）

チアノーゼが生じる状態をEisenmenger（アイゼンメンジャー）症候群⑤といい，この状態になると肺高血圧は不可逆的で手術は困難です．

⑤ **Eisenmenger（アイゼンメンジャー）症候群**
注②参照

おもな疾患の特徴や治療方針と，血行動態の変化を理解しましょう

● 心房中隔欠損症（atrial septal defect：ASD）図8は，肺血流量は増加しますが，左房からASDを介して右房に血液は還流するため，通常**左室は拡大しない**のが特徴です．このため術後に左室容量負荷が増加し，左心不全をきたすことがあるため，積極的なマイナスバランスで管理します．

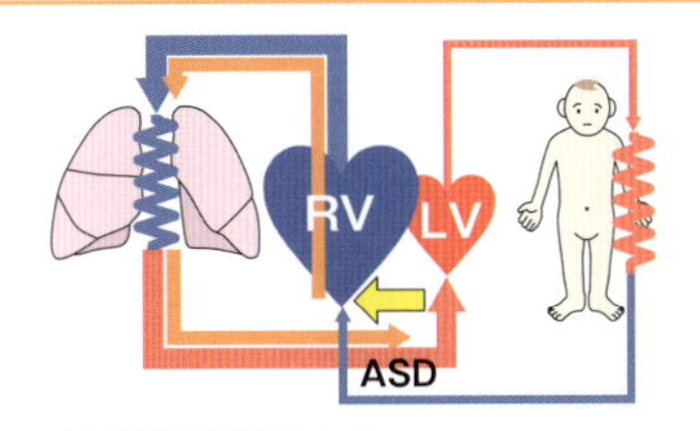

図8 ASDの血行動態

● 房室中隔欠損症（atrioventricular septal defect：AVSD）図9は，不完全型の血行動態はASDとほぼ同じで，完全型でもVSDを介して左室から右室へシャントするため，右房，右室，左房は拡大しますが，通常**左室は拡大しません**．体重増加不良で，心不全コントロール不良の場合は，早期に肺動脈絞扼術（PAB，p.164参照）が必要な症例があります．房室弁逆流をともなうことが多く，また，形態的な特徴から，左室流出路狭窄をともなう場合があります．またまれに心室のどちらかが低形成のためにFontan適応症例となる場合もあります．

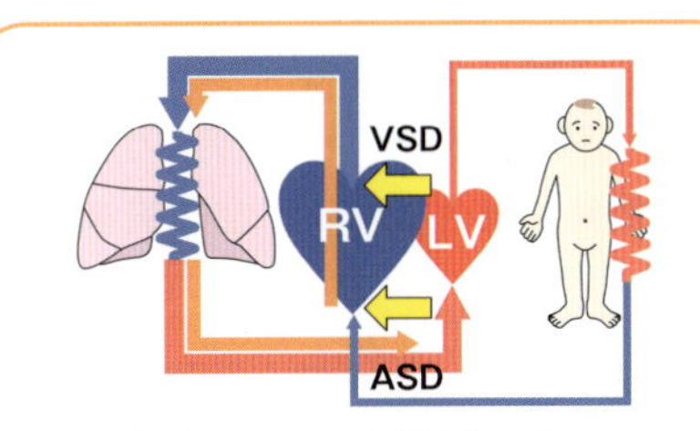

図9 AVSDの血行動態

● 心室中隔欠損症（ventricular septal defect：VSD）（図7）は，シャント量が多いほど左室に容量負荷がかかって**左室は拡大**し，心機能低下や左室拡大にともなう僧帽弁逆流を呈することもあります．欠損孔が大きく，体重が2〜3 kgで心不全コントロール不良の場合は，早期に肺動脈絞扼術（PAB）が必要ですが，欠損孔が小さい場合は，自然閉鎖を期待して経過観察となる場合もあります．

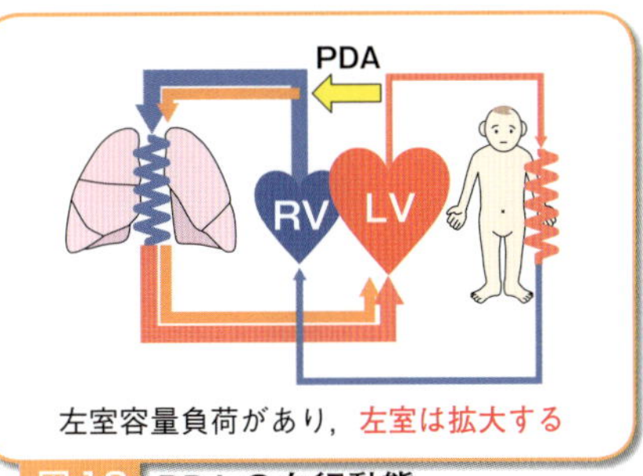

図10 PDAの血行動態

● 動脈管開存症（patent ductus arteriosus：PDA）図10は低出生体重児に多く，発生頻度は極低出生体重児（1,000〜1,500 g未満）で34％，超低出生体重児（1,000 g未満）で48％とされています．PDAは拡張期も収縮期も圧較差が大きいため連続性雑音を聴取します．新生児期に高肺血流量にともない**左室が拡大**して心不全を呈する場合，腎機能障害がなければインダ

シン®投与でPDAの閉鎖を試みますが，インダシン®でPDAの縮小をみとめない場合や，腎機能障害の進行があれば，外科的閉鎖の方針になります⑥．ほとんどの症例は左側開胸でクリップまたは結紮による閉鎖が可能です．成人期に発見された場合，PDAの石灰化をみとめることが多く，通常は人工心肺下に肺動脈側から閉鎖を行います．新生児期〜乳児期に心不全をきたさなかった症例では，カテーテル治療による閉鎖を検討します．近年，新しいデバイスにより，施設によっては体重2.5 kg未満でもカテーテル治療による閉鎖が可能な場合があります．

⑥ **インダシン**
一般的に解熱鎮痛薬として使用されているが，動脈管の収縮効果があり，わが国において唯一動脈管治療としてみとめられている薬．副作用として，腎機能不全がある．

術前に肺高血圧のある症例は注意！　術後，もっとも怖いのは「PH crisis」！

- 非チアノーゼ性心疾患に対する2心室修復術の術後管理のポイントをまとめると表5の通りです．
- 前述のとおり，Qp/Qsの多い症例は時間が経つと**肺高血圧**になります．修復術をすればQp/Qs＝1になりますが，生後しばらく過大な血流量にさらされて傷んでしまった肺血管はすぐには改善せず，術後「**PH crisis（肺高血圧クリーゼ）**」を起こすことがあります図11．**PH crisisが重篤な場合は循環不全に陥るため，術前に肺高血圧がある場合は術後**

表5　非チアノーゼ性心疾患に対する2心室修復術の術後管理のポイント

術前・術式のチェックポイント	術後管理の注意点，予測される経過，想定されるリスク，治療など
術前肺高血圧の有無（最重要）	・術前のカテーテル検査で，**肺血管抵抗（Rp）**や**平均肺動脈圧（mean PAP）**の高値をみとめる場合は，**術後PH crisisを起こす可能性が高い**．とくに21-trisomyなどの染色体異常の症例では，肺高血圧への進行が早く，術後PH crisisを起こしやすい．
左室容量，心機能	・ASD，AVSDは，術前の左室容量負荷が少なく，術後の左室容量負荷の増加が心不全の原因になる．積極的にマイナスバランスで管理． ・VSD，PDAは，術前の左室容量負荷が多く，術後は左室容量負荷が減るため拡張末期容積（LVEDV）は小さくなるが，収縮末期容積（LVESV）は急性期は変化しないため，術後心機能（EF）は低下する． ・術後心膜炎（全誘導でST上昇）や**心タンポナーデ**に注意する．
房室弁の逆流の有無	・とくにAVSDで房室弁逆流がある場合，術後逆流の残存があれば，積極的に後負荷軽減を行う． ・とくに乳児期早期の弁形成は形成した糸による弁の断裂などで急激に悪くなることもあり，エコーで経時的変化を確認する．
術後残存シャントの有無 術後房室ブロック	・VSD閉鎖時に，房室ブロックを避けるため，やむをえずシャントが残る場合がある．シャント量が多ければ左室容量負荷，心不全の原因になる． ・術後の房室ブロックは，心機能低下の原因となる．
肺動脈絞扼術後の修復術	・肺動脈狭窄の残存（狭窄解除が不十分，絞扼するテープのズレによる左右肺動脈狭窄）が右室圧上昇，三尖弁逆流の原因になる．

PH crisis（肺高血圧クリーゼ・クライシス，肺高血圧発作）

術後に急激な肺血管の攣縮から循環不全に至る**重篤な病態**．術前に肺高血圧をみとめる症例で起きやすい．いったん循環不全に陥ると救命すら難しい場合もあり，**発作を起こさせないことが重要**．

PH crisis を起こしやすい病態

- 非チアノーゼ性心疾患で，術前に高肺血流による肺高血圧（Pp/Ps＞0.7），肺血管抵抗（Rp）高値が指摘されている症例（とくに 21-trisomy などの染色体異常症例），カテーテル検査で酸素負荷またはトラゾリン負荷試験で肺血管抵抗の低下のない症例
- 肺血管の低形成（PA index＜200），左右の肺血流量の不均衡が著明な症例
- 高圧系から直接肺動脈が分岐する疾患〔主要体肺動脈側副動脈（MAPCA），右肺動脈上行大動脈起始症など〕

肺高血圧をきたした肺動脈の組織学的変化

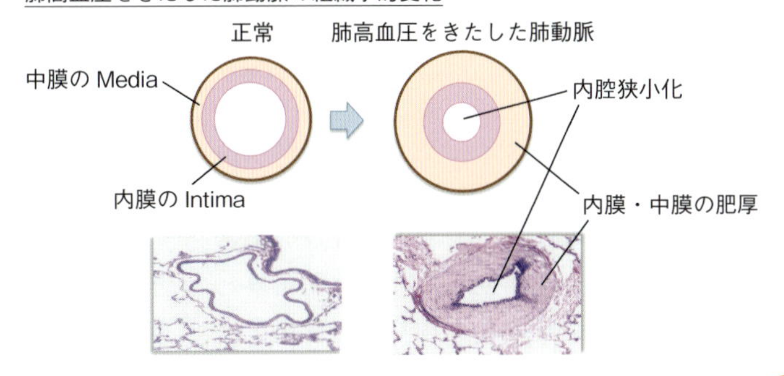

PH crisis の予防と治療

人工心肺の肺への影響で
酸素化が悪くなり
術中の麻酔薬の影響が切れる
「丑三つ時（AM2 時頃）」に
PH crisis は起きやすい！

肺動脈の中膜の肥厚
内膜の線維性増殖　⇒刺激に対する易攣縮性

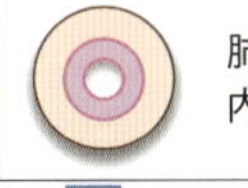

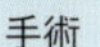

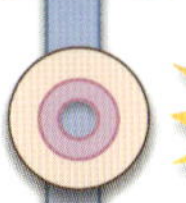

原因・契機　低酸素血症，高炭酸血症，アシドーシス，交感神経刺激
気管内吸引，覚醒・不穏，疼痛など

予防・治療
1　肺血管の拡張
　酸素投与，PO_2 高め，肺血管拡張薬の投与
　一酸化窒素（NO）吸入療法，アシドーシスの補正
2　肺血管への刺激・交感神経賦活化の回避
　気管内吸引は必要最小限
　十分な鎮静，急激な覚醒や怒責を予防する

悪化の徴候

酸素化不良→SpO_2，PaO_2↓
肺動脈圧の上昇による右心負荷の増大→PAP，CVP 上昇
右室の拡大による左室の圧迫→血圧低下，尿量減少

心拍出量低下，血圧低下，重篤な低酸素血症，冠血流量低下

RVP＞＞LVP になる

PH crisis が起こってしまったら……

PH crisis

1　肺血管の拡張	＋	2　鎮静	＋	3　心肺蘇生
100％酸素で換気		筋弛緩薬		強心薬
血管拡張薬（NTG）		鎮静薬		胸骨圧迫
NO 吸入療法				補助循環

図11　PH crisis の病態，予防と治療

PH crisis になる可能性を認識し，予兆に気づいて早期介入することがもっとも重要です（図 11）.

- 術後の水分バランスは，Qp/Qs が減った分の循環血漿量が，術後左心系の容量負荷になるため，積極的に利尿薬を使用し，マイナスバランスで管理します.

タイプ 2：非チアノーゼ性心疾患に対する肺動脈絞扼術の術後 重症度★

非チアノーゼ性心疾患では，ほとんどが修復術 1 回のみですが，1 回で手術が難しい場合に，肺動脈絞扼術を行ってから修復術を行います

- 非チアノーゼ性心疾患のグループの症例は，ほとんどが 1 回で修復術が可能ですが 図 12，身体が小さく，1 回では修復術が難しい場合（欠損孔が大きいために心不全コントロールが難しく，体重が増えない場合など）や，染色体異常（21-trisomy など）で早期から肺高血圧をみとめる場合は，増加している肺血流量をコントロールして肺血管床を保護し，体重が増えてから比較的安全に手術ができるというメリットなどから，修復術をする前に**肺動脈絞扼術**（**pulmonary artery banding：PAB**）を行います.
- PAB のデメリットとしては，手術の回数が 2 回になること，修復術時の癒着や，PAB を行った部分に肺動脈狭窄が残存する可能性があること，PAB 後に心室の圧負荷が増大し房室弁逆流が悪化する場合があることや，房室弁の二次的変性の可能性があることなどが挙げられます.
- PAB 後長期間待つと，体重の増加にともなって相対的に肺動脈の狭窄が進行し，房室弁の二次的変性などのデメリットが強くなります.

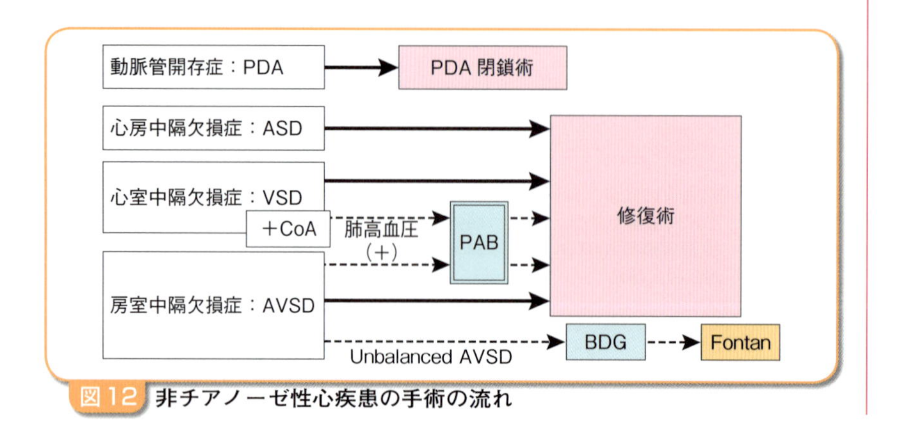

図 12 非チアノーゼ性心疾患の手術の流れ

血流説(flow theory)に基づくと，肺動脈絞扼術が必要な症例は大動脈弁・弁下，上行大動脈～大動脈弓部が細いことがあります

- 胎生期の心臓や大血管の発生の段階で，大動脈と肺動脈の血流量がどちらかに偏ると，血流が多いほうが太くなり，少ないほうが細くなるとされています．例えば，肺動脈狭窄のあるファロー四徴症は肺血流が少ないため肺動脈は細く，相対的に大動脈は太くなります．また，大動脈への血流が少なければ大動脈は発育不良となります．これを「**血流説（flow theory）**[7]」といいます 図13．
- 「血流説」に基づくと，肺血流量が多く PAB が必要な症例は，肺動脈より大動脈への血流が相対的に少なく，心室中隔欠損（VSD）に大動脈縮窄（CoA）を合併した大動脈縮窄複合（CoA complex）のように大動脈弓の低形成をともなうことがあります．この場合，PAB と同時に大動脈弓狭窄に対する手術（鎖骨下動脈フラップ術や拡大大動脈弓再建術[8]など）が必要になります．また，PAB 後に，大動脈への血流が増えることで，大動脈弁や弁下，大動脈弓の狭窄が顕在化することがあるため，術前だけでなく，術中・術後の評価も重要です．

⑦ **血流説（flow theory）**
Rudolph 説ともいう．胎生期に血流が低下すると，その部位の正常の発達を妨げる，という先天性心疾患の発生原因の一説．
Rudolph AM et al：Hemodynamic considerations in the development of narrowing of the aorta. Am J Cardiol 30：514-525, 1972

⑧ 拡大大動脈弓再建術については p.180 を参照．

2 心室修復前症例と，Fontan 適応症例では，肺動脈の絞扼の程度が違います

- 最終手術が 2 心室修復手術の症例と，1 心室修復手術の症例（Fontan

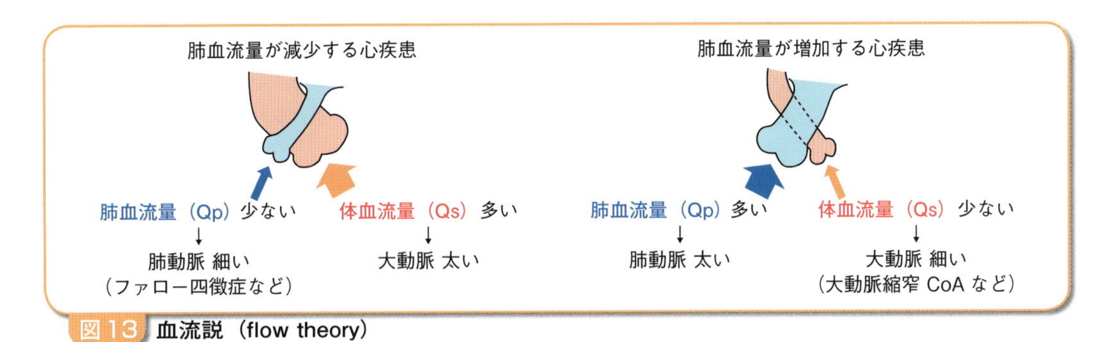

図13 血流説（flow theory）

表6 肺動脈絞扼術の目標肺動脈周径，酸素濃度，平均肺動脈圧の目安

	目標平均肺動脈圧	目標肺動脈周径*	目標 SpO_2/PaO_2
2 心室修復症例	40 mmHg 以下	体重（kg）＋20～22 mm	SpO_2 85～95 % PaO_2 50～60 mmHg
1 心室修復症例 ＝Fontan 適応症例	20 mmHg 以下	体重（kg）＋18～20 mm	SpO_2 75～85 % PaO_2 30～40 mmHg

＊目標肺動脈周径はテープの幅によって異なる．

適応症例）とでは，姑息（準備）手術としてのPABは，目標とする術後の肺動脈圧が異なります．このため，絞扼の程度（肺動脈周径）や目安とするSpO_2，PaO_2が異なります 表6 ．

- 表6のとおり「**Truslerの基準**[9]」に基づいた肺動脈径を目安として1〜3 mm幅のテープに目標とする周径をマーキングし，テープを主肺動脈に巻き付けて，SpO_2，PaO_2を目安に，動脈圧の上昇，肺動脈圧の低下を確認しながら，肺動脈を絞扼します 図14 ．Fontan適応症例へのPAB（術後タイプ6, p.180参照）では，より低い肺動脈圧を目指すため，肺動脈周径は小さく，目標とするSpO_2，PaO_2は低くなります．
- 手術中，PABを行うと肺血流が体血流にシフトし，血圧が上昇します．

[9] **Trusler（トラスラー）の基準**
表6のとおり．肺動脈絞扼術を施行する際の，目標とする肺動脈周径の目安．
Trusler GA, Mustard WT：A method of banding the pulmonary artery for large isolated ventricular septal defect, with and, without transposition of the great arteries. Ann Thorac Surg 13：351, 1972

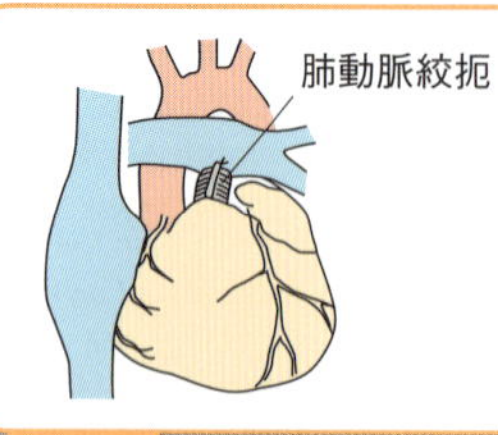

主肺動脈に1〜3 mmのテープを通し，前面で径を調節しながら縫合する．

狭窄部にかかる圧力で遠位側にテープがずれて，左右の肺動脈の分岐部が狭窄することがあるため，テープは必ず肺動脈に複数箇所縫合固定する．

図14 肺動脈絞扼術

表7 非チアノーゼ性心疾患に対する肺動脈絞扼術

術前・術式のチェックポイント	術後管理の注意点，予測される経過，想定されるリスク，治療など
絞扼の程度 術前の肺の状態 肺動脈の形態	・**絞扼が緩すぎると**術後PH crisisの可能性あり．術後も高肺血流量が持続するため心不全，呼吸不全，体重増加不良が継続することがある．緩すぎる場合は，再手術で絞扼を締めることを考慮する． ・術前，肺の状態が悪く酸素化が悪いために，術中に目標とする肺動脈径までは締められない場合がある．肺の状態の改善とともに肺血流量が増加するときは，再手術を考慮する． ・**絞扼を締めすぎると**痰の吸引時などの怒責にともなう徐脈や，肺血流量の急激な減少による低酸素血症の可能性あり，注意が必要．過度の酸素を必要とする場合は，再手術で絞扼を緩めることを考慮する． ・絞扼の位置が，弁に近いと肺動脈弁逆流（PR），弁から離れすぎると左右の肺動脈の狭窄（branch PS），それにともなう左右肺血流量の不均衡などをきたすため，もともと主肺動脈部分が短い症例では要注意．
房室弁逆流の有無	・（2心室修復症例で問題になることは少ないが）心室への圧負荷の増加により，房室弁逆流が悪化することあり．
大動脈弁・弁下狭窄および上行大動脈〜大動脈弓部の狭窄の有無	・大動脈弓部で術前に明らかに圧較差のある狭窄があれば，それに対する手術が必要．術前に明らかでなくても，術後体血流量が増えて顕在化することあり．術後，上下肢の圧較差の評価が必要． ・後負荷増大により，心不全をきたすこともある．
術前・術中の腸管虚血	・術前，体血流量が少ないために壊死性腸炎（NEC）を合併していた場合や，大動脈弓部の狭窄に対して単純遮断下に再建手術を同時に行った場合は，術後，腹満や血便など壊死性腸炎を疑う所見に注意する．

肺動脈圧は術中に針を刺して実測するか，エコーで絞扼部のドプラー血流速度（3.5〜4.0 m/秒が望ましい）で目標の平均肺動脈圧に近づけます．

術後は，絞扼の締め具合と後負荷増大による心不全に注意しましょう

- 非チアノーゼ性心疾患に対する PAB 後は，肺血流量が減少し，体血流量が増加するため，肺うっ血は改善し，血圧上昇，腎血流量や腸管血流量が増加します．
- 術後の注意点は 表 7 のとおりで，とくに急性期は，絞扼の締め具合が不適切であれば再手術で調節することも考慮します．締めすぎでなくても，術前よりも後負荷が上昇することで，覚醒時や痰の吸引時に徐脈になることが多いため，過度の刺激を避け，適度な鎮静が必要です．
- また，大動脈弁〜大動脈弓部に狭窄がある場合は，左心室への後負荷も増大し，心不全をきたすことがあるため，注意が必要です．

タイプ 3：ファロー四徴症に対する BT シャントの術後　重症度★★

チアノーゼ性心疾患でもっとも頻度の高いファロー四徴症を押さえましょう

- ファロー四徴症（TOF：tetralogy of Fallot）[10]はチアノーゼ性心疾患のなかでもっとも頻度の高い疾患です． 図 15 のとおり，TOF は大動脈が本来の心室中隔を越えて肺動脈側に「騎乗」することで肺動脈が狭窄になり，右室圧が高くなることで VSD を介して右室から左室に血液が流れる，つまり，酸素化されていない静脈血が動脈血側に混じるためチアノーゼが生じます．
- 肺体血流比（Qp/Qs）は，非チアノーゼ性心疾患は肺血流量が増えるた

[10] ファロー四徴症（tetralogy of Fallot）
大動脈騎乗，肺動脈狭窄，心室中隔欠損，右室肥大の 4 つを特徴とする疾患．

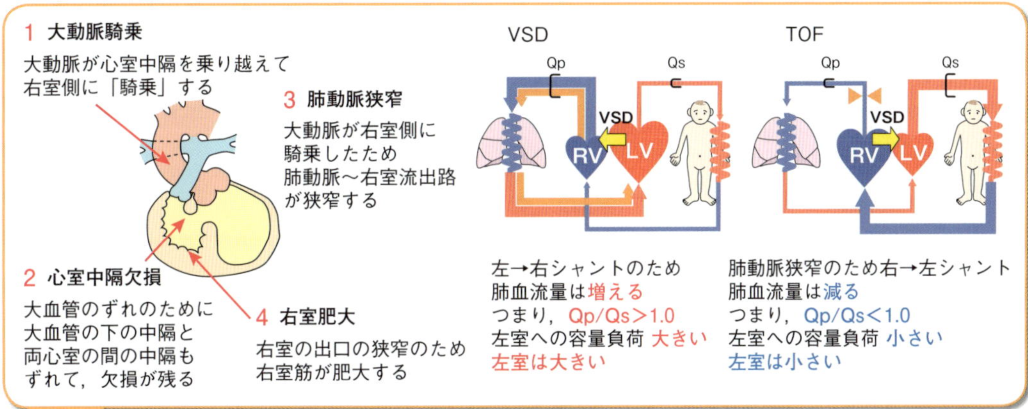

図 15 ファロー四徴症の形態と，VSD と TOF の比較

め1以上ですが，**TOFでは肺動脈狭窄により肺血流量が減少するため，Qp/Qsは通常1以下になります**．VSDとTOFを比較すると（図15），VSDはQp/Qs＞1ですが，TOFではQp/Qs＜1であり，肺血流量は減少します．

BTシャントとは？

- 肺血流量が減少している疾患に対して，肺血流量を増加させる目的で行われる姑息（準備）手術を総じて「**体肺動脈シャント（短絡）手術**」とよびます．**BT（Blalock-Taussig）シャント**[11]は「体肺動脈シャント手術」の術式の一つです．BTシャント以外にもセントラルシャントやウォーターストン手術，ポッツ手術などがありますが，現在もっとも一般的に行われているのはBTシャントです．いずれも大動脈か大動脈の分枝から肺動脈にシャントを作成することで，肺血流量を増やします 図16．
- BTシャントは，自己の鎖骨下動脈を使って肺動脈に直接吻合するのがもともとの（original）術式ですが，現在はePTFE（GORE-TEX®）[12]製の人工血管を使用する変法の（modified）術式がほとんどです．人工血管の径は，体重や血管径，吻合部間の距離などで選択します（3.5～5 mm）．
- 肺血流量の低下しているFontan適応症例に対してもBTシャントを行いますが（術後管理タイプ5 p.174参照），同じBTシャントでも，術後管理のリスクがまったく異なります．TOFとFontan適応症例に対するBTシャントの術後管理の違いについては，p.179で病態比較しています．
- 正中切開または側開胸で，通常は人工心肺を使用せず手術を行いますが，肺動脈狭窄に対して正中切開で人工心肺を使用して，肺動脈形成術を同時に行う場合もあります．

[11] **BTシャント**
Blalock-Taussig shunt（図16参照）．もともとの術式であれば original=O，人工血管を使用した術式は modified=M と頭文字をとり，左右の区別も含めて，術式を下記のように略すことが多い．現在では通常人工血管で行うため，M/Oは省略することもある．
RMBT（S）⇒右側で人工血管を使ったBTシャント．
LOBT（S）⇒左の鎖骨下動脈を使ったBTシャントなど．

[12] **ePTFE**
フッ素樹脂の一種であるポリテトラフルオロエチレンを延伸加工（extended）した素材．ゴア社が最初に開発した．人工血管やパッチ，糸などの医用材料として多用されている．

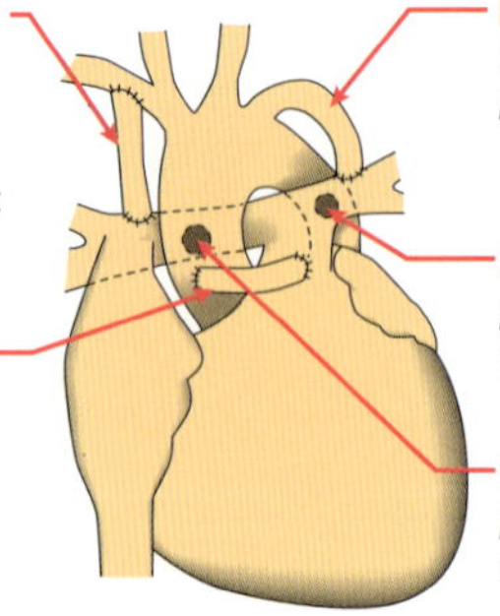

図16 さまざまな体肺動脈シャント手術の術式

表8 ファロー四徴症に対するBTシャントの適応

①チアノーゼ	無酸素発作（anoxic spell）を起こす，SpO_2 が常時低い（65～75％） チアノーゼが原因と考えられる哺乳不良・体重増加不良
②肺動脈形態	全体的な発育不良（PA index<200），肺動脈狭窄（とくに動脈管挿入部） 左右不均等な肺動脈発育，バルーンで狭窄部の血管拡張が得られない
③左室容量	左室容量が正常の70～80％以下，僧帽弁輪径が正常の80％以下
④体重	修復術を行う至適体重（施設間で異なる）に達していない

ファロー四徴症に対するBTシャントの適応

- TOFに対するBTシャントの適応は表8のとおりです．肺動脈弁下の狭窄が強いと**無酸素発作（anoxic spell）**を起こしやすく，突然死の原因になります．肺動脈の十分な成長が得られているかどうかは「**PA index**[13]」で評価し，200（単位）以下は発育不良の目安になります．
- 肺動脈は左右が均等に育っていることも重要で，片方ばかりに流れると肺高血圧になる場合があります．肺動脈の狭窄があれば，バルーンで拡張するか，細い肺動脈側にBTシャントを追加するか，肺動脈形成術を行って狭窄解除をする必要があります．
- また，肺血流量が少ないために左室に容量負荷がかからず，術前左室容量が小さい場合（正常の80％以下），修復術後 $Qp/Qs=1$ になったとき，急激な左室容量負荷の増加に耐えられないため，BTシャントを追加する適応の一つになります．
- 表8のような適応でBTシャントを行いますが，TOFのなかでも，肺動脈狭窄が強くなく，ある程度 SpO_2 が保たれている場合はBTシャントは行わず，体重増加を待って1回で修復術になる症例もあります．逆に，肺動脈の発育が不良のため左右両方に複数回のBTシャントが必要になる症例もあります．
- 修復術のタイミングは施設の方針によって異なり，近年は，低年齢・低体重で修復術（早期一期的心内修復術 early primary repair）を行う施設もあります．BTシャントのデメリットとして，肺動脈の変形やチアノーゼ期間の延長，手術回数・入院回数が増加することなどが挙げられます．

ファロー四徴症のBTシャントの術後＝左室の容量負荷が増加します

- 術前後の血行動態の変化は図17に示すとおりで，BTシャントで肺血流量の増えた分，左室の容量負荷が増えることが特徴です．左心不全に対してカテコラミンを使用しますが，過度のカテコラミンは肺動脈狭窄を助長し，SpO_2 を低下させるため注意が必要です．

⑬ PA index
左右の肺動脈の第1分岐部の手前で測定した断面積の和を体表面積で割った値．肺動脈発育の指標．
Nakata S, Imai Y, et al：A new method for the quantitative standardization of cross-sectional area of the pulmonary arteries in congenital heart diseases with decreased pulmonary blood flow. J Thorac Cardiovasc Surg 88：610-619, 1984

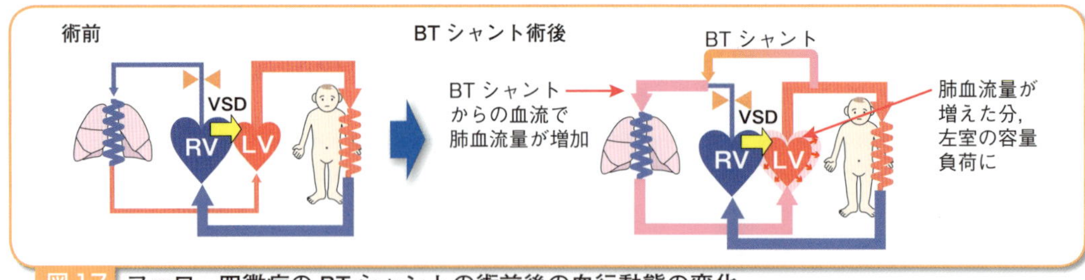

図17 ファロー四徴症の BT シャントの術前後の血行動態の変化

表9 ファロー四徴症に対する BT シャントの術後管理のポイント

術前・術式のチェックポイント	術後管理の注意点，予測される経過，想定されるリスク，治療など
術前，PGE_1 で動脈管開存を維持	・長期間 PGE_1 投与していれば，全身の浮腫あり． ・PGE_1 中止後に，動脈管の肺動脈側が狭窄することあり．術後エコーなどで左右の肺血流を確認する．
術式・肺動脈形態 シャントのグラフト径 吻合部の血管径 吻合部間の距離	・体重や吻合部の血管径, 吻合部間の距離などでグラフト径を選択する（おもに 3.5～5 mm）． ・グラフト径が太すぎると，術後肺血流量が過大（high flow）となり，左室容量負荷による**左心不全**，**肺うっ血**，**胸水貯留**，拡張期圧低下による**腎血流量低下**から尿量減少などをきたす． ・グラフト径や吻合部の血管径が細いと，**シャント閉塞**をきたす可能性がある．Ht の過度の上昇もシャント閉塞の原因となる．
人工心肺使用の有無 (open palliation)	・術中シャント吻合中に酸素化が維持できない場合や，肺動脈形成術を同時に行う場合などで，人工心肺を使用した場合，術後，人工心肺による影響あり．
手術アプローチ 正中切開，左右側開胸	・側開胸の場合，リンパ管損傷による乳び胸，神経損傷などの可能性あり．

- 術後管理のポイントをまとめると 表9 のとおりです．術前に PGE_1 製剤[14]を使用して動脈管開存（PDA）からの肺血流を維持していた症例では，PGE_1 の副作用である浮腫や血管透過性亢進が術後も遷延することがあります．また動脈管の肺動脈側が，PGE_1 中止後，動脈管の収縮とともに狭窄することがあり，とくに左肺動脈の分岐部の狭窄が進行することがあるため，経時的に術後のエコーで左右の肺血流を確認する必要があります．
- 手術で人工心肺を使った場合は，呼吸条件の悪化など人工心肺による影響を考慮する必要があり，より重症になります．

⑭ **PGE_1 製剤**
プロスタグランジン製剤．動脈管の開存を維持する効果あり．Lipo-PGE_1（アプロスタジル / リプル®）と PGE_1-CD（アプロスタジルアルファデクス/プロスタンディン®）がある．

BT シャントの術後の重要なパラメータは「拡張期血圧」と「SpO_2」です．「high flow」と「シャント閉塞」に注意しましょう

- BT シャントの術後でとくに注意すべきことは「high flow」と「シャン

表10 「high flow」と「シャント閉塞」の徴候と対処

病態	徴候	対処
high flow	拡張期血圧が低い（30～35 mmHg 以下） SpO_2 が高い（F_IO_2 を下げても 95 %以上） 尿量が少ない 左心不全（心拡大，肺うっ血，胸水貯留） 末梢冷感, 末梢循環不全（網状チアノーゼ）	肺血流量を減少させる治療 （→表 11） 左心不全に対する治療 （カテコラミン，利尿薬など） ↓無効なら シャントにクリップ
シャント閉塞	拡張期血圧が高い SpO_2 が低い シャント音（とくに拡張期）が弱い	ヘパリン投与 Ht を下げる 再手術

表11 最重要：肺血流量を増加・減少させる治療・ケア，原因など

肺血流量を増加させる治療・原因	肺血流量を減少させる治療・原因
・高 PO_2（F_IO_2 ↑） ・低 PCO_2（換気回数・量を増やし過換気にする） ・PEEP を下げる	・低 PO_2（F_IO_2 ↓，ときには窒素を併用） ・高 PCO_2（換気回数・量を減らし低換気にする） ・PEEP を上げる
・呼吸状態の改善 ・一酸化窒素（NO）吸入療法 ・薬物療法（PGI_2，PGE_1，エンドセリン拮抗薬，PDE_3，PDE_5 阻害薬など）	・呼吸状態の悪化 無気肺，換気の悪化，肺炎などの感染 ・啼泣，息こらえ ・喀痰や気道浮腫による気道狭窄・閉塞 ・気管内吸引，不適切な呼吸管理 ・左心不全，肺うっ血
・アルカローシス（メイロン®投与）	・アシドーシス
・循環血漿量全体の増加（volume 負荷）	・循環血漿量全体の減少（利尿薬），脱水
・貧血（血液粘稠度低下）	・Ht を上げる（血液粘稠度上昇）
・体血管抵抗（Rs）の上昇 四肢冷感，循環不全 鎮静からの急激な覚醒 交感神経の亢進（激しい体動，興奮など）	・体血管抵抗（Rs）の低下 末梢血管拡張，四肢を温める 敗血症性ショック 過鎮静

先天性心疾患の術後管理は，肺血流量を増加させるべきか，減少させるべきか，病態からどちらをすべきかを判断して，表 11 に列記されているような治療を行うことがすべて，といっても過言ではない．タイプ 5～7 の術後管理（p.174～189 を参照）では，術直後は肺血流量が非常に不安定なため，とくに重要．

先天性心疾患の術後管理の最大のポイント

①肺血流量を増やすべきか，減らすべきか，正しく病態を把握すること
②正しく病態を把握したうえで，肺血流量を増やす治療，減らす治療
それぞれの治療の「引き出し」を多くもち，早期に対応すること

表 11 を常に念頭において, 術後管理をする.

ト閉塞」です．そして，これらの徴候を予見するのに重要なパラメータは「拡張期血圧」と「SpO_2」です 表10 ．

- グラフト径が太過ぎるなどの理由で，肺血流が増え過ぎる（high flow）と，急激な左心不全，肺うっ血，胸水貯留をきたします．肺血流量が過大になると，**拡張期血圧が低下し**，それによって腎血流低下，尿量減少をきたし，さらに左心不全を悪化させます．肺血流量は 表11 にあるような治療を行うことでコントロールすることができますが，このような治療を行っても，十分な効果が得られず尿量が維持できない場合は，シャントにクリップをかけることも考慮します．
- また，BT シャントの術後は，肺血流量増加分の循環血漿量を補うため，術直後ある程度のプラスバランス管理が必要ですが，術前から Ht が高い症例に輸血で循環血漿量を補うと，Ht などが高くなりすぎて**シャント閉塞**の原因になることがあるため注意が必要です．
- 肺血流が BT シャントに依存している症例では，シャント閉塞は致命的な状態となるため，早期に対処が必要です．シャントが流れていれば，聴診で連続性雑音が聞こえますが，拡張期雑音が弱くなればシャント閉塞の徴候です．

タイプ4：ファロー四徴症に対する修復術の術後　重症度★★

右室流出路の再建方法は，肺動脈弁輪径，肺動脈の有無などで決まります

- TOF の手術をまとめると 図18 のようになります．肺動脈が閉鎖したものは，「極型ファロー四徴症」ともよばれ，肺動脈閉鎖兼心室中隔欠

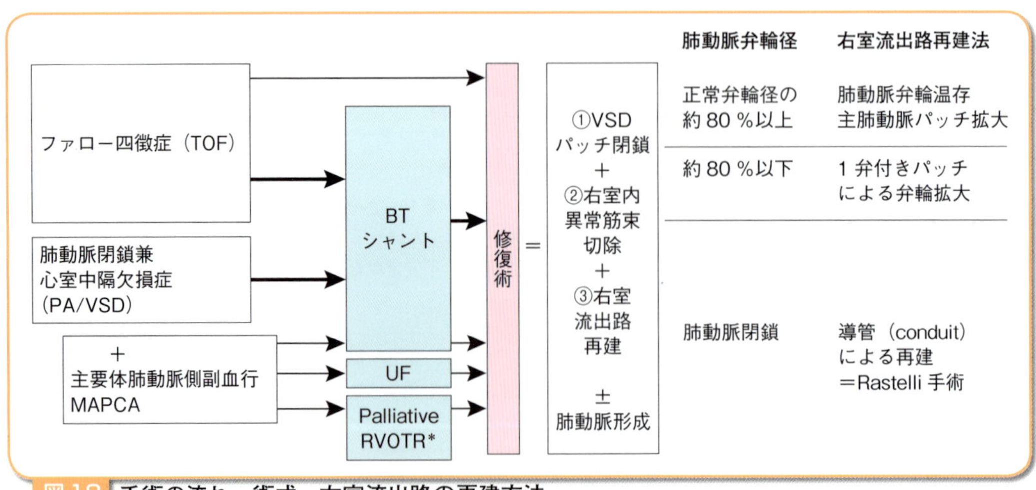

図18 手術の流れ，術式，右室流出路の再建方法

＊RVOTR：right ventricular outflow tract reconstruction

損（PA/VSD）と同義です．BT シャントの適応については前項で述べましたが，体重，肺動脈の発育（PA index＞200），左室拡張末期容積（LVEDV）＞正常の 80 %が揃えば修復術を行います．

- 修復術は具体的には，① VSD パッチ閉鎖，②右室内異常筋束切除と③右室流出路再建，になりますが，③の**右室流出路の再建方法は，肺動脈弁輪径や肺動脈の有無で異なります**．術後遠隔期に肺動脈弁閉鎖不全が問題となることから，近年は肺動脈弁をなるべく温存する施設が多く，おおまかには弁輪径が正常の約 80 %以上あれば温存，約 80 %以下であれば 1 弁つきパッチで弁輪拡大を行います．肺動脈閉鎖で主肺動脈がない場合や極端に細い場合は，導管（conduit）で主肺動脈の再建をする Rastelli（ラステリ）手術になります．
- 極型ファロー四徴症に主要体肺動脈側副血行（MAPCA）[15]をともなう場合は，統合化手術（unifocalization：UF）や姑息的右室流出路再建術（palliative RVOTR）など，MAPCA を束ねるための姑息（準備）手術を行った後に，修復術を行います．

[15] **主要体肺動脈側副血行（MAPCA）**
Major aortopulmonary collateral artery. 主肺動脈が閉鎖しているか非常に細く，大動脈やその分枝からの側副血行路を介して末梢肺動脈への血流が維持される．通常，複数本の側副血行路がある．

ファロー四徴症の術後急性期は両心不全で「しんどくなる」のが特徴です

- TOF の術前後の血行動態を比較すると 図 19，術後は肺血流量が増えて左室の容量負荷は増大して**左心不全**をきたすうえに，右室は異常筋束の切除や右室切開の影響で**右心不全**をきたすため，**術後急性期はチアノーゼがなくなること以外は「しんどくなる」手術になります**．
- 「しんどくなる」程度は，右心不全は術前の肺動脈形態や術式（右室切開の大きさ，右室流出路の再建方法など）に，左心不全は，術前の左室拡張末期容積によります．
- 術後管理についてまとめると 表 12 のとおりです．末梢血管抵抗を下げて（血管拡張薬，末梢を温める），左室の後負荷を減らし，左室の容量

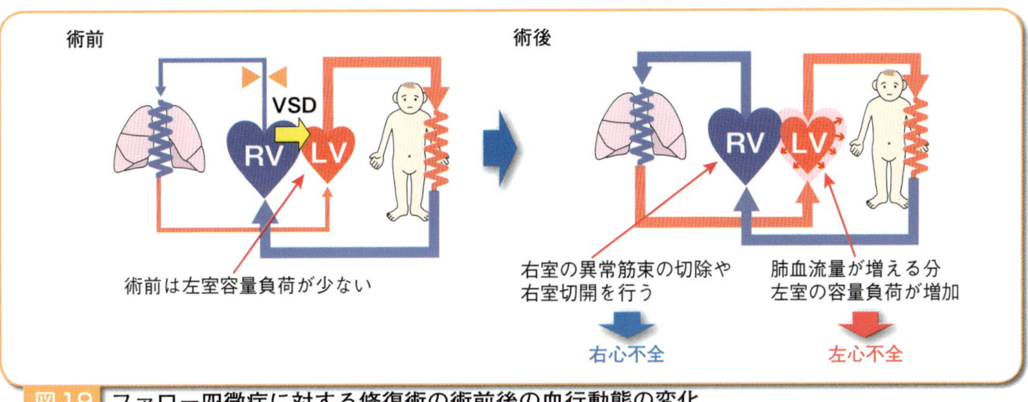

図 19 ファロー四徴症に対する修復術の術前後の血行動態の変化

表12 ファロー四徴症に対する修復術の術後管理のポイント

術前・術式のチェックポイント	術後管理の注意点，予測される経過，想定されるリスク，治療など
肺動脈形態 　末梢肺動脈狭窄 　左右の不均衡 冠動脈の走行 側副血行路 術式 　右室切開，右室流出路再建法 　人工心肺離脱時の右室圧	**右心不全** ・肺動脈の発育不良（PA<200），肺動脈狭窄や右室流出路狭窄の残存による右室圧高値，手術時の右室へのダメージ（右室切開や右室内異常筋束の切除など）による収縮力低下から，術後右心不全をきたす．人工心肺離脱時の右室圧は，術後経過の指標の一つになる． ・右室へのダメージによる右心不全は，適度な前負荷とカテコラミンで回復するのを待つ． ・冠動脈が右室流出路を横切る場合，極力損傷を避ける術式を選択するが，犠牲にせざるをえない場合，右心不全の原因となる．
左室拡張末期容積（LVEDV） 術式 　VSD の残存	**左心不全** ・基本的に全例で左室容量負荷が増えるため，左室不全は必発．カテコラミン使用と酸素需要量の上昇に対して酸素投与を．術後一時ペーシングを使って頻脈で管理することも有効． ・VSD が残存すると，術後は VSD と同じ血行動態で肺血流量は増加し，左室容量負荷になるため，左心不全をさらに悪化させる．

負荷に対して十分な利尿薬を，心不全に対して適量のカテコラミンを使うことが重要です．

タイプ 5：Fontan 適応症例に対する BT シャントの術後　重症度★★★

Fontan 適応症例に対する BT シャントは要注意！ 同じ BT シャントでも，重症度がまったく違います

- TOF に対する BT シャントと比較して，**Fontan 適応症例（Fontan candidate）**[16]**に対する BT シャントは重症度が格段に高くなります**．同じ BT シャントという術式でも疾患背景が異なると，重症度がまったく違うことが先天性心疾患の術後管理の特徴であり，この違いをあらかじめ知ったうえで，**“重症感”や“怖さ”を知って術後管理をすること**が重要です．
- Fontan 適応症例は，p.153 にあるとおり，修復術が Fontan 手術になる症例で，三尖弁閉鎖症（TA），左室性単心室症（SLV），右室性単心室症（SRV）などの心室として機能するものが 1 つしかない場合や，両大血管右室起始症（DORV），完全大血管転位症（TGA）で心内修復術が難しい症例（2 つの心室に分けられない）が含まれます．これらの疾患では，肺血流量が増加する場合も，減少する場合もありますが，肺血流量を増やす手術である BT シャントが必要な症例は，つまり，**術前の肺血流量が減少しているタイプ**です．
- 肺血流が動脈管（PDA）に依存している症例，肺血流量が少なく SpO_2

[16] **Fontan 適応症例（Fontan candidate）**
修復術が Fontan 手術になることが想定される症例．心室がそもそも 1 つしかない（解剖学的単心室症），片方の心室が小さい，2 つ心室はあるが 2 つに分けて修復することが難しいなど，心室が 1 つ分しか使えない症例（機能的単心室症）．

が低下している症例や，肺動脈の発育が不十分な症例で，両方向性Glenn手術（p.193参照）をするには十分な体重増加が得られていない症例に対して，BTシャントが必要になります．

「単心室肺体並列循環」は“シーソー循環”だからFontan適応症例に対するBTシャント後は難しい！

- Fontan適応症例は，両方向性Glenn手術を行うまでは「**単心室肺体並列循環**（ここでは“**シーソー循環**”とよぶことにします）」という血行動態です 図20．正常の循環と比較すると，正常では2つの心室と2つの血管抵抗が「直列回路」になっていますが，この循環では，1つの心室に対して2つの血管抵抗が「**並列回路**」になっていることが特徴です．
- 図21 に示すとおり，“シーソー循環”は，肺血管抵抗（Rp）・体血管抵抗（Rs）の上昇や低下によって，シーソーのように肺血流量（Qp），体血流量（Qs）がどちらかに簡単に偏ってしまうため，非常に不安定です．Fontan適応症例に対するBTシャントの術後が重症な理由は，この“シーソー循環”のためです．
- とくに，肺血流量が急激に増えたときが要注意です．体血管抵抗が上昇することにより，心室には**圧負荷**だけでなく，肺血流量が増えた分が1つの心室に戻ってくることによる**容量負荷**の両方が，同時に心室への負荷となります．また，心室の過膨張（over distention）にともなう心収縮力低下，房室弁逆流の悪化がともなって，ショック状態（**高肺血流ショック high flow shock**）となることがあり，この状態になると非常に重篤です．

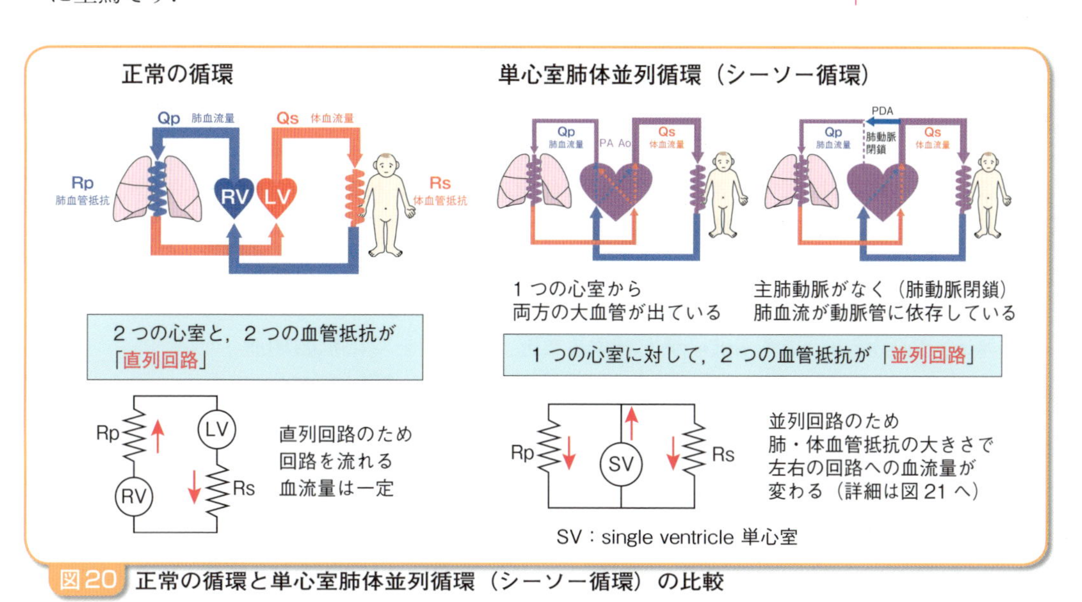

図20 正常の循環と単心室肺体並列循環（シーソー循環）の比較

肺血管抵抗（Rp）↓，体血管抵抗（Rs）↑

- 循環血漿量が多い状態で体血管抵抗が急激に上昇したとき（例：CVP が高い状態で，急に覚醒し末梢循環が締まったとき）
- 急激に肺血管抵抗が低下したとき（例：SpO_2 の上昇に気づかず，FiO_2 を高いままにしたときや，高い FiO_2 で加圧したり，加圧吸引で hyperventilation にしたときなど）

肺血管抵抗（Rp）↑，体血管抵抗（Rs）↓

- 循環血漿量が少ない状態で体血管抵抗が急激に低下したとき（例：術直後，まだ volume adjust していない状態で，鎮静薬を使って急激に末梢血管が開いたとき）
- 急激に肺血管抵抗が上昇したとき（例：気道閉塞，覚醒にともなう啼泣や息こらえなど）

並列循環＝シーソー状態のため，容易に変化する！

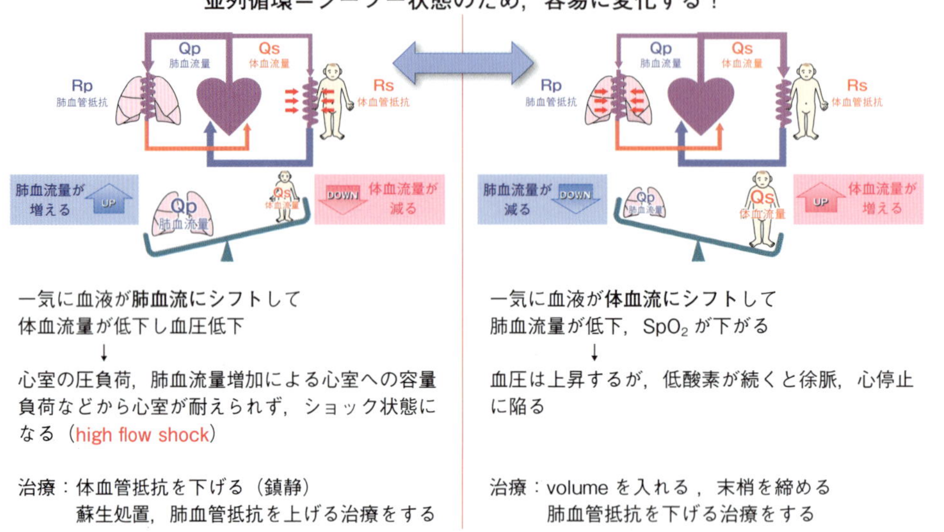

図21 単心室肺体並列循環（シーソー循環）が不安定な理由

Fontan 適応症例に対する BT シャントの術後の血行動態を安定させるには，①肺血流量のコントロールと，②至適な循環血漿量にすること，が重要です

- このような非常に不安定なシーソー循環を安定させるには，**①肺・体血流量，肺・体血管抵抗を見きわめて，肺・体血流量をコントロールすることと，②至適な循環血漿量にすること**，の 2 つが重要です．
- 肺・体血流量や肺・体血管抵抗を見きわめるためのパラメータは表 13 のとおりです．とくに危険な**高肺血流ショック（high flow shock）**の前兆は，FiO_2 を下げても SpO_2 が上昇すること，血圧，とくに拡張期血圧が低下し，尿量が減少し，CVP が上昇することや，末梢循環不全が挙げられます．
- 肺血流量をコントロールするための治療は p.171 の表 11 の「肺血流量を増加・減少させる治療・ケア，原因」のとおりです．シーソーが傾きはじめる前に，先手先手で対処して，シーソーのバランスをとることが重要です．

表13 Fontan 適応症例に対する BT シャントの術後管理のポイント

SpO_2	高ければ肺血流量が多く，低ければ肺血流量が少ない
血圧・尿量	血圧が高く，尿量が保たれていれば，体血流量は十分だが，血圧が低く，とくに拡張期血圧が低く（30 mmHg 以下），尿量が少ない場合は，体血流量低下，肺血流量過多を疑う
CVP	循環血漿量を反映するが，シャントによる心室容量負荷，房室弁逆流でも上昇
末梢循環	四肢の冷感が著明であれば，体血管抵抗が高い状態

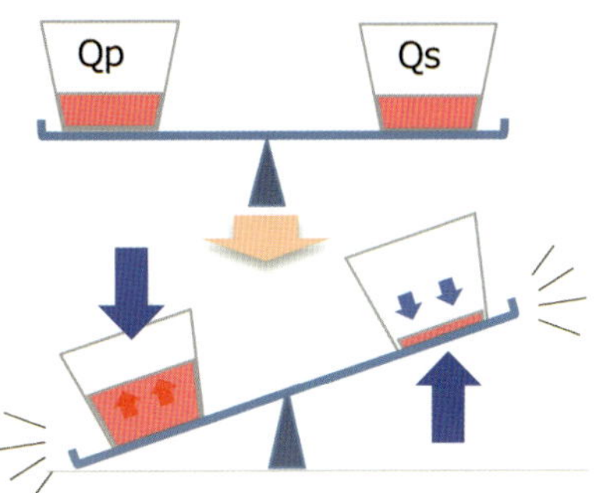

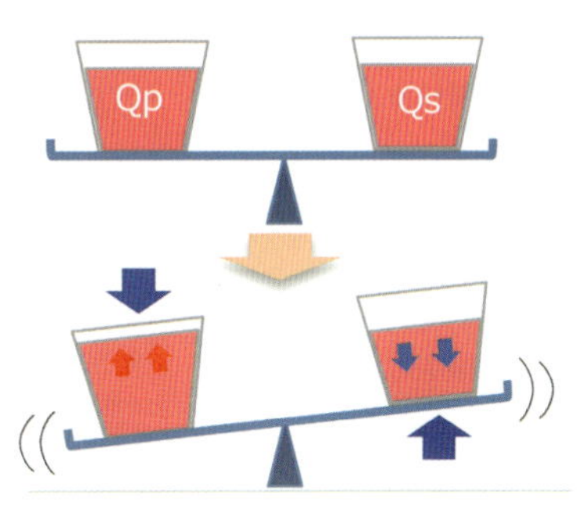

図22 循環血漿量によるシーソー循環の変化の違い

- シーソー循環を安定させるためにもう一つ重要なことは，至適な循環血漿量にすることです．意味は図22に示すとおりです．少ない循環血漿量で管理しようとすると，シーソーが簡単に傾きやすい状態ですが，至適な循環血漿量であれば，シーソーが傾きにくい状態になります．

BT シャントと同時に，人工心肺を使った他の手術手技が必要な場合は，さらに重症度が上がります！

- Fontan 適応症例に対する BT シャントの術後管理のポイントを表14にまとめました．
- Fontan 適応症例は，最終的に良い条件で Fontan 手術を行うこと[17]が重要です．肺動脈の狭窄があれば早期から積極的に狭窄を解除するため，BT シャントと同時に肺動脈形成術を行うことがあります．また，房室弁逆流があれば（とくに無脾症・多脾症），同時に房室弁形成術を行います．
- そのほか，無脾症で総肺静脈還流異常を合併し BT シャントと同時に修

⑰ Fontan 手術の至適な適応条件については，p.190 に詳細あり．

表14 Fontan 適応症例に対する BT シャントの術後管理のポイント

術前・術式のチェックポイント	術後管理の注意点，予測される経過，想定されるリスク，治療など
肺動脈狭窄の有無	・術前，肺血流が動脈管に依存している場合や，BT シャントの吻合場所によっては，術後動脈管が閉じたときに肺動脈狭窄となり，肺血流量が低下したり，肺血流の左右の不均衡が起こる場合がある． ・また，狭窄があって人工心肺を使って肺動脈形成術が必要な場合は，その分のリスクが上がる．
房室弁逆流の有無 とくに内臓錯位（無脾症・多脾症）に合併しやすい	・肺血流量が増加したときに，房室弁逆流が悪化し状態が悪くなる可能性あり（high flow shock になる可能性が高い）． ・術後の CVP 上昇時（心房波の v 波の増高時）に注意．肺血流量を適度に保ち，体血管抵抗を十分に下げる治療をする．
肺静脈還流異常や狭窄の有無 とくに無脾症の肺静脈還流異常合併症例	・同時に還流異常を修復する必要があれば，人工心肺を使う分リスクが上がり，また術後肺静脈狭窄の危惧もしなければならない．
人工心肺を必要とする同時手術あり（＝open palliation） 肺動脈形成，房室弁形成，肺静脈還流異常修復など	・もともとの難易度に，人工心肺による影響が加わるため，術後管理は最高難易度． ・肺動脈形成，房室弁形成，TAPVR repair をした場合は，上記のリスクも加わる．

復の必要があれば，人工心肺を使い，修復に時間を要するため，その分リスクが高くなります．

- このように BT シャントや肺動脈絞扼術などの姑息（準備）手術 palliative operation の際に，**人工心肺を要する手術を同時に行うこと**を「**open palliation（姑息的開心術）**」といいます．術後も術前と同様に不安定な血行動態のままであるうえに，手術で人工心肺を使うため，それによる悪影響も加味しなければならないことから，術後管理は最高難易度になります．
- open palliation は，人工心肺の影響で術直後は肺血管抵抗が高いため，肺に血液が流れにくく，低酸素血症になりやすいですが，肺の状態が改善して肺血管抵抗が低下すると肺血流量が増加して high flow になり，緊急的にシャントへのクリップが必要になることがあります．クリップのタイミングを逃すと high flow shock に至ることがあります．このようなリスクがあることを認識し，“重症感”をもって術後管理をすれば，重篤な状態に陥る前に悪い徴候に気づいて先手を打つことができます．

表 15 2つの病態を比較することでより理解を深めよう！

病態比較（1）ファロー四徴症に対する BT シャントと Fontan 適応症例に対する BT シャントの比較

	ファロー四徴症に対する BT シャント	Fontan 適応症例に対する BT シャント
血行動態	VSD RV LV BT シャントで左室容量負荷は増えるが，シーソー循環ではない．	シーソー循環であることは術前後で変わりなく，不安定．
心　室	右室と左室がそれぞれある．増加した肺血流を受け止めるのは左室．	Fontan 適応症例，つまり，心室は 1 つしかない，または 1 つとしてしか使えない．
BT シャントの径	修復術時に，多少肺動脈圧が高くても（目安として 40 mmHg 以下），修復術の適応から外れることはないため，容量負荷による心不全にならない程度なら太くてもよい．	シャントが太過ぎると，high flow により肺高血圧をきたし，よい条件で Fontan 手術ができないか，Fontan 手術適応から外れてしまうため，シャントは必然的に細め．
術後の至適 SpO_2/PaO_2 の目安	SpO_2：80〜90 % PaO_2：45〜55 mmHg ↓ 高めに酸素濃度を保てるため 心筋や末梢循環に対しては有利	SpO_2：70〜80 % PaO_2：35〜45 mmHg ↓ 酸素濃度を低く保つため 心筋や末梢循環にとって不利
術後の肺血流と体血流のバランス	比較的変化は少ない ↓ high flow にはなるが shock まで至ることは少ない	血管抵抗によって容易に変化（シーソー循環） ↓ high flow shock になりやすい
術後の心室容量負荷	左室の容量負荷のみ	1 つしかない心室への容量負荷 high flow になると肺血流もさらに増えて悪循環に陥る
房室弁逆流	僧帽弁の逆流は少ない	術前から逆流があることが多い 術後は容量負荷によりほぼ全例悪化する
術後の治療方針	BT シャントによって増えた， 左室の容量負荷に対する治療がメイン	BT シャントによって増えた， 心室への容量負荷に対する治療 ＋ ・急激な血管抵抗の変化による high flow shock を防ぐ治療 ・房室弁逆流に対する治療 など

タイプ 6：Fontan 適応症例に対する肺動脈絞扼術の術後　重症度★★★

肺動脈絞扼術を必要とする症例は，大動脈の低形成や大動脈弁下狭窄（SAS）をともなうことが多いです

- Fontan 適応症例のなかの肺血流量増加型の疾患で，高肺血流量のために肺高血圧をきたす症例に対して，肺動脈絞扼術を行います．
- 「血流説 flow theory（p.165 参照）」に基づくと，肺動脈絞扼術（PAB）を必要とするような症例，つまり**もともと肺血流量が多い症例は，大動脈が細い症例が多い**ということになります．極端に大動脈が細い症例（下半身の血流が動脈管に依存するような症例）の場合は，タイプ 7 の「Norwood/DKS 手術」の適応になりますが，極端に細くなくても PAB の適応となる症例は，大動脈低形成（hypo arch）や大動脈弁下狭窄（SAS）[18]をともなうことが必然的に多くなります．

[18] **大動脈弁下狭窄（subaortic stenosis：SAS）**
大動脈弁の下の筋組織の張り出し，膜性の壁形成，左室流出路（左室の出口）全体の狭窄などが原因．

術後 SAS が顕在化すると，心室の出口が両方狭くなるため，心室への圧負荷には十分注意しましょう

- Fontan 適応症例に対する PAB の術後管理のポイントを 表 16 にまとめました．PAB の目標肺動脈周径，酸素濃度，平均肺動脈圧の目安については，p.165 に記載しています．
- 大動脈弓低形成をともなう場合，大動脈弓再建術 図 23 を PAB と同時に行う必要がありますが，もともと大動脈弁下狭窄（SAS）がある場合，心室への圧負荷の上昇や，相対的な大動脈への血流増加により，**PAB 後に大動脈弁下狭窄（SAS）が顕在化する**ことがあります．
- PAB で肺動脈の出口を，SAS で大動脈の出口を狭められてしまうと，**心室の両方の出口が狭くなることで，過度の心室への圧負荷がかかり，低心拍出量症候群（low cardiac output syndrome：LOS）や心不全をきたすことがあります**．とくに房室弁逆流を合併する場合は，このような圧負荷がかかることで，房室弁逆流が増えて，状態を悪化させることがあるため，さらに注意が必要です．
- また Fontan 適応症例は，最終的に良い条件で Fontan 手術を行うことが重要[19]で，肺動脈圧（PAP）を低く保つ必要があるため，2 心室修復症例（VSD や AVSD など）よりも，PAB はよりきつめ（tight）にしなければなりません．きつめの場合，痰の吸引，息こらえ，急な覚醒などで，心室への圧負荷の上昇，肺血流量低下にともなう低酸素血症，胸腔内圧の上昇にともなう迷走神経反射から徐脈，血圧低下をきたすことがあるため，非常に慎重に行う必要があります．

[19] Fontan 手術の至適な適応条件については，p.190 に詳細あり．

表16 Fontan 適応症例に対する肺動脈絞扼術の術後管理のポイント

術前・術式のチェックポイント	術後管理の注意点，予測される経過，想定されるリスク，治療など
絞扼の程度 肺動脈の形態	・絞扼が緩すぎると術後 PH crisis の可能性あり．また，高肺血流量による心不全や肺高血圧が残存して体重が増加しないことがある． ・**Fontan 適応症例のため，基本的には肺動脈圧を低く保つためにきつめになるが，**絞扼が強すぎると，喀痰吸引時などの怒責にともなう徐脈，肺血流量の急激な低下による低酸素血症の可能性あり，注意が必要． ・絞扼の位置が，弁に近すぎると肺動脈弁逆流（PR），弁から離れすぎると左右の肺動脈の狭窄（branch PS），それにともなう左右肺血流量の不均衡などをきたすため，もともと主肺動脈部分が短い症例では要注意（p.166 参照）．
房室弁逆流の有無	・術後，心室の圧負荷が増加するため，**房室弁逆流があれば，術後はほぼ悪化すると考える．**過度のカテコラミンは，肺動脈狭窄や大動脈弁下狭窄（SAS）の加速を助長するため，適量のカテコラミンと，血管拡張薬，利尿薬を使う．
大動脈弁・弁下狭窄および上行大動脈～大動脈弓部の狭窄の有無	・大動脈弓部に術前から明らかに圧較差のある狭窄があれば，それに対する手術が必要．術前は明らかに狭窄がなくても，術後，体血流量が増えて顕在化することあり．術後，上下肢の圧較差の評価が必要． ・とくに単心室症例で大動脈弁下狭窄（SAS）が顕在化すると，心室の両方の出口が狭くなるため，心不全，LOS の原因となる．急性期でなく，しばらくしてから進行することもあり，経時的な評価が必要．
術前・術中の腸管虚血	・術前，体血流量が少ないために壊死性腸炎（NEC）を合併していた場合や，大動脈弓部の狭窄に対して単純遮断下に再建手術を同時に行った場合は，腹満や血便など壊死性腸炎を疑う所見に注意する．

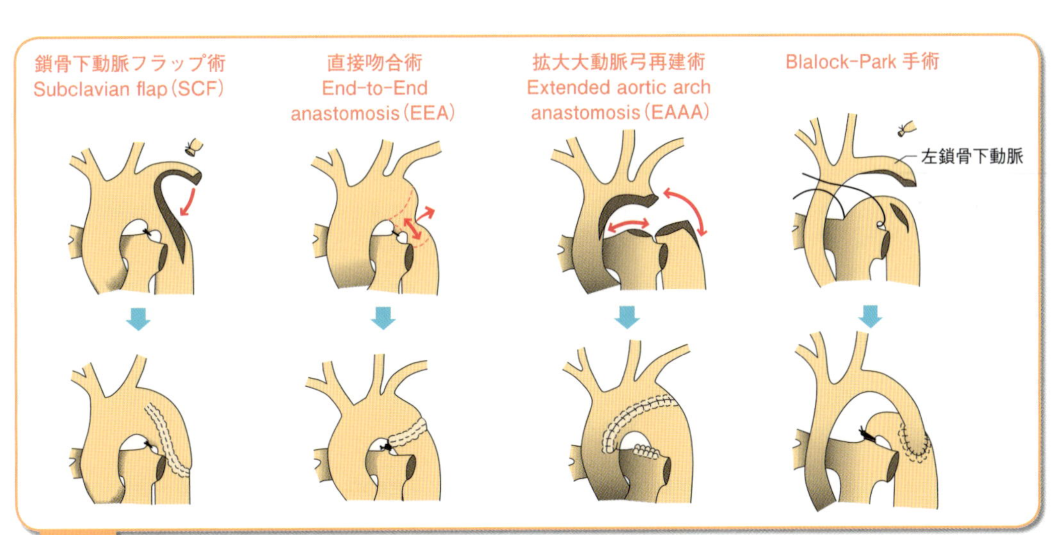

図23 大動脈弓の再建術式例

“シーソー循環”はFontan適応症例に対するBTシャントと同じですが，術後の心負荷が「圧負荷」か「容量負荷」かがBTシャントと違います

- 術後の血行動態は，タイプ5と同じ“シーソー循環”です（p.175参照）．肺血流量と体血流量が，シーソーのように簡単に変化し，非常に不安定です．PAB後は，**とくに容量負荷ではなく「圧負荷」に留意**し，後負荷軽減のための血管拡張薬と末梢循環不全の改善を積極的に図ります（表16）．

表17 2つの病態を比較することでより理解を深めよう！
病態比較（2）2心室修復症例に対するPABとFontan適応症例（1心室修復症例）に対するPABの違い

	2心室修復症例の肺動脈絞扼術	1心室修復症例の肺動脈絞扼術
修復術時の目標平均肺動脈圧	**40 mmHg以下** 多少高くても修復術の手術適応から外れない	**20 mmHg以下** 高ければ，Fontan手術の手術適応から外れる
絞扼の程度 Truslerの基準に基づく肺動脈周径＊	**体重（kg）＋20〜22 mm**	**体重（kg）＋18〜20 mm** 上記の目標肺動脈圧を維持するためきつめ
術後の至適 SpO_2/PaO_2 の目安	SpO_2：90〜95％ PaO_2：55〜70 mmHg 絞扼の程度が弱く，もともとチアノーゼがないため SpO_2 は下がりにくい ↓ 術後，酸素濃度は高いため心筋や末梢循環に対して有利	SpO_2：75〜85％ PaO_2：40〜50 mmHg 絞扼がきつく，酸素化された血液は心房内で混ざるため，心内の形態によっては SpO_2 は低下しやすい ↓ 術後，酸素濃度は低いため心筋や末梢循環にとって不利
術後の肺血流と体血流のバランス	比較的変化は少ない	1つの心室から大動脈と肺動脈に血液が駆出されるため，血管抵抗によって容易に変化（シーソー循環）
術後の心室への圧負荷	比較的，絞扼が緩いため圧負荷は大きくない	**比較的，絞扼がきついため圧負荷大きい**
大動脈弁下狭窄（SAS）の悪化	問題になることは少ない	**顕在化し問題になることあり**
房室弁逆流	問題になることは少ない	**悪化することが多い**

＊Truslerの基準についてはp.166参照．

タイプ7：Norwood/DKS手術＋RV-PA/BTシャント　重症度★★★

心室からの出口が，大動脈だけではまかなえない疾患や出口が狭くなる可能性の高い疾患への手術です

- Fontan適応症例のなかで，大動脈が閉じている症例や，心室から全身へ血流を送るためには細すぎる症例，心室内の形態などから大動脈の出口が細くなる可能性が高い症例では，Norwood手術やDKS手術[20]を行います 表18 ．Norwood手術の適応となるおもな疾患は左心低形成症候群（hypoplastic left heart syndrome：HLHS）ですが，DKS手術の適応になる症例のほとんどは，大動脈縮窄（coarctation of the aorta：CoA）や大動脈弓離断（interrupted aortic arch：IAA）をともないます．
- 表18のような疾患は，修復術はFontan手術となるため最終的に肺動脈は必要ありません．**細い大動脈の代わりに肺動脈と大動脈の両方を**

[20] **DKS（Damus-Kaye-Stansel）手術**
この手術を考案した3人の外科医の名前が由来．表18のような症例が適応．術式は図24参照．

表18　Norwood/DKS手術の適応になりやすい疾患群

- 左心低形成症候群（HLHS）
- 大血管転位をともなう三尖弁閉鎖症（TAⅡb，Ⅱc）
- 大血管転位をともなう両大血管右室起始（{SDD/ILL} DORV）や左室性単心室（SLV）に左側房室弁閉鎖or両房室弁左室挿入（DILV）をともなう場合
  →小さい痕跡的右室（rudimentary chamber）の上に大動脈があり，大動脈弁下狭窄（SAS）[21]やVSDの狭窄をともないやすい
- 房室中隔欠損症で高度の左室低形成（AVSD，hypo LV）をともなう場合　　など

[21] **大動脈弁下狭窄（SAS）**
p.180参照．

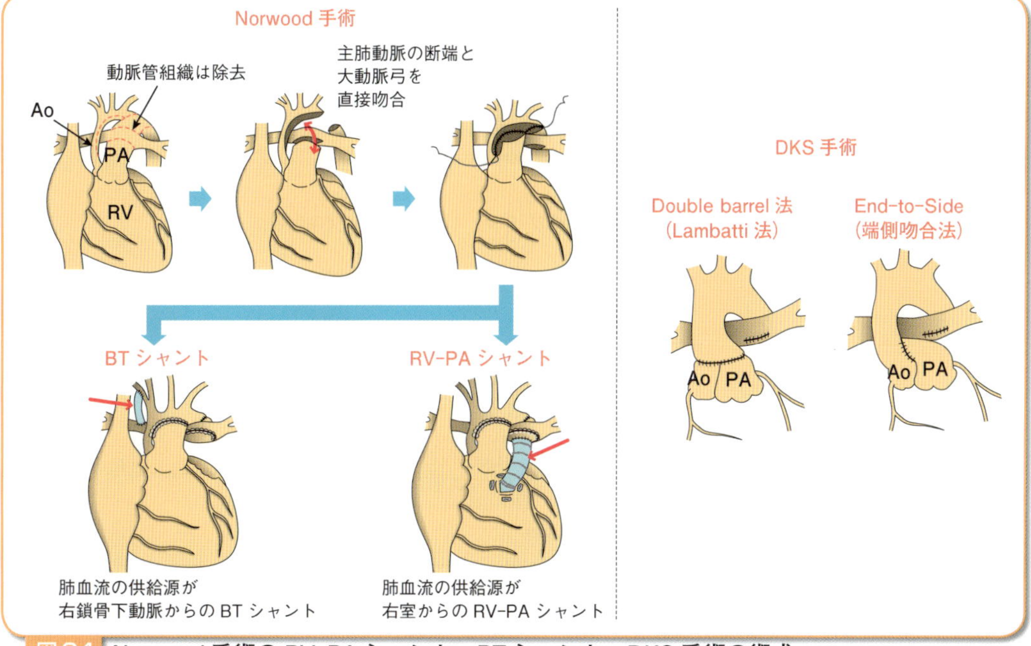

図24　Norwood手術のRV-PAシャント，BTシャント，DKS手術の術式

心室の出口として使う手術が，Norwood 手術や DKS 手術になります 図 24．

- もともと大動脈が細いということは「血流説 flow theory（p.165 参照）」に基づくと，**大動脈への血流が少ない＝肺動脈への血流が多い**ということなので，この疾患群の術前の**肺血流量は増加**しています．
- Norwood 手術と DKS 手術の術式は図 24 のとおりです．Norwood 手術には肺動脈への血流路の再建方法によって，RV-PA（右室－肺動脈）シャントと，BT シャント[22]の 2 つの術式があります．DKS 手術は肺動脈と大動脈を吻合する方法が図 24 以外にもいくつかあります．この項では HLHS に対する Norwood 手術の術後の病態について記載します．
- 近年の HLHS の治療戦略をまとめると 図 25 のようになります．Fontan 手術に至るまでのどこかのタイミングで Norwood 手術を行いますが，そのタイミングは，新生児期から両方向性 Glenn 手術（BDG）[23]と同時手術で行う場合までさまざまです．重症度によって方針を変える施設や，新生児期は全例に両側肺動脈絞扼術（BPAB）[24]を行う施設など，施設によって方針が異なります．
- HLHS に対する Norwood 手術は，以前は先天性心疾患手術のなかでもっとも手術成績が不良な手術の一つでしたが，飛躍的に手術成績が向上しました．その理由として，人工心肺や周術期管理の向上に加えて，2 つの治療戦略の変化が考えられます．一つは，新生児期の Norwood 手術を避けるために，**両側肺動脈絞扼術（BPAB）を行うようになったこと，**もう一つは**肺動脈への血流路の再建方法として，新たに RV-PA シャントという方法が考案されたことです**（図 25）．

[22] **BT シャント**
p.168 参照．

[23] **両方向性 Glenn 手術**
p.193 参照．

[24] **両側肺動脈絞扼術（bilateral pulmonary artery banding）**
BPAB や，Bil. PAB と略すことが多い．詳細については p.188 参照．

タイプ 5 の術後管理と考え方は同じですが，Norwood 手術の難しさや HLHS の特徴的な形態が，術後管理の重症度をさらにアップさせます

- Norwood 手術の術後管理は p.174 のタイプ 5 の「Fontan 適応症例に対

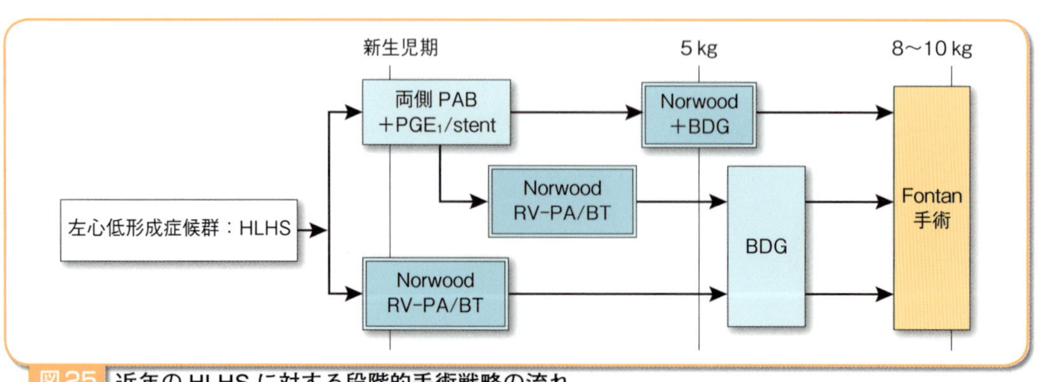

図 25 近年の HLHS に対する段階的手術戦略の流れ

する BT シャント手術」と考え方はほぼ同じで，「シーソー循環」になります．

- しかし「表19 病態比較（3）」のとおり，Norwood 手術は大動脈弓部再建などの手技に時間を要し，人工心肺時間が長くなります．このため，術後肺のダメージが大きく，血行動態はシーソー循環で不安定なうえに，人工心肺の影響で**肺血管抵抗が非常に高い状況から術後管理がスタートするため**，通常の Fontan 適応症例に対する BT シャントよりも，さらに不安定です．
- また，HLHS は「上行大動脈が非常に細い」という特徴から，術後に**冠動脈の血流（冠血流）を維持することが重要です**．そして，**冠血流は拡張期に流れるため，拡張期圧を低下させないことが重要です．**
- 図26 のとおり，BT シャントの場合，BT シャントを介して拡張期に肺

表19 病態比較（3）Norwood 手術における BT シャントと RV-PA シャントの比較

	BT シャント	RV-PA シャント
メリット	右室切開をしない	冠血流が低下しにくい また，肺血流が収縮期にのみ前方血流が得られるため，high flow になりにくい
デメリット	拡張期圧が低下することで，冠血流が低下しやすい	右室に切開が必要

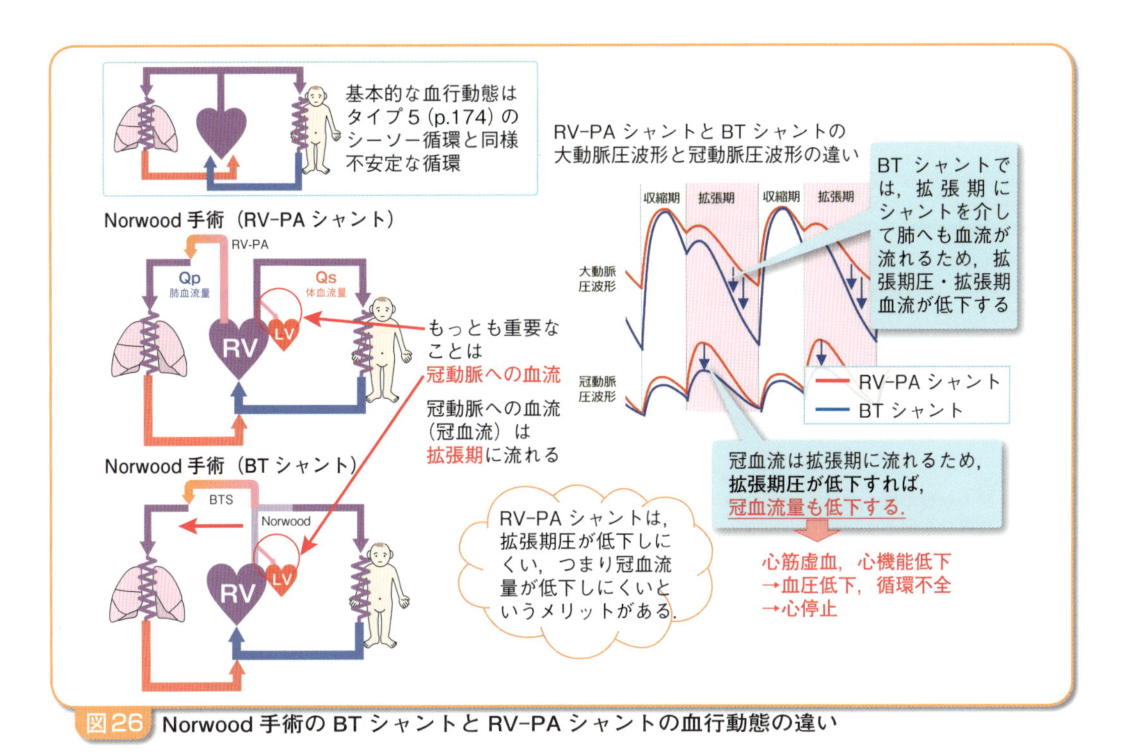

図26 Norwood 手術の BT シャントと RV-PA シャントの血行動態の違い

動脈に血液が流れるため，拡張期圧が低下します．このため，冠血流が低下しやすく，心筋虚血から循環不全，心停止に至ることがあります．

- BTシャントの冠血流が低下するデメリットを克服するために考えられたのが，**RV-PAシャント**です（図26）．「表19 病態比較（3）」のとおり，右室切開をしなければならないのがデメリットですが，肺血流は右室から駆出され，拡張期圧が低下することはないため，**冠血流は低下しません**．また，肺血流が右室から収縮期のみ駆出されるためhigh flowになりにくく，肺血流量をコントロールしやすいのも利点です．

Norwood手術の術後は，肺血流量のコントロールと冠血流量の維持が重要です

- Norwood手術の術式のなかで，①大動脈弓部，②冠血流路，③肺血流路，の3つが問題なく再建されることが重要です．そのうえで，術後管理において重要なことは，①**肺血流量のコントロール**と②**冠血流の維持**です．
- Norwood手術（RV-PAシャント）の術後の肺血管抵抗と肺血流量の大まかな変化のイメージは図27のようになります．長時間の人工心肺による肺へのダメージで術直後は肺血管抵抗が非常に高い状態になるため，RV-PAシャントは通常5〜6 mmの人工血管で再建します．その後，肺の状態が改善すると肺血流量が増加し，SpO_2が上昇しはじめるため，肺血流量を低下させる治療（FiO_2を下げる，呼吸回数を下げる，PEEPを上げるなど）を遅れることなく開始します．肺血流量が増加すると，

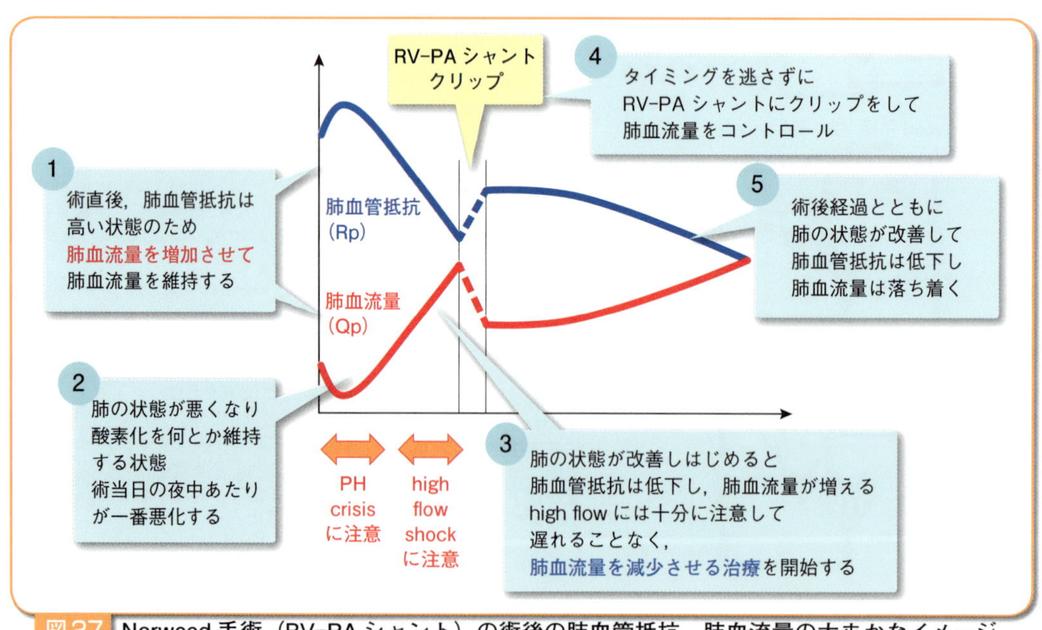

図27 Norwood手術（RV-PAシャント）の術後の肺血管抵抗，肺血流量の大まかなイメージ

心室容量負荷増大，房室弁逆流悪化，血圧低下から冠血流低下をきたすと重篤な状態となるため，注意が必要です．そして，タイミングを逃さずにRV-PAシャントにクリップを追加します．

- 図27で示すように，Norwood手術の術後は肺血管抵抗や肺血流量が刻一刻と変化するなかで，非常に不安定な「シーソー循環」のバランスを取って，いかに循環を安定させるかが重要になります．肺血流量を増やすべきなのか，減らすべきなのかは術後1〜2日の間でまったく異なり，治療を誤ると非常に重篤な状態に陥ります．また，気道閉塞，無気肺，急激な覚醒，不適切な加圧吸引などで一気に血行動態が変化することがあるため，“怖さ”を知ったうえでの厳重な管理が必要になります．
- 肺血管抵抗の急激な変動に備えて，最小限のカテコラミンに加えエピネフリンを投与し，十分な鎮静と血管拡張薬を使用して，変動を最小限にする治療が有効です．

ハイリスク症例は，さらに厳密な管理が必要です

- HLHSのなかでも表20のような所見のある症例は，新生児期にNorwood手術をするにはリスクが高いため，新生児期は両側肺動脈絞扼術

表20 HLHSのなかでもハイリスクな症例

- 低体重
- 術前状態不良
- 上行大動脈が細い（2 mm以下）
- 三尖弁閉鎖不全
- 心機能低下
- 心臓以外の合併症併発

表21 Norwood手術の術後管理のポイント

術前・術式のチェックポイント	術後管理の注意点，予測される経過，想定されるリスク，治療など
上行大動脈径 大動脈弁・僧帽弁形態 再建後大動脈弓の形態	・上行大動脈径2 mm以下はハイリスク． ・大動脈弁閉鎖，僧帽弁閉鎖の場合は，上行大動脈の血流が逆行性になり，上行大動脈が細いことが多い．術後の冠血流の維持が非常に重要．術後ST変化が少しでもあれば，血圧を高めに維持する． ・再建した大動脈弓部に狭窄があれば，後負荷になる．
肺動脈形態	・両側肺動脈絞扼術（BPAB）後は末梢肺動脈狭窄が残存しないよう，必要があれば肺動脈形成をし，またグラフトによる圧迫や捻れに注意する．
三尖弁閉鎖不全，心機能	・重症度の高いHLHSの特徴の一つ．心機能も悪ければ，術後難渋する可能性が高い．
術前リスク	・低体重，術前状態不良（Ductal shockや，壊死性腸炎NECを起こしている），心臓以外の合併症がある場合はリスクが高い．

(BPAB) を選択する施設もあります．表21 に術後管理のポイントについてまとめました．リスクが高いことを認識したうえで，さらに厳密な管理を行うことが重要です．

MEMO

両側肺動脈絞扼術 bilateral pulmonary artery banding（BPAB）

前述のとおり，HLHS に対する Norwood 手術の手術成績が，飛躍的に向上した理由の一つとして両側肺動脈絞扼術（BPAB）を行うようになったことが挙げられます．Norwood 手術は侵襲が大きく，新生児期に行うのはリスクが高いことから，とくに表 20 のようなハイリスク症例に対しては，新生児期に BPAB を行って体重増加を待ってから，Norwood 手術を行います．

術式は 図28 のとおり，出生後の生理的肺高血圧が低下しはじめる時期に，両側の肺動脈の分岐部にテープまたは GORE-TEX® 糸を巻き付けてそれぞれの肺動脈の周径 9〜10 mm に絞扼します．

BPAB の問題点としては，BPAB 術後，Norwood 手術をするまでは，動脈管（PDA）が体循環へのルートになっているため，Norwood 手術までの待機期間中ずっとプロスタグランジン製剤の持続静注をするか，または PDA にステントを留置する必要があります（BPAB の手術時に同時に PDA ステントを留置するハイブリッド治療を行う施設もあります）．また，BPAB のままで待機する期間が長くなると，絞扼部の肺動脈狭窄が，Norwood 手術後に残存することがあります．

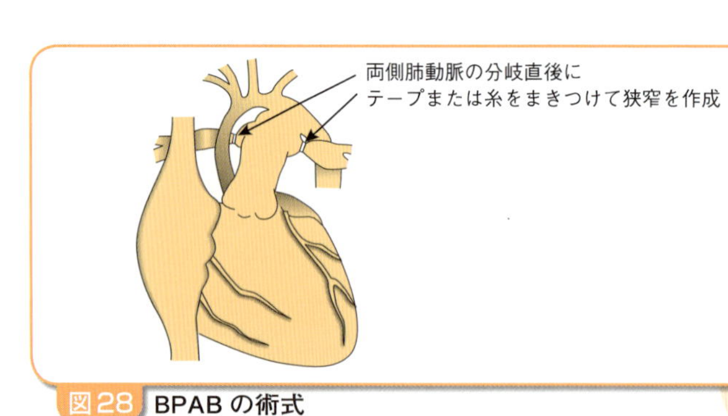

図28 BPAB の術式

術後の呼吸管理難渋症例は，合併症を疑い，評価・治療を行います

- Norwood 手術の術後に呼吸管理に難渋する症例では，大動脈弓部の再建の影響による左気管支狭窄，左横隔神経麻痺，嗄声があれば左反回神経麻痺を疑い，気管支狭窄に関しては CT を，横隔神経麻痺に関しては

エコーを，反回神経麻痺に関しては耳鼻科による評価を行い，必要があれば治療介入が必要です．

タイプ8：Fontan 手術の術後　重症度★

解剖学的・機能的単心室症例でチアノーゼをなくすための循環が「Fontan 循環」で，「Fontan 循環」にするための手術を総じて「Fontan 型手術」とよびます

- Fontan 手術は，p.153で説明したとおり，心室がそもそも1つしかない（**解剖学的単心室症**），または，片方の心室が小さい，2つ心室はあるが2つに分けて修復することが難しいなど，心室が1つ分しか使えない症例（**機能的単心室症**）に対して行われる「機能的修復術」です．適応となる疾患は，左心低形成症候群（HLHS）や三尖弁閉鎖症（TA），左室性単心室症（SLV），右室性単心室症（SRV），両大血管右室起始症（DORV）や左室の小さい房室中隔欠損症（AVSD）などさまざまです．
- 先天性心疾患手術の目標は，**循環回路を“直列回路”にしてチアノーゼをなくし**，心機能を維持してよりよい生活が送れるようにすることです．通常の循環には心室が2つあるため，肺循環と体循環それぞれに駆出するための心室が存在しますが，解剖学的・機能的単心室症例は，1つしか心室がないため，1つしかない心室は体循環への駆出に使用し，肺循環に対しては，静脈圧で肺に血液を流す「Fontan 循環」にすることで直列回路にし，チアノーゼをなくします 図29．
- 「Fontan 循環」にする手術は1971年の三尖弁閉鎖症に対するFontan手術から歴史的な変遷を経てさまざまな術式がありますが[25]，「Fontan 循環」になる手術を総じて「Fontan 型手術」または「右心バイパス術」とよびます．なお，「Fontan 手術」はすべて「Fontan 型手術」と同義

[25] **最初の Fontan 手術**
その後，TCPC（total cavopulmonary connection）やLateral tunnelなどさまざまな術式の工夫がされてきた．
Fontan F, Baudet E：Surgical repair of tricuspid atresia. Thorax 26(3)：240-248, 1971

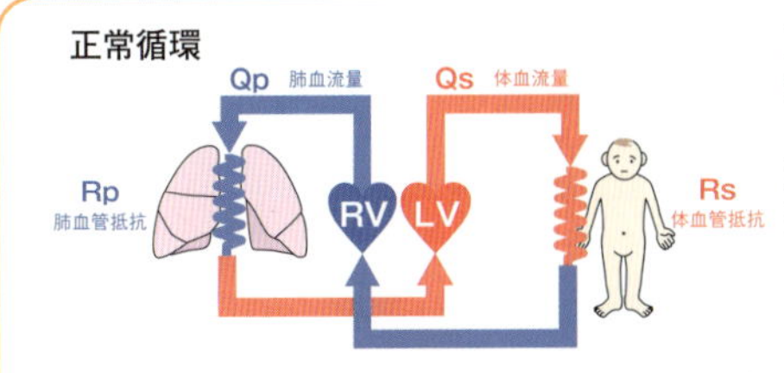

正常循環（2心室修復が可能な疾患）は，正常と同様に肺循環と体循環それぞれに心室があり，**直列回路**で，動脈血と静脈血が混じらない（チアノーゼがない）．

解剖学的・機能的単心室症（Fontan 適応症例）

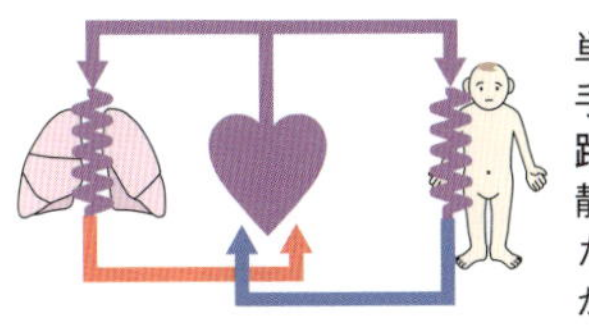

単心室症例は，手術前は**並列回路**で，動脈血と静脈血が混じるためチアノーゼがある．

Fontan 循環

右室がない（肺循環に対する心室がない）

1つの心室を体循環のための体心室とし，肺循環のための心室（右室）がない循環にすることで**直列回路**にする（チアノーゼがなくなる）．

図29 正常循環と Fontan 循環

として記載しました.

Fontan 循環が成り立つためには「肺血管に血液が流れやすい状態であること」が重要です

- 「Fontan 循環」によってチアノーゼはなくなりますが，本来あるべき右室がない循環であるため，あくまで正常とは異なる非生理的な循環です．この非生理的循環が成り立つためにもっとも重要なことは，**右室がなくても肺に血液が流れやすい状態であることです** 図 30.
- 以前は 表 22 の「Choussat の 10 カ条」とよばれる条件をクリアした症例のみが Fontan 手術まで到達することができ，それ以外の症例は Fontan 手術を断念せざるをえない場合もありましたが，その後，術式や治療戦略のさまざまな工夫により，また，近年は多くの肺高血圧治療薬が開発され，内科的治療で肺血管抵抗を下げることが可能となり，Fontan 手術の適応は拡大し，治療成績も改善しました．

Fontan 手術後の至適 CVP は通常と違います！ CVP を高めに設定せざるをえないなかで，いかにして少しでも CVP を低めに術後管理できるか？ がポイントです

- Fontan 循環は本来あるべき右室がない非生理的循環です．通常の中心静脈圧（CVP）の正常値は 5〜10 mmHg ですが，上下の大静脈が肺動脈に直接吻合されるため，Fontan 手術後の CVP は「CVP＝平均肺動脈圧」になります．通常の平均肺動脈圧の正常値は 10〜20 mmHg ですが，表 22 の Fontan 手術の適応条件に「平均肺動脈圧 15 mmHg 以下」とあるとおり，**Fontan 手術後の至適 CVP は 10〜15 mmHg** になります．

Fontan 手術前の良い条件

- 肺血管抵抗（Rp）が低い
- 平均肺動脈圧が低い
- 肺血管全体がよく育っている
- 肺動脈・肺静脈の狭窄がない

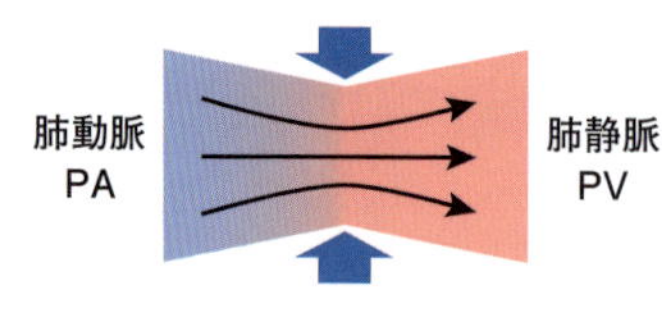

肺血管に血液が流れやすい
↓
術後，右室がなくても
低い静脈圧で血液が流れる

Fontan 手術前の悪い条件

- 肺血管抵抗（Rp）が高い
- 平均肺動脈圧が高い
- 肺血管の発育が悪い
- 肺動脈・肺静脈の狭窄がある

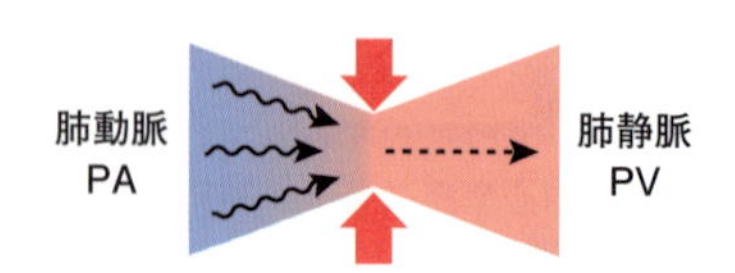

肺血管に血液が流れにくい
↓
術後，圧をかけないと流れないため
高い静脈圧が必要になり，
胸水・腹水貯留，肝障害などをひき起こす

図 30 Fontan 手術前の良い条件，悪い条件

表 22 1977 年と 2010 年の Fontan 手術の適応条件の比較

Choussat の 10 ヵ条（1977 年）[1]	最近の条件（2010 年）[2]
1. 手術時年齢 4 歳以上	低年齢化して，現在は 1 ～ 2 歳が多い
2. 洞調律	脈の異常や同期障害 dyssynchrony がない
3. 正常大静脈還流	条件として必要なし
4. 正常右房容積	術式の改良（TCPC）で問題とならない
5. 平均肺動脈圧 15 mmHg 以下	平均肺動脈圧 15 mmHg 以下
6. 肺血管抵抗（Rp）が 4 単位/m^2 以下	肺血管抵抗（Rp）が 4 単位/m^2 以下
7. 肺動脈・大動脈比 0.75 以上	条件として必要なし
8. 体心室機能正常	体心室機能正常
9. 房室弁閉鎖不全なし	房室弁・半月弁（大動脈/肺動脈弁）閉鎖不全なし
10. 既往手術にともなう肺動脈の屈曲なし	末梢肺動脈の狭窄なし
	大動脈の狭窄なし

1）Choussat A, Fontan F, Besse P：Selection criteria for the Fontan procedure. In：Anderson RH, Shinebourne EA（eds）"Paediatric cardiology". Churchill Livingstone, Edinburgh, Scotland, pp 559–566, 1977
2）Stern HJ：Fontan "Ten Commandments" revisited and revised. Pediatr Cardiol 31（8）：1131–1134, 2010

- 右室がない代わりに，静脈圧（CVP）が高めになるトレードオフで Fontan 循環は成立します．しかし，静脈圧が高すぎると，胸水・腹水貯留，肝障害，消化管の浮腫など遠隔期も含め合併症の発生率が高くなります．
- 術前の肺動脈の条件が悪い症例ほど，術後の CVP は高めに経過することになるため（Fontan 手術で肺動脈の条件がよくなることはありません），**Fontan 手術に到達するまでの姑息（準備）手術の段階で，肺動脈の条件をいかに良くするか**が非常に重要です．また，術後急性期管理は，心拍出量を維持しながら，いかにして少しでも CVP を低めに術後管理ができるか？　がポイントです 表 23．
- 急性期の CVP の目安は 表 24 に示すとおりです．術後急性期に 10 mmHg 以下になる場合は脱水状態であり，心拍出量や血圧が低下します．**Fontan 循環が成立するためには十分な前負荷が必要**で，血圧や尿量，末梢循環などで心拍出量が維持されているかを確認しながら，表 24 の CVP を目安にバランス管理をします．
- また，通常より CVP が高いため，静脈圧上昇にともない血管透過性が亢進する傾向があります．水分が血管外に漏出すると胸水や浮腫の原因となるため，これに対してはアルブミンを投与するなど血漿浸透圧を維持する治療を行います．
- そのほか Fontan 循環では，頻脈になると拡張期が短くなることで心室の拡張末期容積が減少しやすいため，心拍数を低下させる目的で**体温は低め**に管理します．

表23 Fontan手術の術後管理のポイント

術前・術式のチェックポイント	術後管理の注意点，予測される経過，想定されるリスク，治療など
肺動脈の条件 平均肺動脈圧，肺血管抵抗 PA index，末梢肺動脈狭窄 術式 肺高血圧治療薬内服の有無	・肺動脈の狭窄があれば，手術で積極的に肺動脈形成で拡大する． ・術前の肺動脈の条件が悪ければ穴あきFontan[26]（全例に行う施設もある）を行う．穴があいている分，酸素化は低下するが，心拍出量は維持される． ・術前から肺高血圧治療薬を内服している場合は，術後内服可能になれば再開する． ・人工心肺離脱直後から高いCVPの場合は，術中から一酸化窒素（NO）吸入療法を開始する．
房室弁逆流 心機能	・房室弁逆流の量が多ければ残存病変を残さないためにも，積極的な形成術が必要． ・心機能低下症例や房室弁逆流症例では，十分な後負荷軽減のため血管拡張薬を使用する．
既往手術	・Norwood後のFontanは肺動脈が低形成，肺血管抵抗が高いなど，肺の条件が悪い場合があるため，注意が必要．
側副血行路	・多い場合は術前にコイル塞栓を行う．コイル塞栓していなければ，術後，動脈から静脈へのシャントになり，心室容量負荷になる．
不整脈	・発作性上室性頻脈（SVT）の既往があり，カテーテル治療を行っていない場合は，術後に頻脈発作を起こしやすい． ・頻脈はFontan循環にとって不利になるため積極的に治療が必要．

表24 Fontan手術後急性期のCVPの目安

CVP（mmHg）	
25以上	心拍出量低下にともなう尿量低下，大量胸水・腹水，循環不全の徴候あれば，fenestration追加やtake down（元に戻す）などを考慮するレベル．
20～25	積極的に肺血管抵抗を下げる治療（NOなど）が必要． 心拍出量低下にともなう尿量低下などに注意してマイナスバランス管理を．
15～20	術後0～1日目の利尿期前であれば，この程度を維持する． 肺の状態が改善し，心拍出量が維持されていればもう少しバランスを引く．
10～15	尿量維持され，心拍出量低下の徴候なければ，ベストな状態． この状態を維持できるように適度な前負荷をかける．
10以下	脱水，不十分な前負荷で心拍出量が低下するレベル．プラスバランスに． （ただし，急性期過ぎれば10 mmHg以下になることもある．）

前負荷を維持しつつCVPを低くするためには，肺血管抵抗を下げることと，後負荷を軽減することが重要です

● 十分な前負荷が必要なFontan手術後は，通常の術後管理のように利尿薬などでマイナスバランスに管理してCVPを下げようとすると，心拍出量が低下してしまいます．Fontan手術後にCVPを左右するのは，循環血漿量だけでなく，肺血管抵抗と体心室の心室内圧です．

[26] 穴あきFontan（fenestrated Fontan）
上下大静脈−肺動脈吻合のどこかから心房の間に，短い人工血管を吻合するか，何らかの穴をあけて，肺血管抵抗が高くなり肺血流が維持できなくなったときでも，穴を介して静脈血が心房に入り，心拍出量が維持できるようなFontan手術の術式の工夫の一つ．

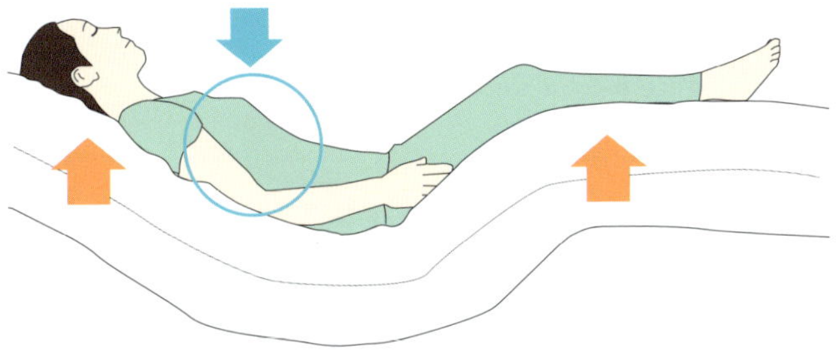

上半身と下肢を挙上させて，心臓の位置をなるべく低くし，
重力によって静脈還流がよくなるようにする．

図31 Fontan 体位

- 陽圧換気は肺血流量を減少させるため，**術後早期抜管**を目指し，十分な酸素と，必要時は一酸化窒素（NO）吸入療法，肺血管拡張薬を使用して，肺血流量を増加させる治療を行います．
- また，体心室の心室内圧が上昇すると，その手前にある心房圧，肺静脈圧が上昇し，肺動脈つまりはCVPが上昇します．後負荷軽減のため，四肢末梢は温めて，末梢血管抵抗を上昇させる量の過度のカテコラミンは使用せず，血管拡張薬を使用します．
- また静脈還流の改善目的で，上半身は10〜20°程度挙上し，下肢も少し挙上して，**心臓が低くなるような体位（Fontan 体位** 図31 **）**をとるようにするのも，Fontan 手術の術後の特徴的な工夫です．

タイプ 9：両方向性 Glenn 手術の術後 重症度★

両方向性 Glenn 手術のおかげで，Fontan 手術の適応は拡大し，より安全に

- 両方向性 Glenn（bidirectional Glenn：BDG）手術[27]は，Fontan 手術を行う予定の Fontan 適応症例に対して，上大静脈（SVC）を肺動脈に直接吻合することで，**上半身だけが Fontan 循環**（静脈血が直接肺動脈に流れる）になり，下半身からの血流は肺循環を介さずに体循環へ駆出される，Fontan 手術の前段階として行われる手術です 図32．
- 以前は p.191 の「Choussat の 10 ヵ条」の厳しい条件をクリアできた症例のみに Fontan 手術を行っていましたが，1990 年にハイリスク症例に対して Fontan 手術の前に BDG 手術を行う方法が発表され，Fontan 手術のリスク低減につながることがわかり，当時はとくにハイリスクの症例にのみ行われていましたが，現在では**「段階的治療戦略」**として，ほとんどの施設で Fontan 手術の前に，BDG 手術[28]を行っています．
- BDG 手術を行うメリットを 表25 にまとめました．これらのメリットにより，Fontan 手術の適応は拡大し，より安全に行えるようになりま

㉗ **両方向性グレン手術 Bidirectional Glenn（shunt）**
BGS と略す場合もある．
Bridges ND, Jonas RA et al：Bidirectional cavopulmonary anastomosis as interim palliation for high-risk Fontan candidates. Early results. Circulation 82（5 Suppl）：IV 170–176, 1990

㉘ BDG と同じ血行動態になるが，hemi-Fontan 手術を行っている施設もある．

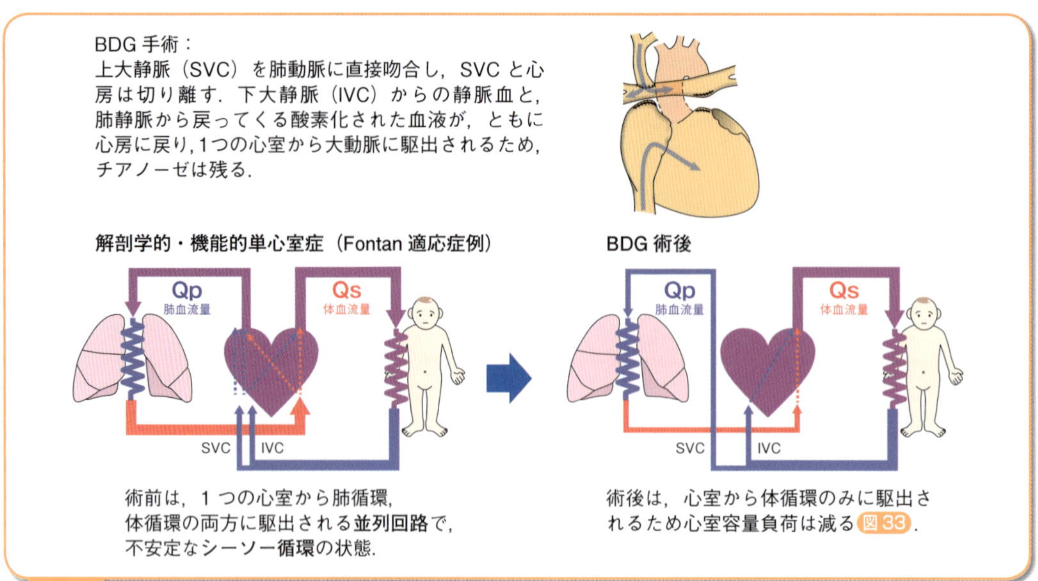

図32 BDG 手術の術前後の血行動態の変化

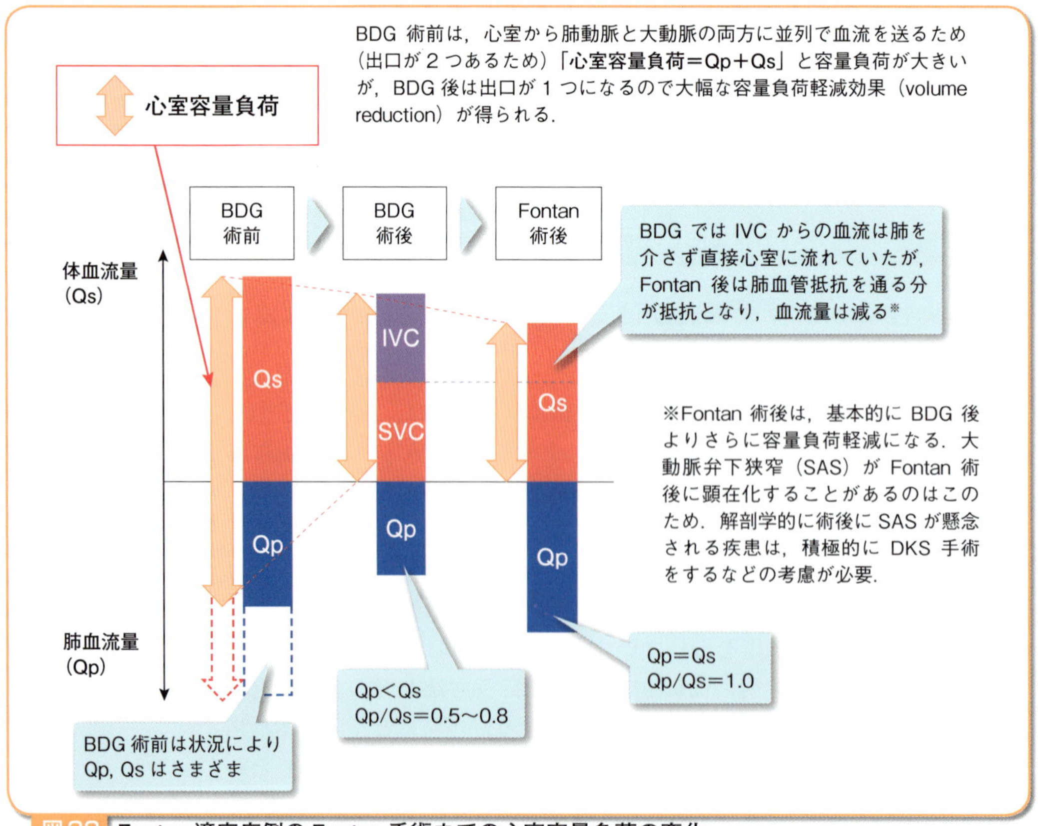

図33 Fontan 適応症例の Fontan 手術までの心室容量負荷の変化

表25 BDG手術を行うメリット

1）Fontan循環への劇的な循環の変化を2分割する	
Fontan循環はあくまで非生理的な循環．上半身だけをFontan循環にしておくことで，Fontan手術時の術前後の循環の変化を半減させる．下半身からの血流は肺循環を介さず直接心室に入って拍出されるため，肺血管抵抗にかかわらず心拍出量は維持され，上半身だけFontan循環が成立するかを確かめることができる．	
2）肺血流量の安定化，チアノーゼの軽減	
単心室の不安定なシーソー循環状態から，上半身の血流が安定して肺血流に流れる状態になるため肺血流は安定する（とくに，左房に戻る酸素化した血液が肺動脈に流れやすい心室内形態の症例では，術後は完全な静脈血が肺で酸素化されるため，チアノーゼが大幅に改善する）．	
3）Fontan手術時のリスク軽減・除去	
【Fontan手術の条件】	【BDG手術の効果】
・平均肺動脈圧が15 mmHg以下 肺血管抵抗低値 →	・過大な肺血流量による肺高血圧を防ぐ
・体心室機能が正常 →	・心室容量負荷や，大動脈弁下狭窄などにともなう心室肥大を防ぎ，拡張機能低下を防ぐ
・末梢肺動脈の狭窄がない →	・肺血流量の安定化により肺動脈低形成を防ぐ
・半月弁，房室弁の逆流がない →	・心室容量負荷軽減により房室弁逆流を軽減する
4）心室の容量負荷軽減（volume reduction）→詳細は 図33	
心室の容量負荷が軽減されることで，房室弁逆流の減少が期待できる．また，心室拡張末期容積の軽減により心室の拡張障害や心室内圧（EDP：拡張末期圧）の上昇を防ぐ．	

した．

BDG術後は，肺血管抵抗を下げる治療を．重要なパラメータはSVC/IVCの圧とその差です

- BDG手術は表25にもあるように，下半身からの血流は肺循環を介さず直接心室に入るため，肺血管抵抗にかかわらず心拍出量は維持されて，上半身だけFontan循環が成立するかどうか確かめることができることがメリットの一つです．しかし，身体の約半分の静脈血だけが肺に流れ，残りは静脈血がそのまま動脈血に混じるためチアノーゼは残ります．そして，術後酸素化が維持されるためには，上半身の静脈血が肺にスムーズに流れることが重要になります．
- 図34のとおり，術後，**上大静脈（SVC）圧は平均肺動脈（PA）圧と同じ**になり，**下大静脈（IVC）圧は心房圧と同じ**になります．通常，平均肺動脈圧は10～20 mmHg，左房圧は5～10 mmHgであることから，**SVCとIVCの圧に圧較差がある**ことがBDG術後の特徴で，かつ重要なパラメータです．このため，**内頸静脈（＝SVC圧）と大腿静脈（＝IVC圧）の両方の圧をモニタリングします．**
- IVC圧は循環血漿量や心室拡張末期圧（EDP）を反映しますが，SVC圧はIVC圧に加えて肺血管抵抗を反映します．SVC圧が低く，IVC圧との

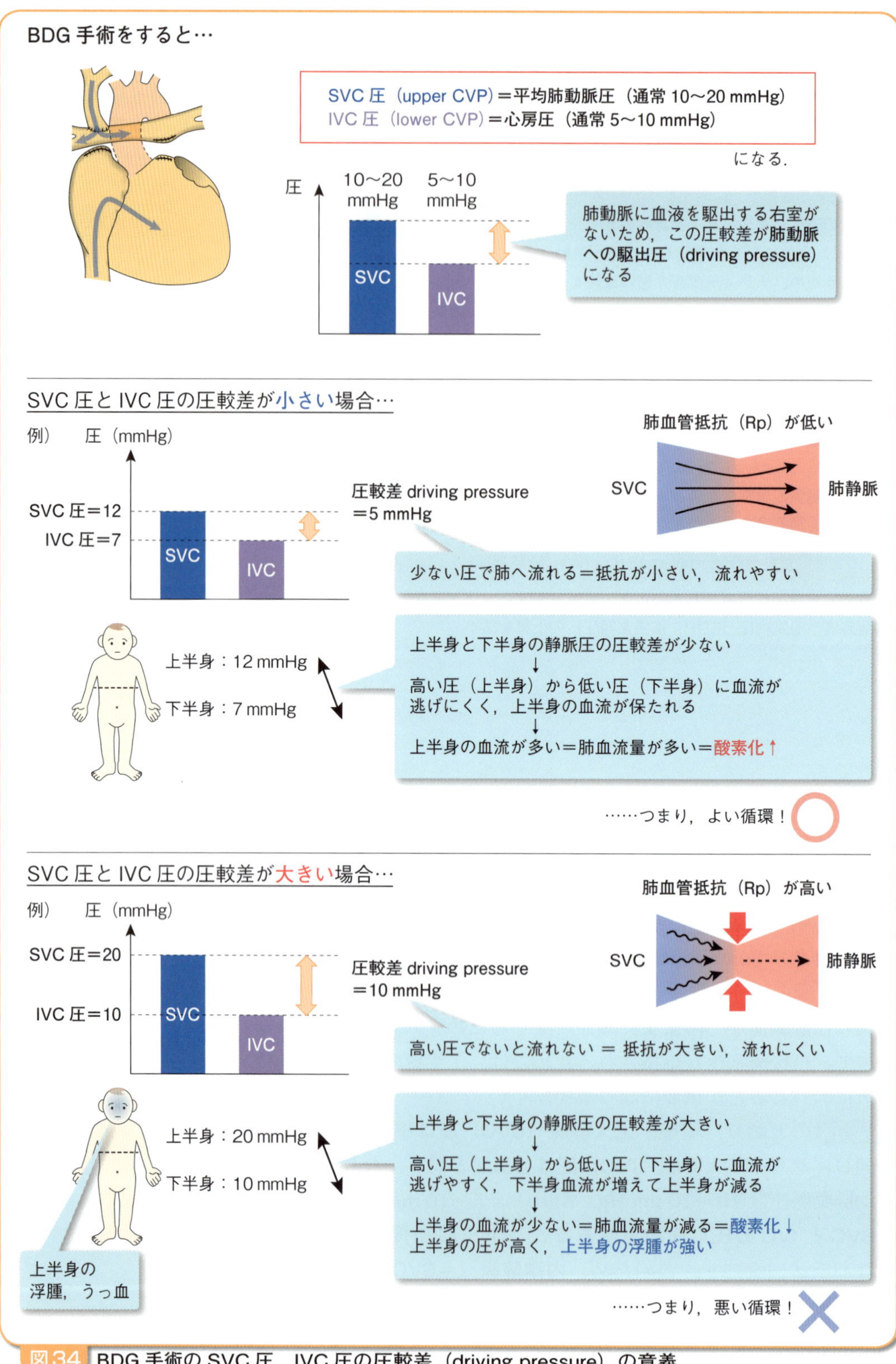

図34　BDG 手術の SVC 圧，IVC 圧の圧較差（driving pressure）の意義

表26 BDG手術の術後管理のポイント

術前・術式のチェックポイント	術後管理の注意点，予測される経過，想定されるリスク，治療など
肺動脈の条件 過去に行った姑息術 （PAB，BT，両側PAB）	・Fontan手術の条件と同様に，肺動脈の発育（PA index），肺動脈圧（PAP），肺血管抵抗（Rp）の条件が悪ければ，術後SVC圧は高めになる． ・姑息術時に肺動脈の狭窄が残っている場合（とくに両側PAB後）は肺動脈形成をして十分に拡大する．
同時手術	・同時手術で，Norwood手術やDKS手術の場合は，人工心肺時間が長く侵襲が大きいため，術後SVC圧は高く，積極的に肺血管抵抗を下げる治療が必要（詳細はp.183〜）．
房室弁の逆流	・BDG術後は心室の容量負荷軽減になるため，基本的に房室弁の逆流は術後軽減することが期待できる．

圧較差が小さければ，肺血管抵抗が低く，肺血流が流れやすい状態と判断できますが，SVC圧が高く，IVC圧との圧較差が大きければ，高い圧をかけなければ肺血流が維持できない，つまり肺血管抵抗が高い状態であると判断できます（図34）．圧較差が大きい場合は，肺へ流れにくいため酸素化は悪化し，上半身のうっ血による浮腫が強くなります．

- よって，BDG術後は**肺血流量を増やす治療**（p.171「肺血流量を増加・減少させる治療・原因」を参照）が主体です．陽圧換気は肺血流量を減らすため**早期抜管**を目指し，図33のとおり心室容量負荷が軽減する分，積極的に**マイナスバランスで管理**して肺うっ血を改善させ，上半身の浮腫を軽減するため**上半身を10〜20°ほど挙上させた状態**にします．血管抵抗を上昇させる過度のカテコラミンは不要です．
- SVC圧が高く（20 mmHg以上），一酸化窒素吸入，100 %酸素，肺高血圧に対する薬物治療などを行っても，酸素化や循環が維持できないという場合は，take down（元の状態に戻す）を考慮する必要があります．

タイプ10：新生児期の一期的修復術　重症度★★

新生児期の開心術は，新生児の未熟性にともなう合併症に注意が必要です

- 新生児期に行うおもな開心術（姑息手術を含む）を表27にまとめました．このなかでも代表的なものは，総肺静脈還流異常症（total anomalous pulmonary venous return：TAPVR）[29]に対する修復術と，完全大血管転位症（transposition of the great artery：TGA）I型に対するJatene手術です．

[29] Total anomalous pulmonary venous connection（TAPVC）または total anomalous pulmonary drainage（TAPVD）ともいう．

表27 新生児期に行うおもな開心術

- 総肺静脈還流異常症（TAPVR）の修復術
- 完全大血管転位症（TGA）Ⅰ型に対する Jatene 手術
- 左心低形成症候群（HLHS）に対する Norwood 手術*
- Ebstein 病に対する Starnes 手術*　など

＊Norwood 手術や Starnes 手術は姑息術

TGA，TAPVR の術後は左心不全が必発で，左室が慣れるまでには時間を要します

- 胎児循環では酸素化は胎盤で行われるため，肺血流はほとんどなく，出生前は左室には容量負荷がかかっていません 図35 ．正常では，出生後，肺血流が増加すると左室に容量負荷がかかりますが，**TGA や TAPVR は血行動態の特徴から出生後も左室負荷がかかりません**．このため，**TGA，TAPVR 術後は左室容量負荷により左心不全になります．**
- 新生児の収縮期血圧は 60 mmHg あれば十分で，50 mmHg 台であっても循環が維持されていれば十分と判断します（尿量は 表28 のとおり術後腎不全になりやすいため，循環の指標とならない場合があります）．また，血管拡張薬の使用を基本とし，末梢を温めて後負荷軽減を十分に行います．術前に容量負荷のかかっていない小さな左室に対して，心拍

胎児循環

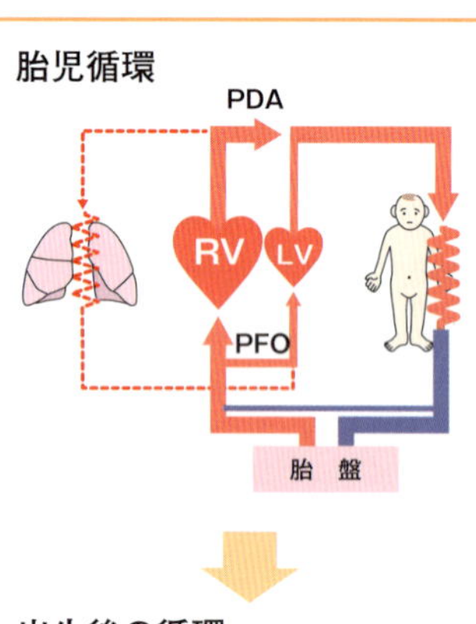

胎児循環では肺循環を使わない．
右室から肺動脈→動脈管を通って全身へ．
一部の血液が，卵円孔から左房→左室へ流れる．

出生前は正常でも左室の容量負荷が少ない

TGA（Ⅰ）

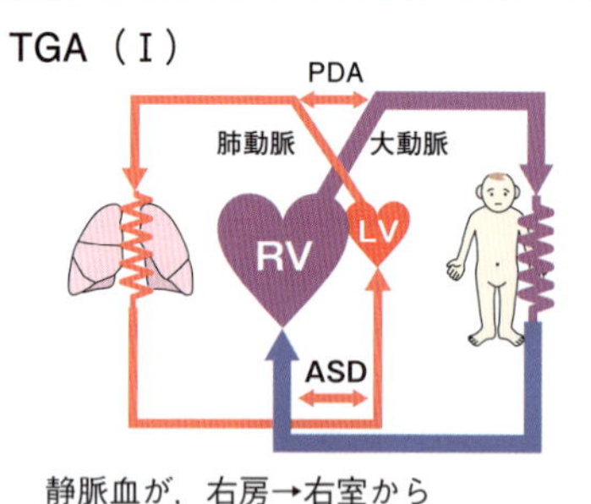

静脈血が，右房→右室からまたすぐに大動脈に送り出される．
→ **生まれてからも左室の容量負荷が少ない**

出生後の循環

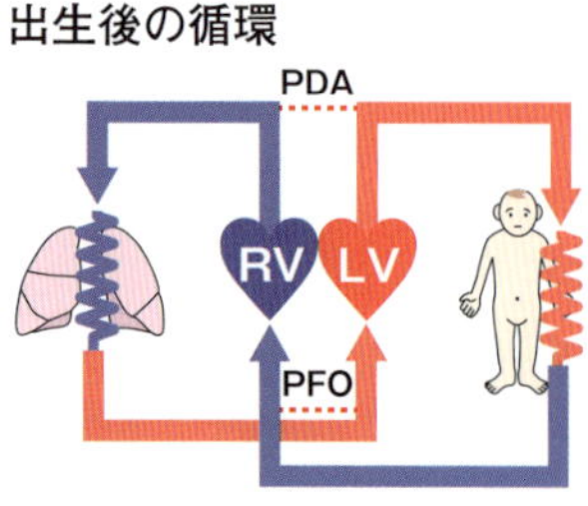

出生後は，PDA，PFO は閉じて，肺循環を使うため，左室には容量負荷がかかる．

正常では出生後に左室の容量負荷が増える

TAPVR

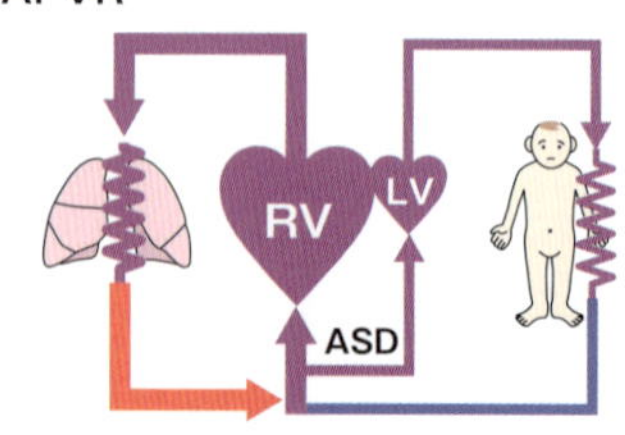

肺から戻ってきた血液が，左室ではなくまた右室に戻る．
→ **生まれてからも左室の容量負荷が少ない**

図35 胎児循環から出生後の循環への変化と，TGA（Ⅰ），TAPVR の術前の血行動態

表28 新生児期の開心術にみられる所見・合併症

臓器など	新生児期に特有の所見・合併症
肺	・出生後1～2週間は生理的肺高血圧の時期のため，その時期を過ぎるまで術後も肺高血圧が遷延する． ・在胎週数が短い場合，呼吸中枢の未熟性による無呼吸がみられたり，肺サーファクタント産生障害にともなう呼吸急迫症候群（respiratory distress syndrome：RDS），胎便吸引症候群（meconium aspiration syndrome：MAS）を合併することがある． ・気胸や無気肺，乳び胸を合併しやすい． ・術前から肺静脈狭窄（PVO）を呈したTAPVRは，リンパ管拡張をともなう症例が多く，術後，胸水や乳び胸で難渋することがある．
腎　臓	・未熟性のため術後腎不全になりやすいため，新生児の開心術後は，腹膜還流（peritoneal dialysis：PD）を留置することを積極的に考慮する． ・腎臓の未熟性に加え，人工心肺時の血液希釈率が高く，もともと血管透過性が高いという生理的特徴のため浮腫になりやすい．
肝　臓	・生理的な新生児黄疸に加えて，肝臓の未熟性，筋弛緩薬を使った鎮静などによる腸肝循環の停滞や，過度の利尿薬使用による胆汁うっ滞が原因で，高ビリルビンをきたしやすい．間接ビリルビン優位なら，基準に応じて光線療法を行う．
腸　管	・腸管の未熟性や，血流障害，感染などが原因で壊死性腸炎（necrotizing enterocolitis：NEC）を合併することがある．
感　染	・肝障害にともなう蛋白合成能低下から，グロブリンの減少をきたすため，感染が疑われる場合は，γグロブリンの投与を積極的に行う．
体　温	・皮下脂肪が少なく，環境温度の影響を受けやすいため保育器で保温し，常に体温をモニタリングしながら細かく管理する必要がある．
血　糖	・グリコーゲンや脂肪の貯蔵が少ないうえに，開心術による侵襲，感染，呼吸障害などでエネルギー需要が増大し低血糖になりやすい． ・エピネフリン使用時，循環不全時は高血糖になることもある．
その他	・ビタミンK欠乏性出血（頭蓋内，消化管）をきたすことがある．

出量を維持するために一時ペーシングやプロタノール®を使用して頻脈管理とします．それでも循環が維持できない場合は，エピネフリンの少量持続投与（0.01～0.05 μg/kg/分）が効果的です．

- 左心不全については，左室拡張末期圧を反映する左房圧（LAP）を左室機能の指標とし，適宜エコーで心機能や僧帽弁閉鎖不全を評価します．カテコラミンで心収縮サポートして，左室が慣れるまで，左心機能が改善するまで待ちます．

通常の病態生理に加えて，新生児期特有の合併症に注意して管理しましょう

- 新生児期に手術を行う場合，乳児期以降とは異なる新生児期に特有の所見や合併症が多くあります（表28）．いずれの手術でも，これまで述べてきたさまざまなタイプの病態生理に加えて，新生児期特有の所見や合

併症に注意して，術後管理を行うことが重要です．

最後に

- 全体像がみえて，術後管理の先の見通しがわかると，先天性心疾患の術後管理の「なんとなく怖い」が少し解消されるのではないかと思います．
- 最初にも述べたように，先天性心疾患の術後管理は，手術成績における周術期管理の比重が大きく，やり甲斐があります．手術や術後管理に関わる者として，先天性心疾患の子どもたちの人生の最初の壁である「手術を乗り越えること」の手助けをすることは，多くの子どもたちの未来につながります．一人でも多くの医療スタッフが先天性心疾患の術後管理に興味をもち，理解が深まることを祈っています．

（立石　実）

III

モニタリングと補助循環の理解

動脈圧モニタの基礎と看護の視点

～たかが動脈圧モニタ，されど動脈圧モニタ!? 結構得られる情報は多いのです！～

- 基本なくしては応用なし，といわれるように，どのような循環生理を動脈圧モニタではみているのかという関係性を理解する必要がある．
- 動脈圧モニタの変化には，病態生理や術後経過が関与するため，これらを踏まえモニタリングをしていく必要がある．
- 動脈圧モニタは医療機器を通じてみているものなので，動脈圧（波形）の変化＝患者の変化ではない可能性も秘めていることに留意しよう．

はじめに

- 心臓血管外科術後患者のICU管理では，“**動脈圧モニタ**”を扱う機会は多いのではないかと思います．その理由はいたってシンプルで，「術後に循環動態の集中管理が必要となる」からではないでしょうか．
- 一般的に，この動脈圧モニタでは血圧値や圧波形などの経時的な変化を観察し，病態経過やその他の生理学的指標と組み合わせながら患者を看ていると思います．そして，なんらかの変化があった場合，血管作動薬を予測指示に基づき調整したり，緊急度が高い状態であればすぐにドクターコールしたりなど，私たちの臨床看護実践と密接な関係があります．
- しかし，動脈圧モニタから得られる情報は，実は思った以上に多いことはご存知でしょうか．とくに，動脈圧波形はその時点での血行動態を反映したものであり，術後の**循環生理（正常循環への回復）**や**病態生理（異常の発見）**を看ることを可能にできます．心臓血管外科患者の術後管理では，循環生理を理解したうえで看ることが非常に重要となるため，動脈圧波形の基本を押さえておくことは重要です．
- 本稿では，動脈圧モニタ（動脈圧波形を中心に）と循環生理を照らし合わせながら基礎を再確認し，臨床看護実践でどう活かしていくかという視点から具体的に説明します．次章ではこれらの視点を踏まえ，肺動脈圧モニタについても説明します．

「基本なくしては応用なし」：循環生理と動脈圧波形との関係を再確認!?

- 普段の臨床では，動脈圧モニタは見慣れた生理学的指標の一つだと思います．そして，動脈圧（波形）は，“心臓が収縮/拡張する際に生じる圧

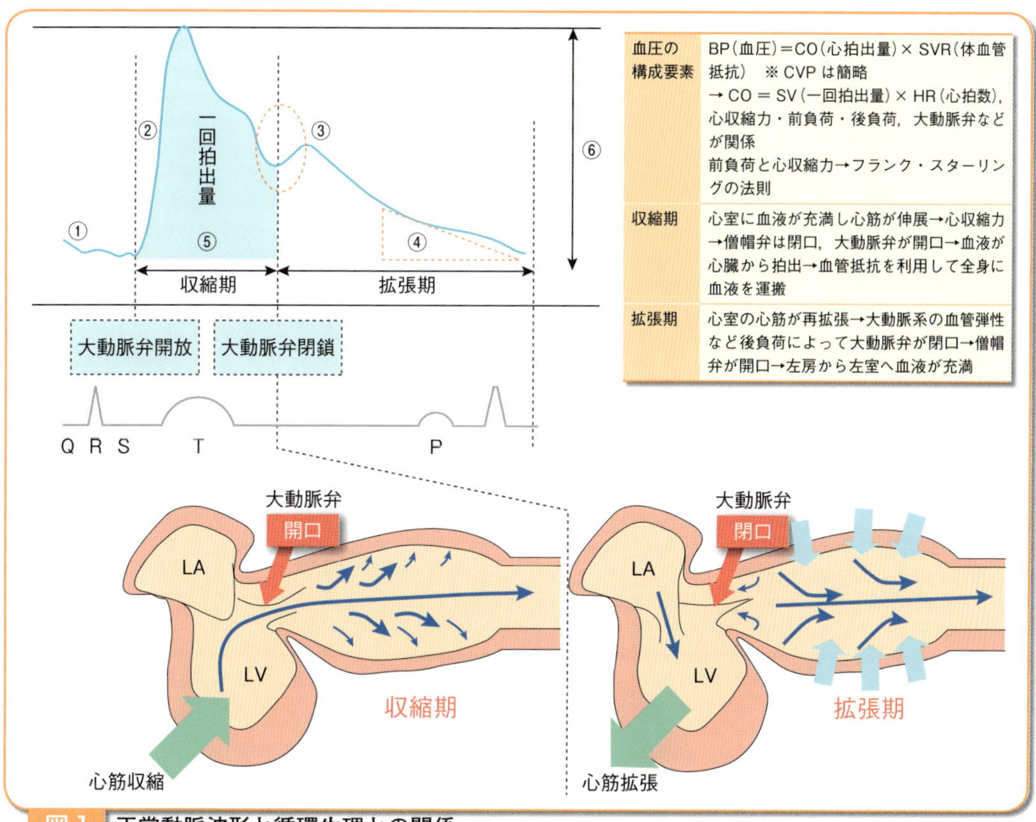

図1　正常動脈波形と循環生理との関係

①前駆出期波：心拍出が生じる前にできる波形．頻脈など拡張と収縮が連続して起こる場合には狭くなり，モニタでは見えなくなるときもある．

②上行脚：この圧波形の立ち上がりは，心収縮力や後負荷（動脈のコンプライアンス）などが関与する．例えば，心収縮力＞後負荷という関係であればここの角度は鋭角に，心収縮力＜後負荷という関係であれば鈍角な角度となる．また，大血管部分まで動脈硬化をきたしているような場合では，この角度は鋭角，かつ高くなる．一回の心拍出量には変化がないため面積は変わらないので，動脈波形全体は正常時と比べると短くなる 図2．

③重複切痕（ディクロティックノッチ）：心臓が拡張しようとしたときに，一方弁である大動脈弁は後負荷（動脈のコンプライアンス）の影響を受けてその圧で閉口する．その際に生じる圧の変化で，凹みが生じてみえる．

［敗血症時］ 心拍出量＞血管抵抗（血管容積が増えるので血圧自体は上がらない）→大動脈弁が閉口する際に生じる圧較差が低下するため重複切痕は消失．

［動脈硬化時］ 心拍出量＜血管抵抗→血管の弾性がないため心拍出時の圧に相応してすぐに閉口してしまい，重複切痕は高い位置に生じる．

④体血管抵抗：ここの傾きは体血管抵抗を反映し，心拍出量，平均血圧，右心房圧から算出される．血管抵抗が高い場合には，傾きは鋭角になる．

⑤一回拍出量：心収縮によって大動脈弁が開口し，重複切痕が生じるまでの部分が心拍出量の面積となる．

⑥脈圧：収縮期と拡張期血圧の圧較差で，脈圧を示す．拡張収縮不全が生じれば狭く，逆に大動脈弁閉鎖不全など心収縮と拡張時に拍出がうまくいかない場合などでは拡大する．

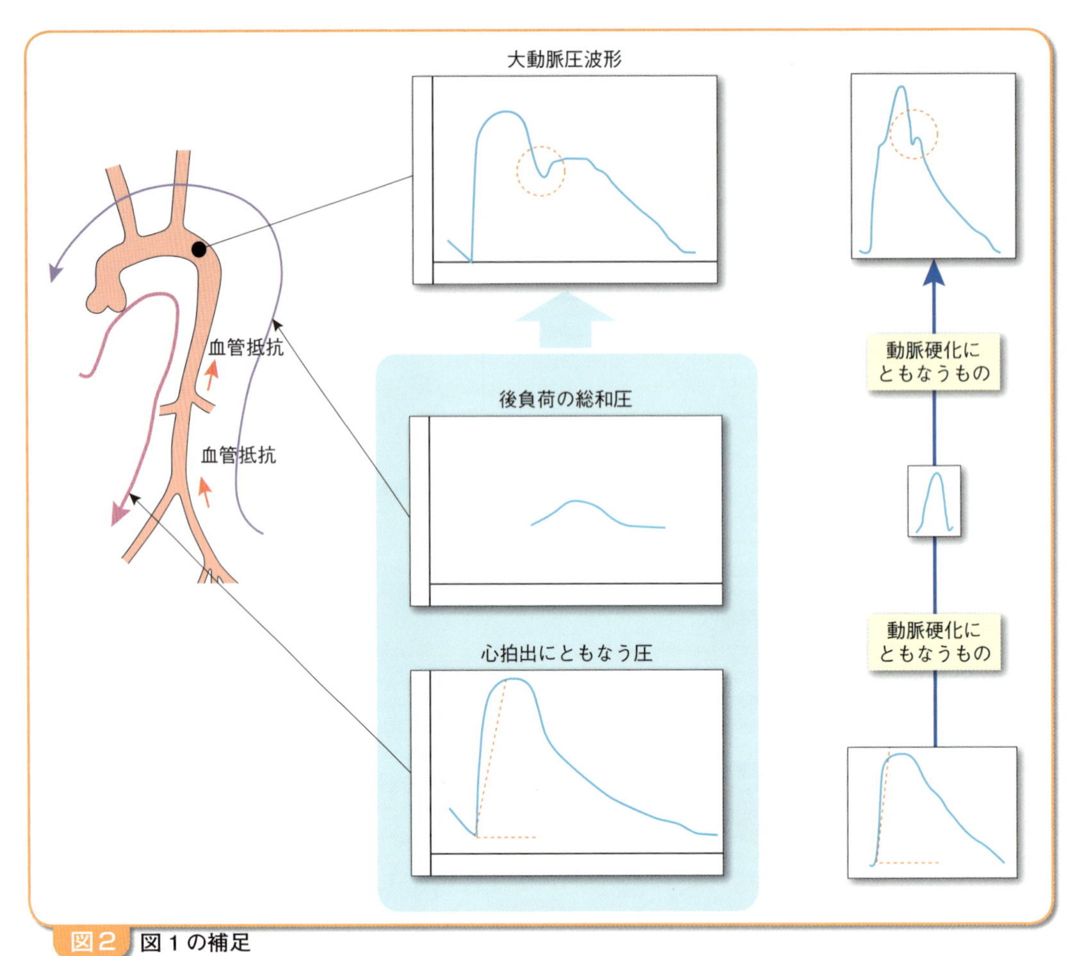

図2 図1の補足

(波形)"であることは周知の事実だと思います．さらに，この圧（波形）変化に関係するものは，血圧の計算における構成要素だということもご存知のことと思います．

- しかし，前述の通り，まず重要となることは循環生理との関係性です．血圧が変化しているということはすなわち，なんらかの循環生理に変調をきたしている結果をみていることに気づく必要があります．じつはこの２つの関係性を立体的に理解することこそ，とても重要といえるのです 図1 図2 ．

「基本から応用へ」：病態生理と動脈圧波形との関係性を再確認!?

- 前節で述べたように，この基礎をもとに病態と合わせて考えてみましょう．この関係性を考えるコツさえ理解すれば，心臓血管外科の周手術期における動脈圧モニタの見方は理解できるのではないかと思います．ここでは，①大動脈弁が障害された場合 図3 ，②心収縮力に障害がある

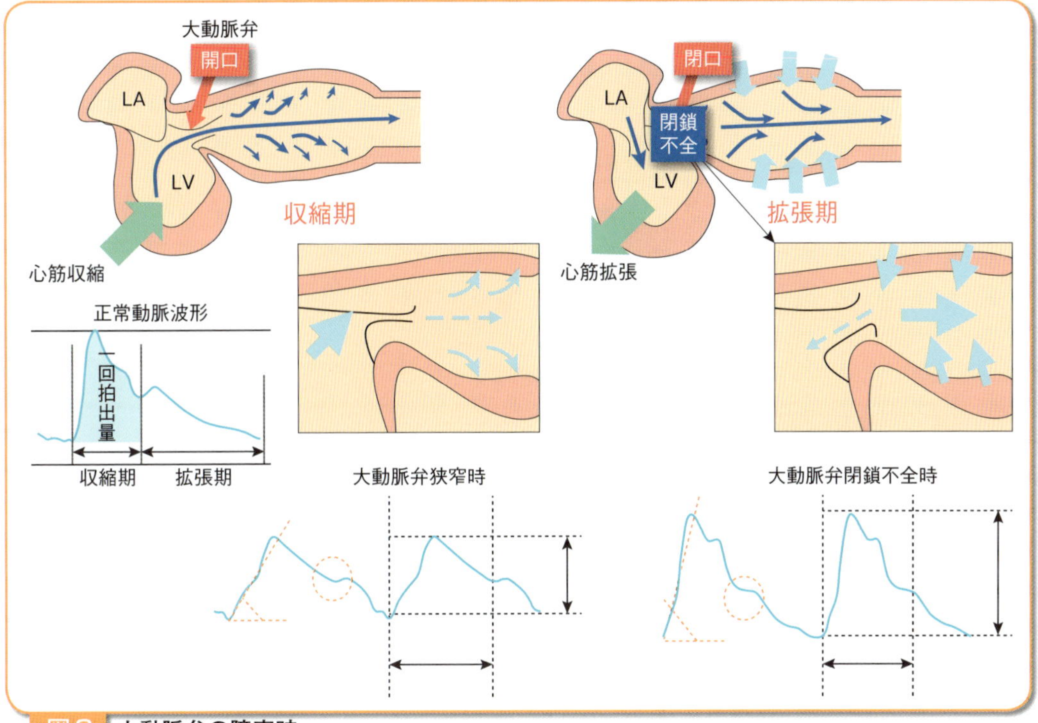

図3 大動脈弁の障害時

大動脈弁狭窄では，左室から血液が拍出する際に開口すべき大動脈弁部分で抵抗を生じる病態である．そのため，正常動脈圧波形と見比べてみてもわかるように，重複切痕までの時間が延長，つまり一回の心拍出量を駆出するまで時間を要している特徴がわかる．さらに，心不全状態でなお心収縮力が低下している場合には，さらに上行脚部分の傾斜は鋭角になり，一回心拍出量は低下する．その結果，拡張期と収縮期の差が低くなり，結果脈圧は狭くなる．

一方，**大動脈弁閉鎖不全**では，拡張時に大動脈弁がうまく閉鎖できず，左室に血液が逆流してしまう病態である．そのため，正常波形と見比べてみてもわかるように，収縮期と拡張期への移行時の圧較差は大きく，重複切痕は低い位置に出現する．一回の心拍出量をみてみると，正常時よりも増加しているが，これは逆流した血液が再び左室に逆流した分が相乗している．心拍出量は徐々に増加し，さらに重複切痕は不明瞭になることがある．その結果，心臓の収縮と拡張は過剰に動く必要があり脈圧は拡大する（心収縮力低下をともなう心不全がない場合）．

例えば大動脈弁置換術後では，弁不全やなんらかの障害が生じれば，これらいずれかに近い動脈波形に，術後経過良好であれば正常動脈波形に近くなると考えられるため，十分に理解しておく必要がある．

場合 図4 ，③呼吸性変動を生じている場合 図5 図6 の動脈圧波形を例に考えてみたいと思います．正常動脈圧波形と見比べながら，どのように病態によって変化するのか，あるいは外科的治療を行ったあとはどのように正常化していくべきかも考えてみましょう．

看護の視点に役立てよう!?

- これまで述べてきたように，日常の臨床で看る「**“血圧変化”＝“動脈圧波形の変化”**」を一つの現象として捉えるだけでなく，「**“その理由となる異常や変化”＝“病態を十分に理解”**」するということがとても重要となることが実感できたのではないでしょうか．

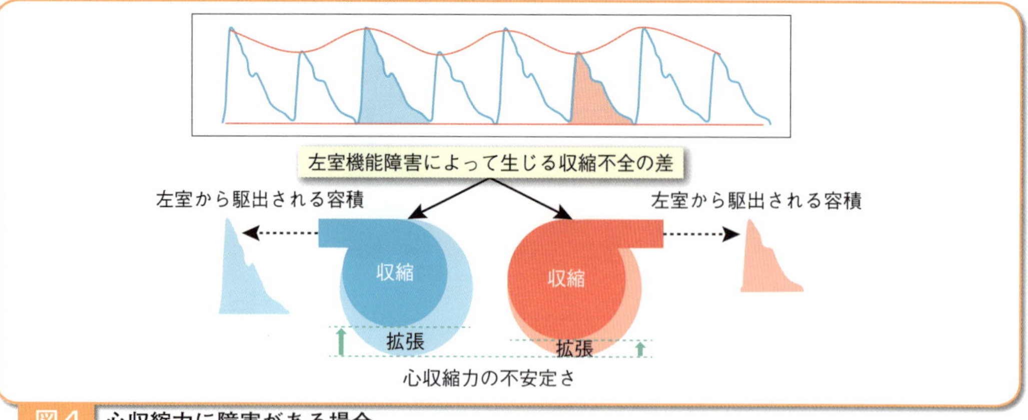

図4　心収縮力に障害がある場合

この動脈圧波形をみるとわかるように，異なる大小の波形が交互に出現していることがわかる．つまり，心収縮にばらつきがあり，それにともなって一回の心拍出量が左右されていることを意味している．このようになる要因はさまざまにあるが，多くは左室機能障害，とくに収縮不全をきたしている場合が多い．この状況でさらに前負荷が多くなっていくと，心不全が増悪し，さらなる全身状態の悪化をまねく可能性も高くなってしまう．心臓血管外科の周手術期では，心機能がベースとして悪かったり，心筋梗塞など急性発症した病態によって悪くなったりする場合も多く，この動脈波形が示す意味を理解しておく必要がある．

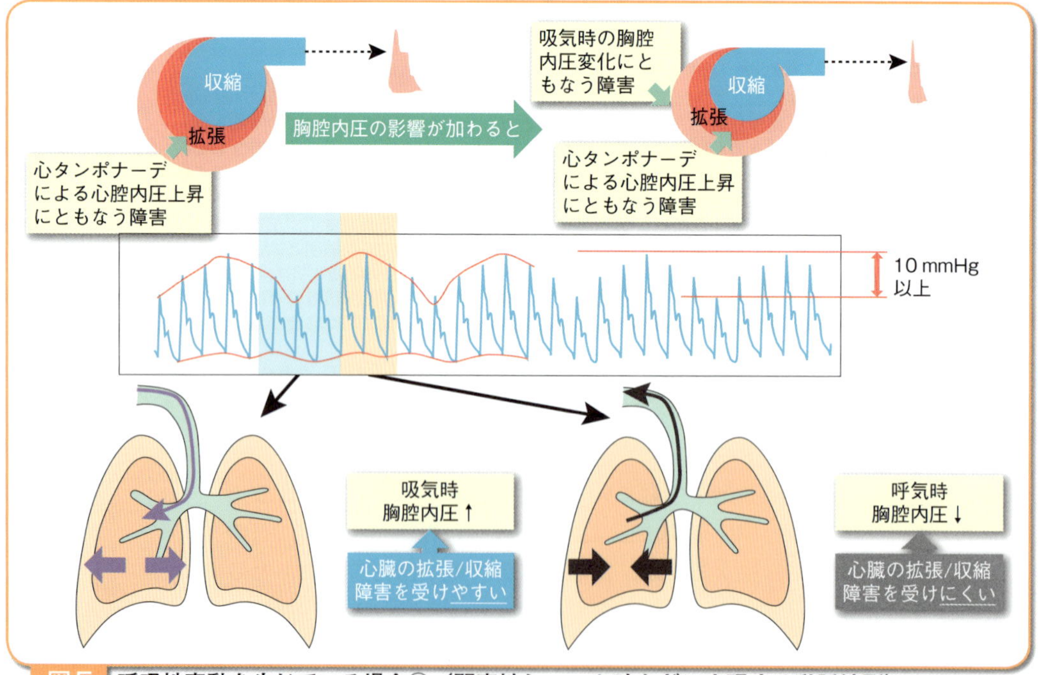

図5　呼吸性変動を生じている場合①（閉塞性ショック時などに出現する動脈波形）

臨床でみる呼吸性変動では，いくつかのパターンがあるが，ここでは2つを示す．心臓血管外科の周手術期ではどちらも迅速な対応が必要となるため，正常動脈圧と比較しながら，異常動脈波形の理由を理解しておく必要がある．

ここではまず，わかりやすいように心タンポナーデを例に挙げた．心タンポナーデは，心臓血管外科術後の起こりうる合併症でもあるので，十分に理解しておく必要がある．この場合の呼吸性変動は，吸気時に低下し，呼気時に上昇する収縮期圧較差が 10 mmHg 以上あることが特徴である．心タンポナーデなどによって心腔内圧が上昇し，それによって心臓の拡張 / 収縮を障害，さらに吸気時には胸腔内圧が上昇することを助長，その結果，呼吸性変動を生じる．

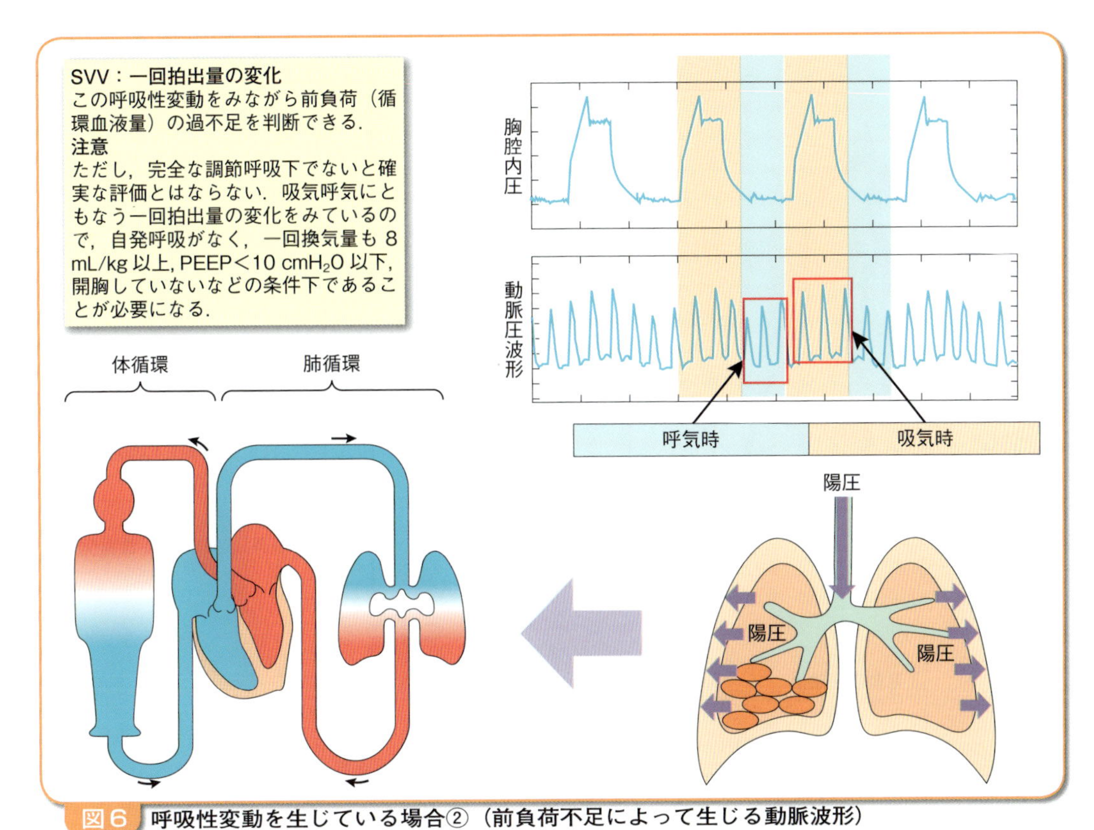

図6　呼吸性変動を生じている場合②（前負荷不足によって生じる動脈波形）

前負荷（循環血液量）不足の場合は，動脈圧が吸気時に上昇，呼気時に低下するという特徴がある．この理由は，吸気にともなって胸腔内圧が上昇，さらにその影響で肺全体の肺血管が圧排され左心系に流入する循環血液量が一時的に増加，呼気時にはその影響がなくなることがくり返されるためである．最近ではSVVなどを測定することがあるが，この場合にはいくつかの条件があるので注意してほしい．

また，自発呼吸下であっても高い胸腔内圧のとき（例えば深呼吸，高いPEEP設定の人工呼吸など）にも呼吸性変動をみることもある．この場合は，胸腔内圧の上昇にともなって静脈還流量が低下し，その結果，心拍出量が変化するためである．ただし，この場合では換気条件が一定ではないので，必ずしも正確な評価ができるわけではないことに注意が必要である．いずれも，正常動脈波形のように基線の揺らぎがないことが重要．

- 心臓血管外科の周手術期において，とくにICUでは看護師が24時間患者の血行動態をモニタリングし，回復や異常徴候を看ていきます．そのため，手術経過や病態も十分に理解したうえで動脈圧モニタを基盤に，「**集中的なモニタリング（管理）**」ができることこそ，ICU看護師としてのスキル，専門性であるといえるのです．
- なお，もう一つ重要な点について最後にまとめておきたいと思います．それは，動脈圧モニタは患者の血行動態を医療機器から看ているので，「**“変化”＝“患者の変化”**」ではない可能性も秘めているということです．これもよく知られたことかもしれませんが，図7に注意すべき波形とそのときに確認/対応すべきことをまとめましたので参考にしてみてください．

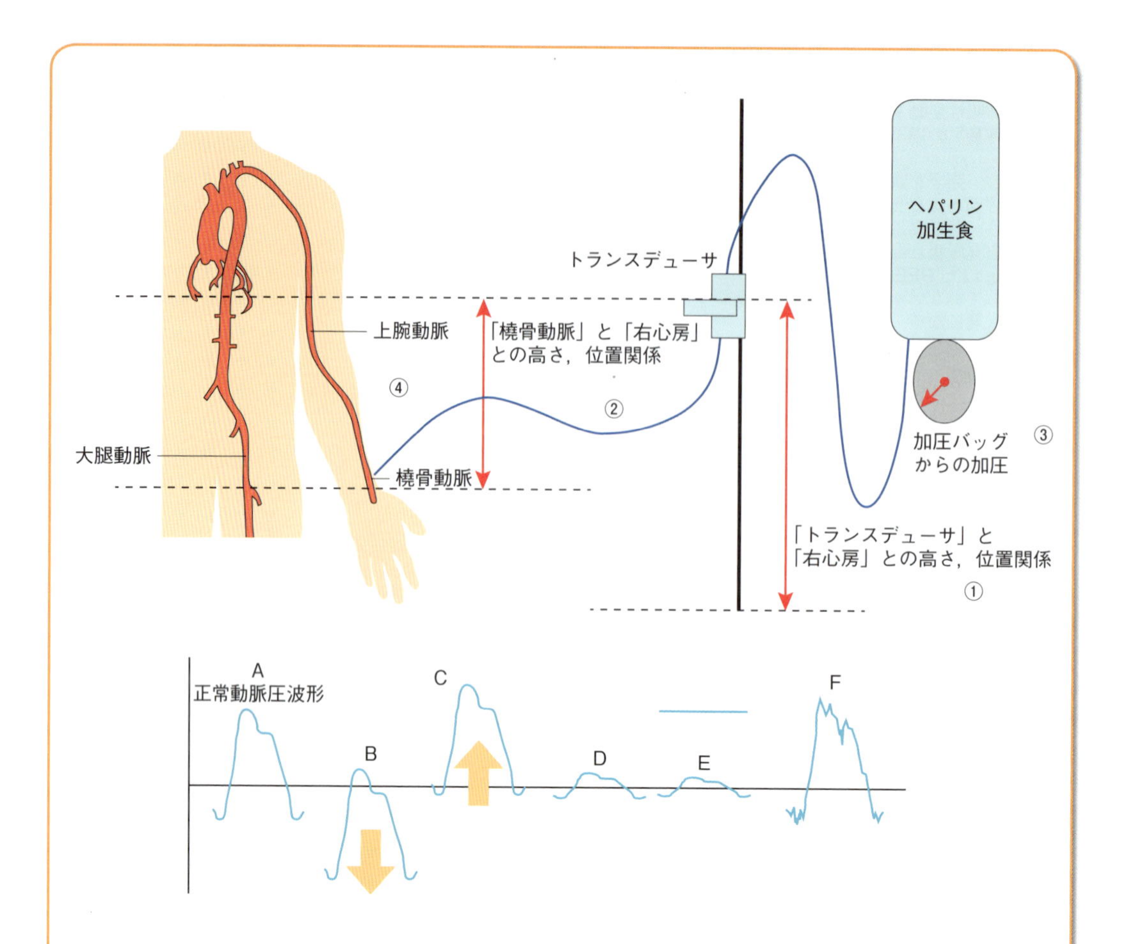

波形	原因	対　応
B	①	正常動脈波形時の基線よりも上下している場合には，必ずトランスデューサの位置を確認する必要がある．厳密な管理が重要にもなるので，「0点」校正も再度行う必要がある．
C		
D	②③	ルート内にエアが混入，もしくはバッグの加圧不足時に鈍った波形が出現することがある．ルートから加圧バッグの観察をする必要がある．
E	②④	この波形のいずれかが現れた場合，挿入部の屈曲，挿入部からトランスデューサまでの間での屈曲など，正確な圧反映ができていない可能性がある．そのため，この原因となる箇所はないかなど，よく確認する必要がある．
F	さまざま	ルートやトランスデューサ，モニタコードなどの共振によって波形のブレが生じる．なんらかの医療機器との共振がないかなど確認する必要がある．また，体の振動によっても生じ，悪寒戦慄，けいれんなどの可能性にも注意が必要．

図7 注意すべき動脈圧波形

コラム

平均血圧と脈圧も看よう！

心臓血管術後患者の場合，さまざまな循環動態に関するパラメータから患者状態をアセスメントしていくことが求められるのはいうまでもないでしょう．しかし，動脈圧モニタには，これまで述べたこと以外に，「平均動脈圧」や「脈圧」から得られる情報も多いことも覚えておきましょう．

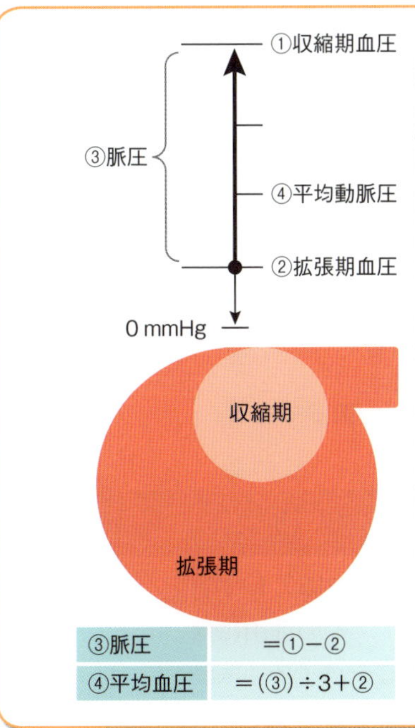

③脈圧	=①−②
④平均血圧	=(③)÷3+②

一回拍出量は，おもに前負荷，心収縮力，後負荷によって構成される．そのため，これらの関係を動脈圧波形からどう捉えられるかが重要になる．とりわけ，後負荷になる「動脈硬化」の程度は，脈圧，平均血圧によって看ることができる．

例えば，「脈圧」などは心タンポナーデのときに「狭小化」する，というのは周知の事実であるが，その理由は「脈圧＝心臓の拡張と収縮によって生まれる血流（一回拍出）の圧」をみることができるからだ．そのため，脈圧は心臓の収縮/拡張状態（心拍出量で生じる圧）に加え，大（中枢側）血管の弾性状態に左右されていることが理解できる．

また，平均血圧の場合は，「平均血圧＝心拍出量×全血管抵抗」と示されるように，おもに全血管抵抗が拡張/収縮期血圧に影響していることが理解できる．

→大（中枢側）動脈の弾性異常→脈圧変化！
→末梢側血圧の弾性異常→平均血圧変化！

＊注意＊「脈圧＝平均血圧」になるような場合
→脈圧拡大：大動脈にも動脈硬化
→平均血圧上昇：末梢血管にも動脈硬化
要注意!!

図8 平均血圧と脈圧

参考文献

1）岡田隆夫：“生理学”．メジカルビュー社，pp160-171，2008
2）Jacpbson C et al：“Cardiovascular NURSING PRACTICE”. Cardiovascular Nursing Education Associates, pp115-157, Burien, WA, 2007
3）Sole ML et al：“INTRODUCTION TO Critical Care Nursing（5th ed）”. SANDERS, pp141-171, 2009
4）Marino PL，稲田英一 監訳：“The ICU Book（3rd ed）”．メディカル・サイエンス・インターナショナル，pp131-139，2009
5）三浦由紀子，奥谷　龍：循環モニターの評価方法～観血的動脈圧を中心に～．Anet 15（1），2011
http://www.maruishi-pharm.co.jp/med2/files/anesth/book/16/5.pdf?1368492064（2014年11月閲覧）

（齋藤 大輔）

肺動脈圧モニタの基礎と看護の視点

～看る機会は減ってもしっかり押さえておこう！～

- 肺動脈圧（PAP）は，全身の血行動態の状態が反映するものであることを理解しよう．
- PAPと循環生理の関係でみると，「収縮期PAP≒収縮時RVP（右心室圧）」，「拡張期PAP≒左室拡張末期圧（LVEDP）」，「PCWP（肺動脈楔入圧）≒LAP（左心房圧）≒LVEDP」という関係がある．
- 心臓血管外科の周手術期では，前負荷，後負荷，心収縮力などの管理は重要であり，これらはPAPと深い関係性にある．
- PAP以外にもSvO_2やRAP（CVP）のモニタリングも重要である．

はじめに

- 最近ICUにおいて，血行動態の評価に肺動脈カテーテルを挿入して管理する，ということは少なくなってきたように感じます．その理由にはさまざまな議論などもありますが，低侵襲で測定できるデバイスや医療機器なども開発されるようになってきた背景があるからではないでしょうか．
- しかし，とくに心臓血管外科患者の病態や術後経過では，確実な全身の血行動態評価をしなければいけないときなども多く，周手術期において肺動脈カテーテルの管理をすることは多いと思います．そこで，前項に引き続き，肺動脈圧モニタ管理で必要な基礎を再確認し，具体的に臨床看護実践でどう活かしていくかを説明します．

いったい肺動脈圧は循環生理の何をみているのか？

- ご存知のとおり，肺動脈圧の測定には，肺動脈カテーテル（臨床ではよくスワン・ガンツカテーテルといいます）を挿入する必要があります．通常，肺動脈カテーテルは左右どちらかの内頸静脈（鼠径部からは補助循環挿入との兼ね合いや挿入留置のしやすさ，ADL拡大の障壁となり不向きなため）から挿入し，上大静脈―右心房―三尖弁―右心室―肺動脈の順にカテーテル先端を進めていきます 図1．前章の動脈圧モニ

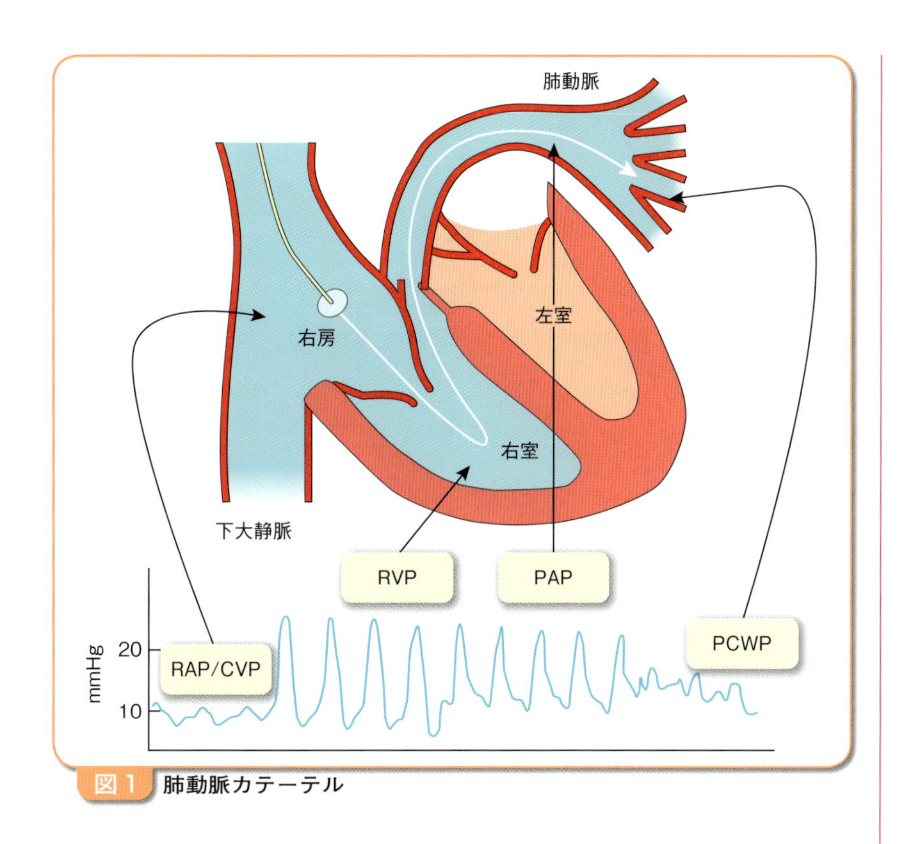

図1 肺動脈カテーテル

タはおもに左心系から血行動態を評価するものでしたが，肺動脈カテーテルは右心系から全身の血行動態評価 表1 を行うものになります．

では，循環生理において肺動脈圧とは何を示しているのかを考えてみましょう． 図2 には全身の循環の概略を示しました．これはご存知のとおり，肺を介する循環は肺循環，全身（上半身，下半身）を介する循環は体循環とよばれる一連の血流の流れを示したものです．この図における肺動脈の部分と一連の肺循環/体循環をみながら 図3 をみてみましょう．

表1 血行動態の正常範囲

略　称	名　称	正常範囲
RAP/CVP	右心房圧/中心静脈圧	2～6 mmHg
RVP	右心室圧	収縮期 15～25 mmHg，拡張期 0～8 mmHg
PAP	肺動脈圧	収縮期 15～30 mmHg，拡張期 2～8 mmHg，平均 9～18 mmHg
PCWP	肺動脈楔入圧	6～12 mmHg

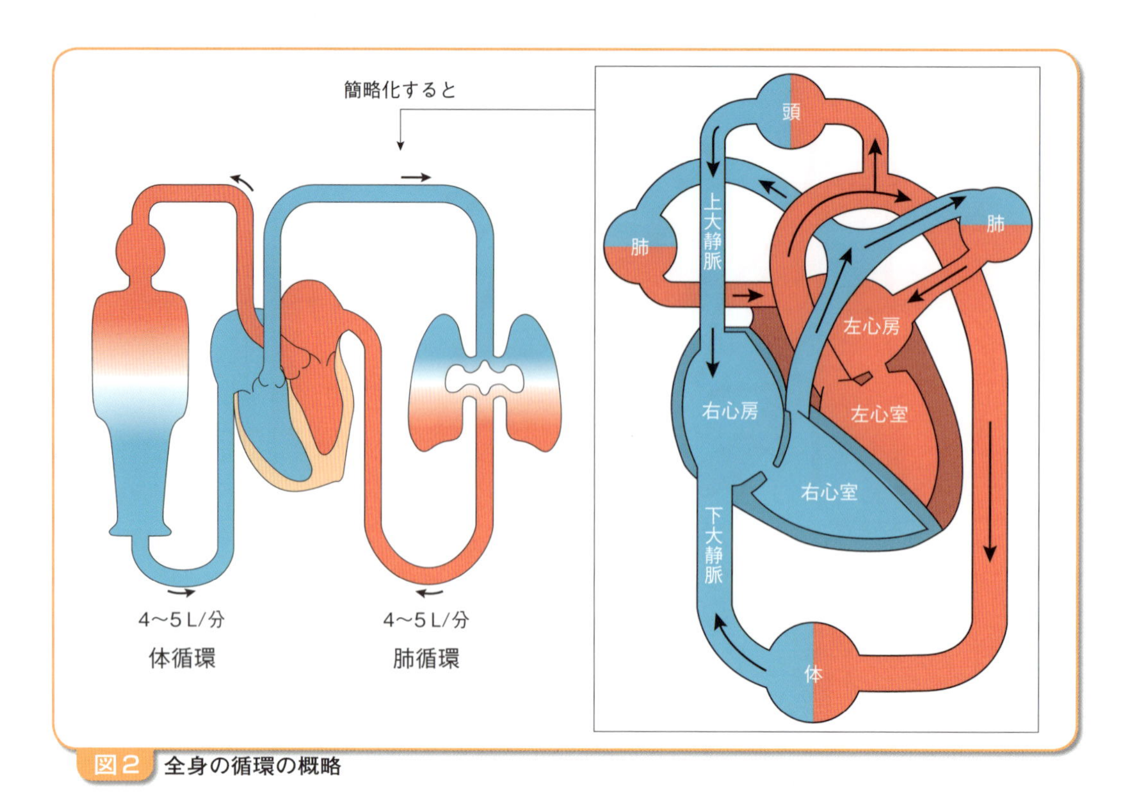

図2 全身の循環の概略

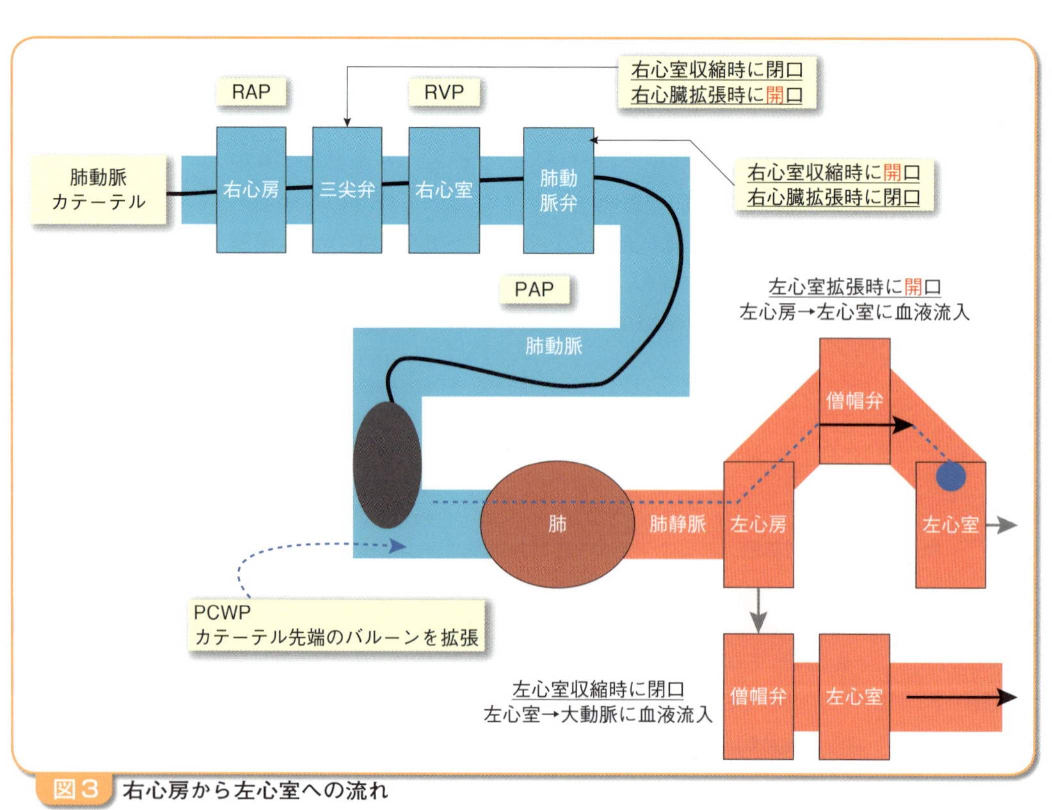

図3 右心房から左心室への流れ

そうか！　ここととココがだいたい同じ圧になる理由は!!（図３補足）

- この関係性を理解するのもやはり循環生理に立ち返ることが大事です．おそらくここまで循環生理の話をくり返ししてきましたので，「複雑だな……」という苦手意識も少し薄れてきたのではないでしょうか．キーワードは，右心房から左心室までの血液の流れを拡張期/収縮期に分け，さらに三尖弁，僧帽弁，大動脈弁，肺動脈弁の動きも考えながら再確認してみることです．

1．収縮期 PAP≒収縮時 RVP

- 右室が収縮する際，三尖弁は閉口し，肺循環のために肺動脈弁は開口します．つまり，このときの血流の関係をみてみると収縮期 PAP ≒収縮時 RVP となるわけです．この関係性が成り立たない場合には，おそらく三尖弁異常などが隠れている可能性があります．

2．拡張期 PAP≒左室拡張末期圧（LVEDP）

- では，次に心拡張時には何か等しくなる圧があるのか，と考えてみましょう．1．とは逆の視点でみてみましょう．心拡張時には，両心とも心房間にある弁（右心房間は三尖弁，左心房間は僧帽弁）は開口し，心房から心室に血液を充満させます．一方で，両心室から血液は駆出されないので，肺動脈弁，大動脈弁ともに閉口しています．そのため心拡張時の関係性としては「PAP＝LAP（左心房圧）＝LVP（左心室圧）」となります．なので，拡張期の PAP と左心室が最大に拡張している時期はほぼ同じ圧として考えることができます 図４．

3．PCWP≒LAP≒LVEDP

- これはやや難しいイメージがありますが，ごくごく簡単に考えることができます．2．では，LVEDP をみる場合は拡張期だけに限られていました．しかし，もう少し安定させて，さらに厳密に LVEDP を確認する際に用いるのが PCWP です．ただし，PAP のようにずっとモニタリングできないのが短所かもしれません．なぜ PCWP から肺動静脈や左心房室が一連して評価できるかは図３に示しました．
- このように，肺動脈圧から何をみるべきかと考えると，全身の血行動態そのものといっても過言ではないことがわかったのではないかと思います．では，肺動脈圧モニタにおいて臨床で困ること「PAP が上昇したとき」に主眼をおいて，どのように考えていけばよいか説明しようと思います．

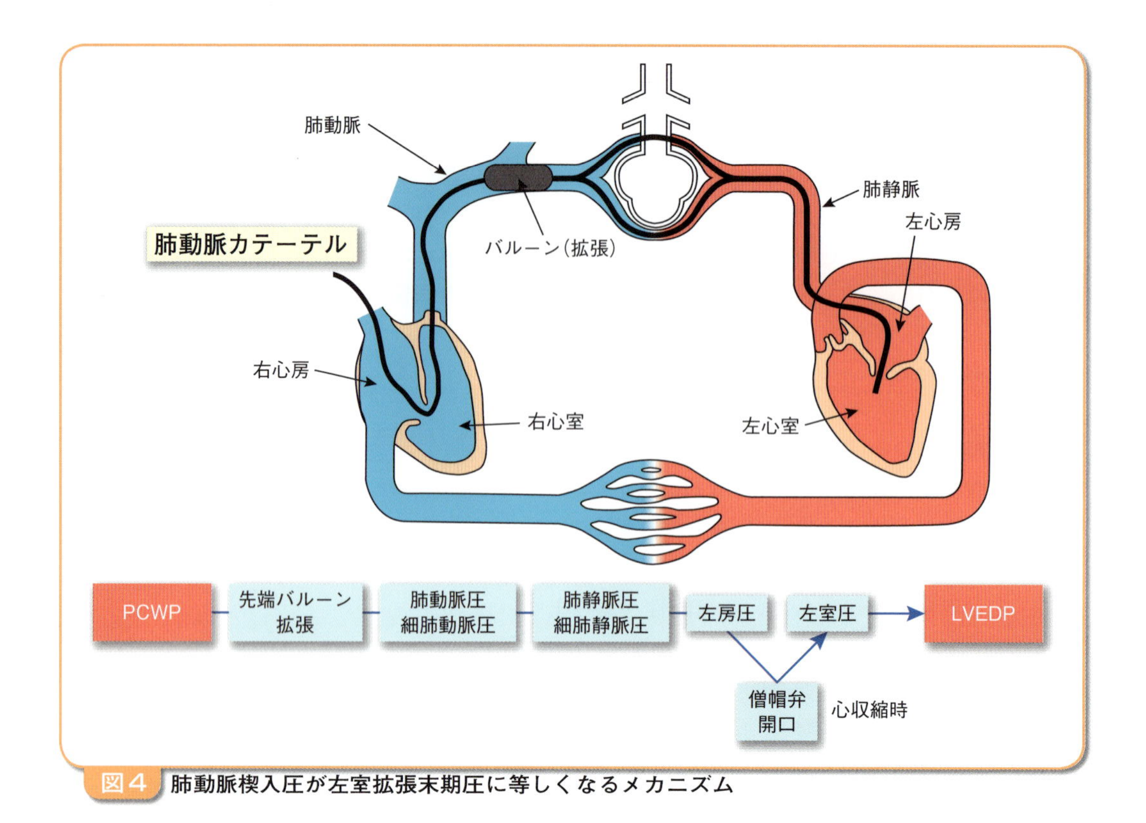

図４　肺動脈楔入圧が左室拡張末期圧に等しくなるメカニズム

心臓血管外科の周手術期で肺動脈圧モニタを活用すればいいの？ 〜PAP が上昇しました！〜

- 心臓血管外科の周手術期では，心臓自体への負担をコントロール，すなわち血行動態（前負荷，後負荷，心収縮力など）のコントロールを管理していく必要があります．さらに，大動脈弁や僧帽弁などの置換術後では，術後経過も踏まえながら考えていく必要があります．また，心臓機能を補助する補助循環装置を使用している場合などでは，これらの治療効果も踏まえながら考えていかなければなりません．
- 一見難しそうなイメージをもつかもしれませんが，ここでも循環生理の基礎に立ち返り，どのように肺動脈圧モニタの状況を臨床看護実践で考えていくべきかを意識すれば，必要となる血行動態の管理を理解することは容易になると思います．図２に戻って考えてみましょう．肺循環も体循環も循環する血液量は同じであることに着眼してみてください．
- 例えば，心臓血管外科の周手術期でよくみる心収縮力の著しい低下時には，容易に LAP（左心房圧），LVEDP は上昇し，その結果 PAP が上昇していきます．どのような理由で，どこの血流停滞が進み，結果 PAP が上昇しているのかを理解すればわかりやすいと思います．
- 一方，心機能が徐々に改善傾向にある場合であっても，後負荷（とくに血管抵抗）が変化すると容易に LAP，LVEDP は上昇し，その結果 PAP が上昇することも考えられます．血管抵抗が上昇する要因はさまざまありますが，術後などでは疼痛や興奮により交感神経が優位となり，それにより後負荷が増大するなどもしばしば見受けられます．また，呼吸器離脱時などの低酸素や高炭酸ガス血症などがあると，肺の毛細血管が収縮し，その結果で肺自体の血管抵抗が上昇することによって PAP が上昇するといったことになる可能性があります．

- このように，PAP は全身の血行動態によって変化しうるものであり，逆にいえば PAP は全身の血行動態の状態を反映しているものとなります．前章の内容とも合わせ，呼吸(肺)状態/循環状態の両方を一緒に考えながら臨床看護実践で活用していくことが重要となります．
- なお，本章では肺動脈圧モニタで測定可能な SvO_2 や RAP（CVP）について詳細には触れませんでしたが，この２つも心臓血管外科患者の周手術期管理では必要不可欠なものになります．SvO_2 は全身の酸素化の状態（肺からの酸素供給，上半身・下半身での酸素消費，V-A/V-V ECMO 使用時には人工肺からの酸素供給）を，RAP（CVP）では前負荷量（循環血液量）などを評価することが可能です．いずれも，呼吸(肺)状態/循環状態の関係性，PAP と循環生理の関係性や考え方を十分に理解できれば，これら２つも同じように考えることができます．

コラム

本文で述べたパラメータ以外にも，肺動脈カテーテルでは「SvO_2」や「RAP（CVP）」も測定することができます．それぞれのデータから患者の状態をどのように看られるのか，またそのときの臨床的な注意点などを簡単にまとめました．

SvO_2 について

心臓血管外科術後患者では，全身状態をみるための良い指標になります．それは，SvO_2 を定義するものが，①動脈酸素飽和度，②酸素消費量，③ヘモグロビン濃度，④心拍出量であるからです．つまり，**全身の酸素化状態**（消費と供給バランス）と**血行動態**を評価することができるからです．患者を診て看るためには，非常に有用なパラメータになります 表２．

表2 SvO_2 が変動する要因

要　因	SvO_2	理　由
投与酸素濃度増加	↑	貧血などがない場合，単純に動脈酸素飽和度が上昇する
補助循環率増加	↑	補助により全身の酸素化と血行動態の改善による
発　熱	↓	酸素消費＞供給のアンバランスにともなう
興　奮	↓	交感神経優位によるアンバランスさ
鎮静化	↑	副交感神経優位によりバランスが取れる
出　血	↓	おもにヘモグロビンの喪失にともなうもの
心機能低下	↓	おもに心拍出量減少にともなうもの
肺炎，無気肺	↓	肺での酸素化不良にともなうもの

＊ただし，臨床的には必ずしも上記だけが理由であるということは少ない．総合的にみなければならない．

CVP について

よく臨床では，「尿量が少ないな……IN が少ないかな……，CVP はどう？」などという会話をよく耳にします．では，このような場合，CVP が低値だからといって，「ハイポ（脱水傾向）だ，少し（輸液などを）入れるか！」といった判断材料にしてもよいのでしょうか．

CVP などは動的血行動態指標といって，さまざまな全身状態や治療状況を加味しながら考えないといけないものの一つといえます．つまり，患者の状態を CVP 単独で判断する根拠に乏しいことに留意しておく必要があります．「使えない指標」というのではなく，「総合的」に，「経時的」にみてどうか？　という指標であることを覚えておきましょう 図5．

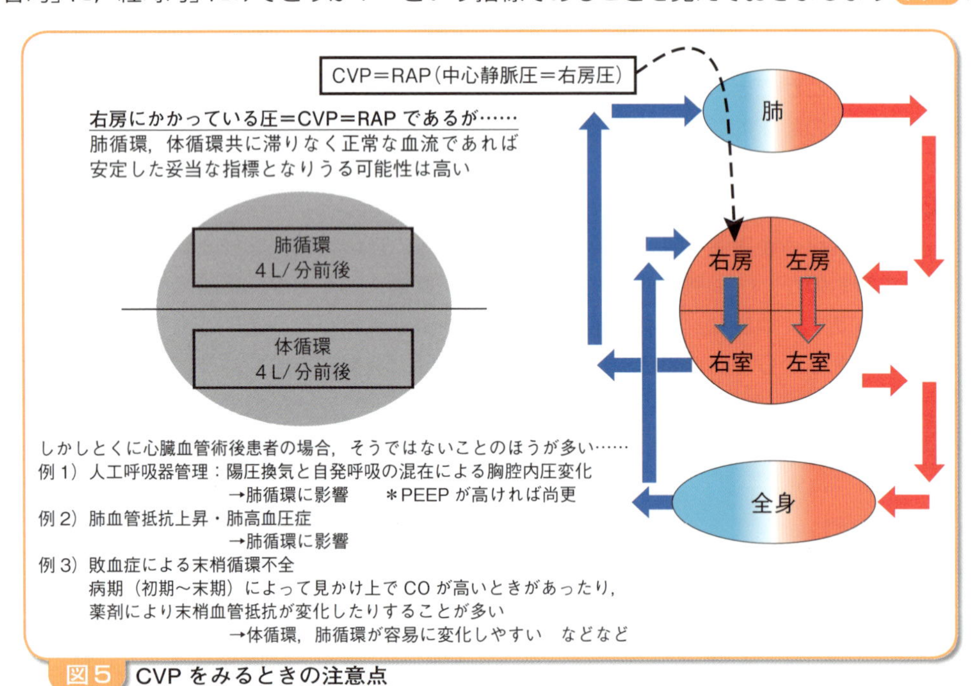

図5 CVP をみるときの注意点

参考文献

1）岡田隆夫：“生理学”．メジカルビュー社，pp160-171，2008

2）Jacpbson C et al：“Cardiovascular NURSING PRACTICE”, Cardiovascular Nursing Education Associates, pp115-157, Burien, WA, 2007

3）Sole ML et al：“Introduction to Critical Care Nursing（5th ed）”. pp141-171, Saunders, 2009

4）Marino PL, 稲田英一 監訳：“The ICU Book（3rd ed）”．メディカル・サイエンス・インターナショナル，pp141-165, 2009

5）エドワーズライフサイエンス社：Quick Guide to Cardiopulmonary Care 5th Edition.
https://www.edwards.com/jp/uploads/files/support-quick-guide-cc-vol.5.pdf（2022 年 2 月閲覧）

（齋藤 大輔）

IABP 装着中のケア

～苦手だった私が…「得意」になる自分に変わるために！～

- ☑ IABP とはどういうものなのか，その原理って，その効果って何？　その目的や適応，機器管理，患者観察まで理解することは，重症心不全患者を管理するうえでとても重要．
- ☑ IABP 装着中の観察でもっとも重要なことは，合併症の理解と早期発見が何より大切．
- ☑ IABP 装着中の患者観察はすべての補助循環装着患者の基本となるため，しっかりと理解し対処できることが必要．

補助循環の機械的補助装置の一つに IABP（大動脈内バルーンパンピング）があります

- 重症心不全の基本治療は，心拍数（ペーシング），容量負荷（輸液・輸血），強心薬・血管拡張薬などの内科的治療ですが，それでも血行動態が維持できなかった場合，最終段階として補助循環が行われます．
- 重症な心原性ショックをひき起こした場合，輸液療法や薬物療法，あるいはカテーテル治療を行っても血行動態が改善せず，一時的に心臓のポンプ機能の補助代行を機械的装置で行い，心臓の機能の回復を待つ方法を補助循環法といいます．
- 補助循環の種類としては，血圧の補助を目的とする **IABP**（intraaortic balloon pumping），血流の補助を目的とする **VA-ECMO**（venoarterial extracorporeal membrane oxygenation），重症心不全患者に適応となる**補助人工心臓**（ventricular assist device system：VAS）があります．

IABP とはどういうものか．看護師がその基本的な原理やその効果を知ることはとても大切です

- IABP は患者の大動脈内にバルーンカテーテルを挿入し，心臓の拍動に同期してバルーンを**拡張**（inflation）・**収縮**（deflation）させることで，**心筋の酸素供給を増加**させ，**心筋の酸素消費を減少**させる複合効果があります 図 1．
- IABP の効果の一つは，diastolic augmentation（ダイアストリック・オー

グメンテーション）といい，心臓の拡張期にバルーンを拡張させることで，拡張期血圧が上昇し，平均動脈圧が維持されます．これにより**冠動脈への血流量**[1]**は増加し**，また**脳・腎血流量の増加**がみられます 図2 ．

● IABP のもう一つの効果は，**systolic unloading（シストリック・アンローディング）**です．心臓の収縮期にバルーンを収縮させることで，**左室収縮期圧が減少し後負荷が軽減**します．これにより**心仕事量の軽減**と**心筋酸素消費量の低下**がみられます．つまり，大動脈の圧が急激に低下し，心臓は容易に血液を送出できるわけです 図3 ．

● そして，実際の IABP の波形が意味するものは， 図4 の **A** は動脈圧の 1 周期，**B** はアシストされていない大動脈拡張期圧，**C** はアシストされていない収縮期圧，**D** は diastolic augmentation（上昇した拡張期圧），**E** は systolic unloading（低下した大動脈拡張期圧），**F** はアシストされた（低下した）収縮期圧を表しています．

[1] 冠血流の 2/3 は心臓の拡張期に流れる．

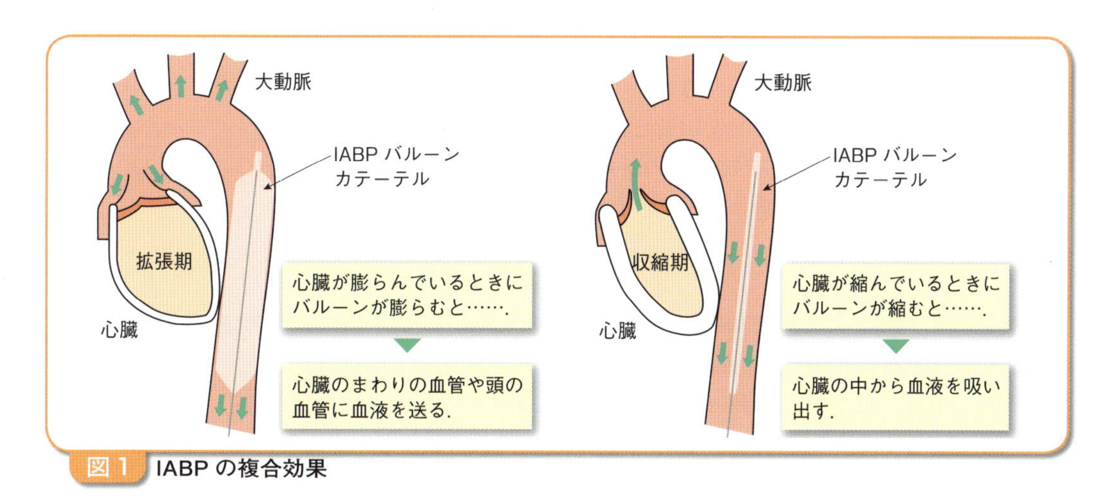

図1 IABP の複合効果

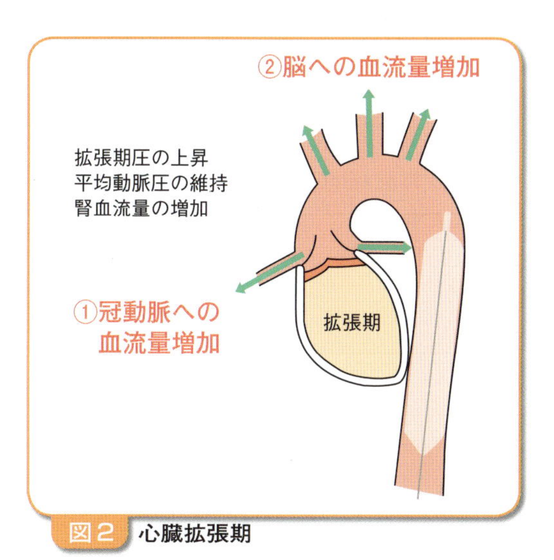

図2 心臓拡張期

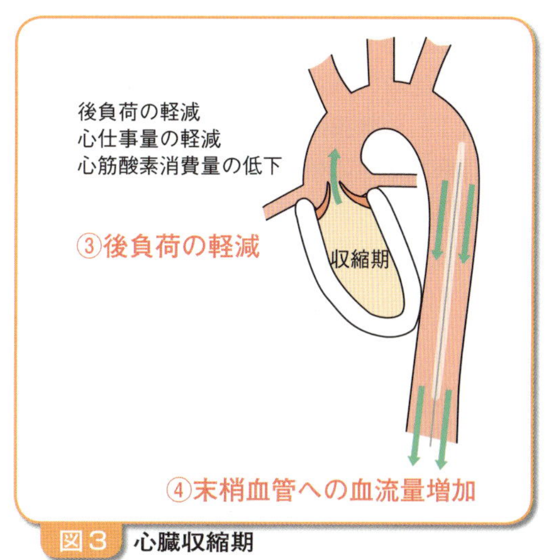

図3 心臓収縮期

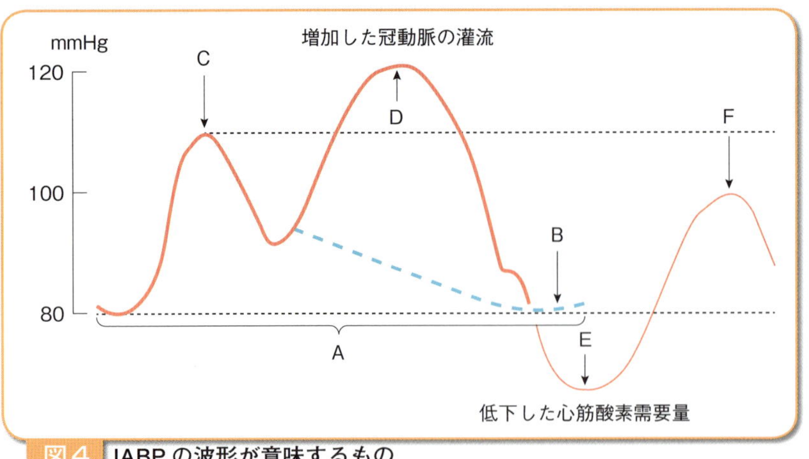

図4 IABP の波形が意味するもの

- IABP の効果は**循環の補助（圧補助）**としての効果が強く，心拍出量自体は約 10〜20 %程度（0.8〜1.0 L/分）しか増加しません．IABP の効果には限界があるということを理解し，通常 1〜2 週間で入れ替えあるいは**VA-ECMO（容量補助効果）の併用**が望ましいです．しかし，冠動脈疾患では，冠血流増加作用のため心機能が改善し心拍出量改善が期待されています．

IABP の目的と適応疾患と禁忌をまず最初に理解しておきましょう

- 心機能が著しく低下した患者に対して経皮的に挿入可能な心機能の補助循環法である IABP の具体的目的は，①冠動脈への血流量を増やすこと，②脳・腎への血流量を増やすこと，③心臓の後負荷の軽減を図ること，④心仕事量の軽減・心筋酸素消費量を低下させること，⑤末梢血管への血流量を増やすことです．
- 適応疾患を 表1 にまとめました．それ以外の外科的適応として，術中の人工心肺離脱困難状況，開心術後の低拍出量症候群患者，左冠動脈主幹部病変患者の術前予防的挿入，そして，VA-ECMO 定常流補助患者の拍動流の維持管理のためにも臨床ではよく適応[②]されます．

② **適応基準**
【血行動態的指標】
- 収縮期圧＜80 mmHg
- PAWP（ウェッジ圧）＞20 mmHg
- CI（心係数）＜2.2 L/分/m^2
- CVP＞22 mmHg

【臨床的指標】
- SvO_2＜65 %
- 末梢循環不全（四肢の冷感・チアノーゼ）
- 尿量 0.5 mL/kg/時以下

表1 IABP の適応疾患

IABP の適応疾患
①心原性ショック
②左心室不全
③急性冠症候群
④急性心筋梗塞の合併症
⑤ハイリスク PCI
⑥難治性不整脈

表2 IABP の禁忌

禁 忌	理 由
高度の AR	バルーンの拡張期に大動脈弁逆流の増悪
解離性動脈瘤 胸部・腹部大動脈瘤	解離の進行や破裂，瘤内の血栓の遊離による塞栓の危険
ASO 大腿動脈が細い 大動脈，大腿動脈の高度な蛇行	カニュレーションの挿入困難
大動脈の高度な石灰化	バルーンの穿孔のリスクの増大
大腿部の感染徴候	感染の増悪，敗血症
消化管出血，血小板減少や DIC など出血傾向のある場合	抗凝固薬使用による出血傾向の助長
頭蓋内出血の危険がある場合	出血の拡大による頭蓋内圧亢進上昇

- IABP の適応を知ることは重要です．しかし，また同時に禁忌事項も知っておくことも大切なことです．そして，それはどうして禁忌なのかをしっかりと理解しておく必要があります 表2 ．

IABP の準備と挿入時の介助で重要なことは，緊急を要する場合も多いため，迅速で確実な操作介助が要求されることです

- 看護師は，あらかじめ必要物品や挿入介助手順を把握しておくことが重要であり，IABP 装置は日常から臨床工学技士（CE）により保守点検を依頼しておく体制を整えておきます．
- IABP 挿入時は患者に十分な説明を行い不安を軽減し，また患者に安静など協力を得られるように処置に対する理解や同意を得ることが大切です．
- 看護師は，両側の足背動脈と後脛骨動脈をチェックし，下肢の血流状態，触知状態，左右差の有無，皮膚色，皮膚温などを確認しておきます．そうすることで，挿入後の下肢の血流状態を比較観察し，合併症の一つである下肢虚血の早期発見に努めます．
- IABP 装置の事前準備としては，CE の方が準備してくれる場合が大半ですが，看護師の点検ポイントとして大切なことは，電源コードが無停電のコンセントに接続されているか，ヘリウムガス[③]の残量が少なくなっていないか，バッテリ駆動の場合はバッテリ圧が少なくなっていないか，ベッドサイドモニタ，心電図，動脈圧モニタの接続はされているかなどの確認は重要なことです．
- 実際にバルーン[④]が挿入された場合，胸部 X 線で，医師とともにバルー

③ バルーンの駆動ガスとしてヘリウムガスが使用される．ヘリウムは分子量が小さく不活性ガスであり，粘性抵抗が少ないこともあり，反応性に優れ，過剰な熱を発生することなく，タイミングが重要な装置のガス交換には適している．

④ バルーンの素材は強度と抗血栓性のある，ポリウレタンかカルディオサンが用いられており，容量としては体格に応じたものを使用し，成人用として 30 cc あるいは 40 cc が主である．容量が小さいと効果が軽減し，容量が大きいと腹部臓器の血流障害の合併リスクとなる．

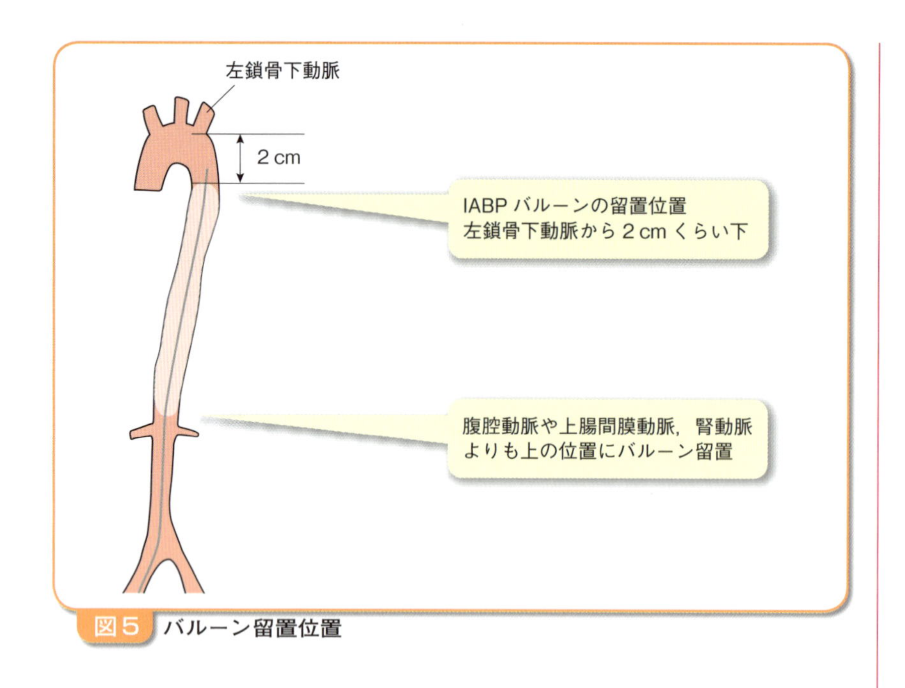

図５ バルーン留置位置

ンの先端部が**左鎖骨下動脈分岐部**より**約 2 cm 下**にあることを必ず確認しておきます 図５ .

ここ最近のバルーンカテーテルの進化

ショートバルーンカテーテル

- また，最近では**ショートバルーンカテーテル**といった**日本人の体格に合った（日本人の胸部下行大動脈長に合わせた）バルーン長や容量**が考慮されたバルーンカテーテルが出てきています．それは，従来品と比べ，ラインアップを変更し容量アップされたもので，ショートバルーンの 30 cc は，**低身長の患者にとってより高い効果が得られる**とされている．
- バルーンの特徴としては，従来より膜薄化を行い拡張径をアップしショートバルーン化することで，全体的に心臓に近い位置でバルーンをポンピングさせることが可能になり，今まで以上の効果が得られるようになりました．

光ファイバー圧センサ付バルーンカテーテル

- 近年，カテ先に**光ファイバー圧センサ**が組み込まれ，従来の水封式圧トランスデューサよりも遅れの少ない正確な dicrotic notch（重複切痕）の認識が可能なバルーンカテーテルが開発されており，このことで**至適なタイミングの調整が可能**となってきています．

- これら光ファイバー技術を用いた圧センサによって動脈圧を測定可能にし，従来品より低侵襲なカテーテルとなり，性能はそのままでより多くの患者にIABP治療が可能となりました．

IABP装着時の機器管理・回路の管理の理解や観察も重要な看護の役割としてしっかりと把握する必要があります

- IABPの電源は**無停電の電源**に差し込み，IABPの電源であることを明記し抜去されないようにテーピングします 図6．
- IABPモニタの心電図，動脈圧波形，IABPバルーン圧波形を確認します．**バルーンのタイミング**は左心室の収縮直前にバルーンが収縮し，大動脈弁閉鎖直後バルーンが拡張するタイミングを波形で確認します 図7 図8．
- **ヘリウムガスの残量状態**とともに**ボンベが必ず開栓しているか**を必ず確認します．基本的に数時間に1回程度バルーン内を再充填するので，

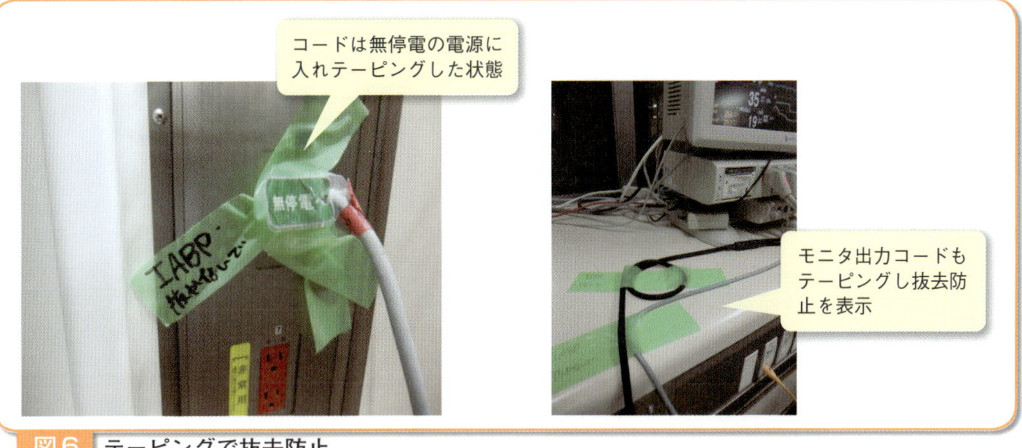

図6 テーピングで抜去防止

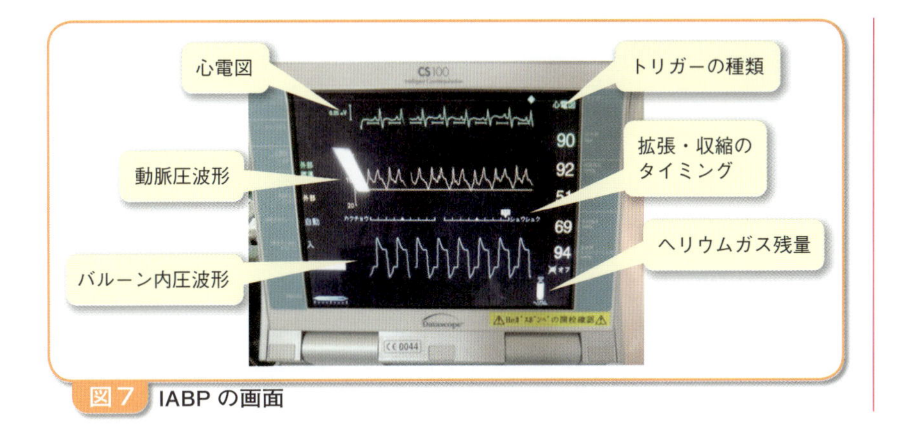

図7 IABPの画面

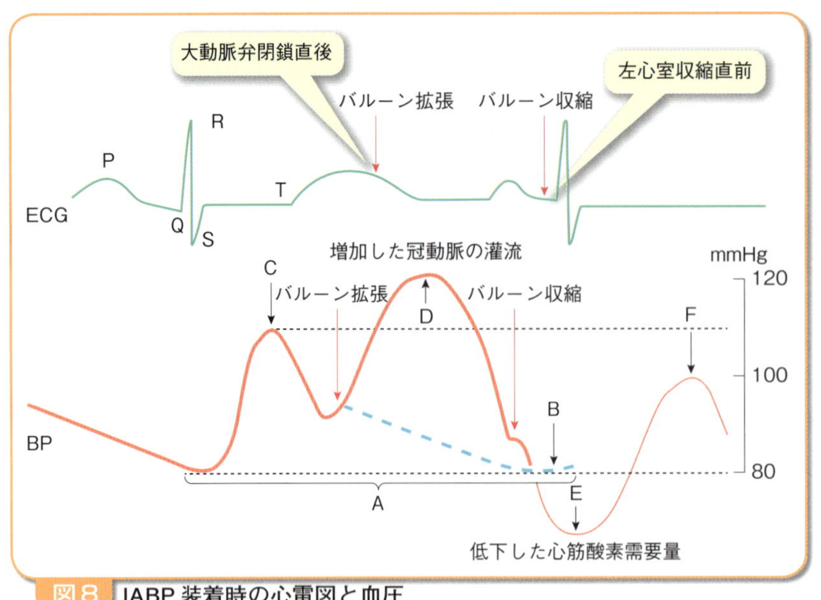

図8 IABP 装着時の心電図と血圧

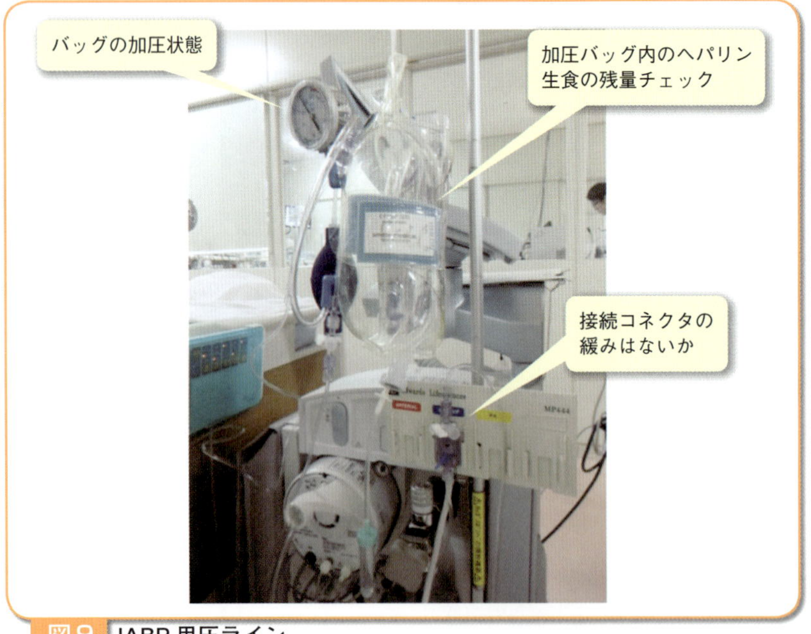

図9 IABP 用圧ライン

ボンベの残量は余裕をもった状態で管理しておくことが重要です.

- また，加圧バッグ内のヘパリン生食の残量チェック，バッグの加圧状態，接続コネクタの緩みなどもないか確実に確認します 図9 .
- **IABP 本体とバルーンを接続**しますが，チューブラインに屈曲や閉塞がないか，確実に接続されているか，バルーンチューブ内に水滴が溜まっ

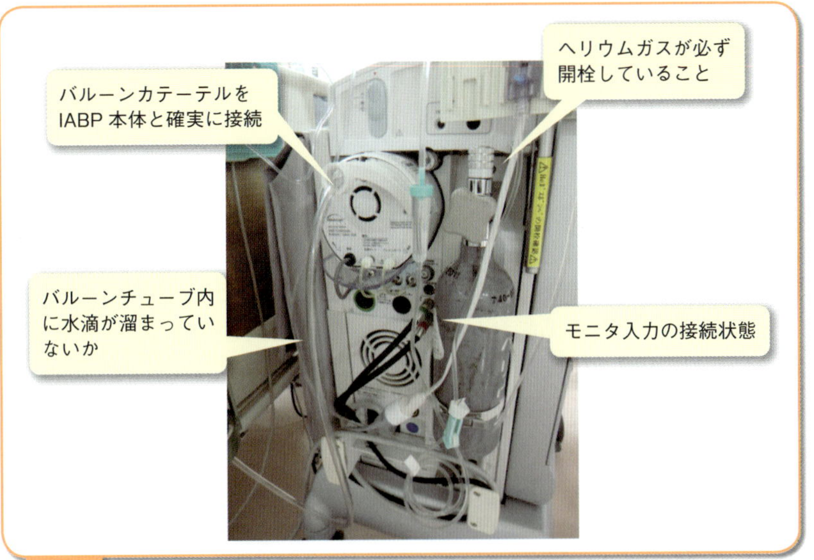

図10 IABP 本体の側面

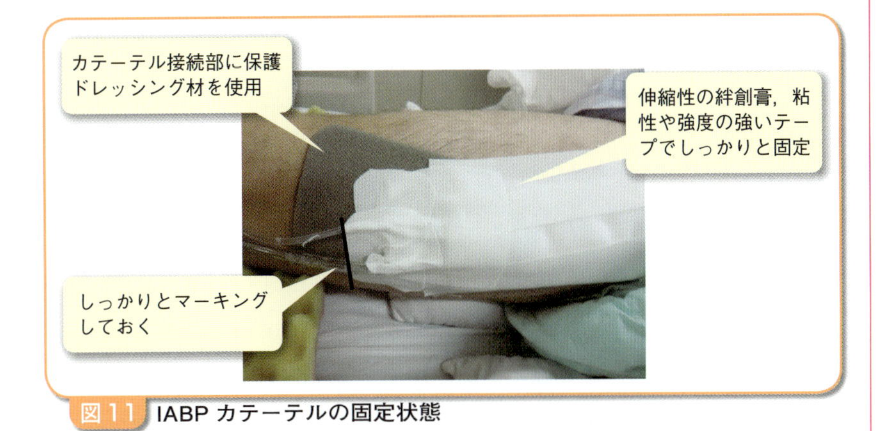

図11 IABP カテーテルの固定状態

ていないか確認します 図10.

- IABP が駆動開始したら，**トリガーが何に同期されているか確認**します．心電図トリガーを多く使用していますが，この際，R 波が大きく基線の揺れが少ない部位に貼り，電極が外れないようにテープ固定しておくと安全です．
- **IABP カテーテルは抜けない，外れないことが原則**です．そのため原則的には伸縮性の絆創膏，粘性や強度の強いテープでしっかりと固定し，マーキングなども行って固定位置が変化していないか定期的に観察することが重要です 図11.
- しかし，IABP カテーテルの下肢の固定により**カテーテル接続部**に皮膚トラブルを起こすことがあり注意が必要です．とくに**テープかぶれ**を起こしやすい人は保護ドレッシング材やテープの種類を検討する必要があります．

- 駆動チューブや接続部が直接皮膚に接触しないように，市販の保護材を使用することも考慮します．

IABP 装着中適切なタイミングで駆動しているか，適切な内圧波形であるか看護師が理解することは，重要なことです

- 適切なタイミングとは**大動脈弁閉鎖直後にバルーンを拡張させる**ことをインフレーション（inflation）し，大動脈弁が開く直後，つまり，**左心室が収縮する直前にバルーンを収縮させること**をデフレーション（deflation）することです 図 12．動脈圧波形が自己圧とパンピング圧の二相性となっていることを確認します．
- 心電図トリガーの場合，心電図の T 波の下降時点から P 波の終点まで inflation させており，最近の機種はタイミングを自動調節するオート機能により，RR 間隔を計算してバルーン inflation しています．
- 適切な内圧波形観察のポイントは**十分な心拍出**が確認できること，拡張後に大動脈内圧が十分に上昇し，**冠動脈への血流量が増加している**こと，そして収縮後**大動脈圧が急激に低下**し後負荷が軽減していることです．
- 不適切なタイミングとはバルーンの拡張が早い場合，図 13 のような波形となり，心臓の拍出を妨げ，心臓に余計な負担をかけてしまいます．
- バルーンの拡張が遅い場合，図 14 のような波形となり，心臓の拡張期に大動脈圧を十分高く上げることができないため，上行大動脈側に血流が逆流せず，冠動脈への血流量を増やすことができず，心臓への酸素供給量が減り心臓に負担がかかることになります．
- バルーンの収縮が早い場合，図 15 のような波形となり，せっかく高めた大動脈圧を長時間維持できないため，冠動脈に血流が逆流する時間が

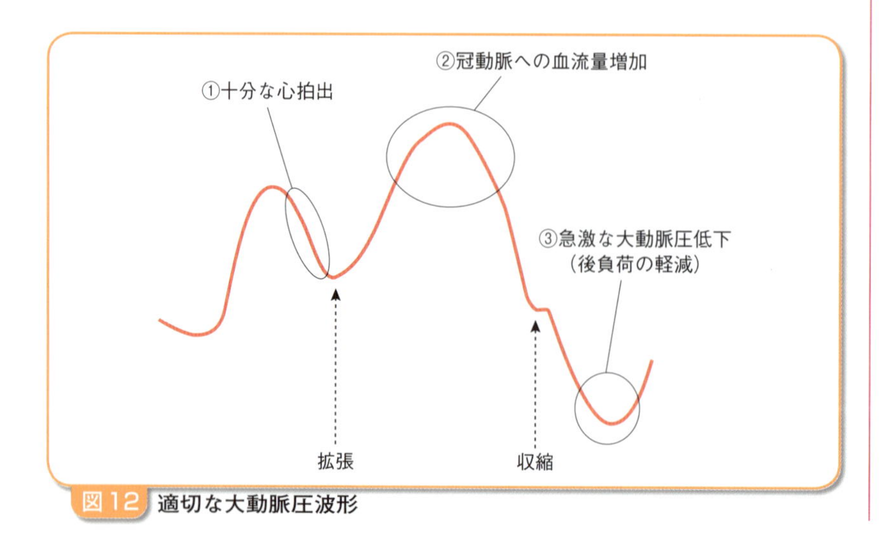

図 12 適切な大動脈圧波形

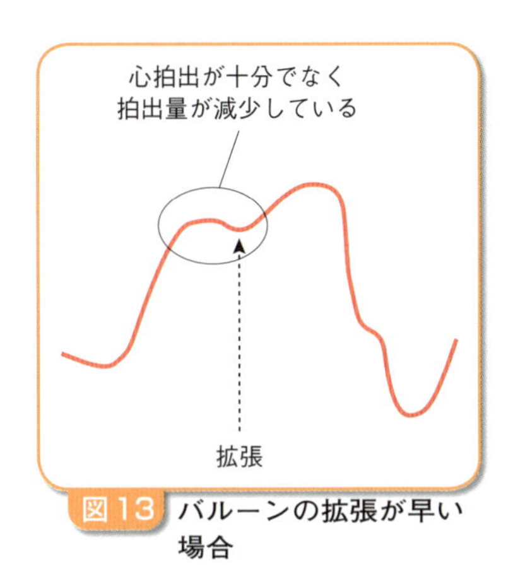

図13 バルーンの拡張が早い場合

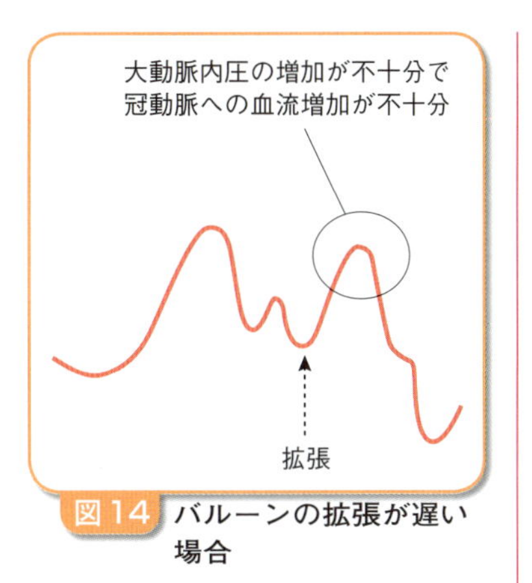

図14 バルーンの拡張が遅い場合

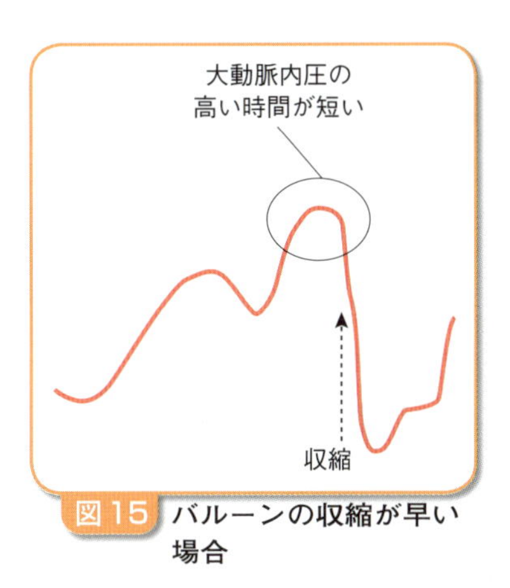

図15 バルーンの収縮が早い場合

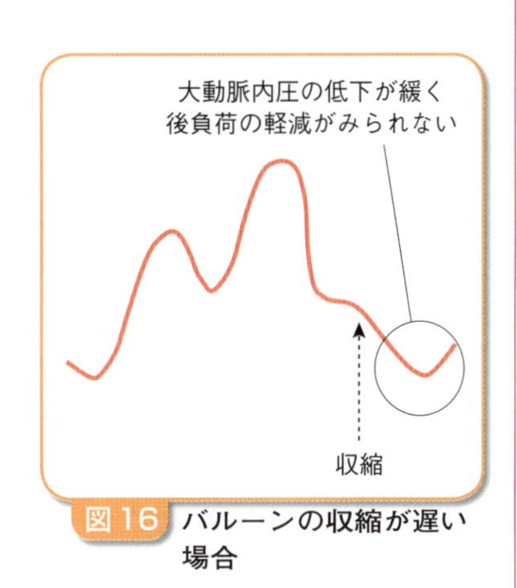

図16 バルーンの収縮が遅い場合

減ってしまい，結果的に心臓への酸素供給量が減り心臓に負担をかけてしまいます．

- そして，バルーンの収縮が遅い場合，図16のような波形となり，心臓の収縮期に大動脈圧を十分に下げられないため心臓が一回拍出に必要な力が増え，心臓への負担が大きくなってしまいます．

IABP 装着中の患者で合併症の観察はもっとも重要です．日頃から異常の早期発見に努めましょう

- IABP の合併症には血管性のものと非血管性のものがあり，血管性の合併症が全体の 80 %を占めています．
- 血管性の中では**下肢阻血（下肢の血流障害）**がもっとも多く，両足背動脈・両後脛骨動脈の触知状態，ドップラー血流音の聴取，皮膚温や色調の観察，疼痛の訴えの有無を把握することが重要です．下肢阻血があった場合はただちに IABP を抜去し，反対側に再挿入することが原則です．
- **血栓塞栓症**はカテーテルによる異物反応により血栓が形成されるため，

塞栓症状の影響による各臓器の異常所見⑤を観察する必要があります．通常，各施設では血栓予防のためACT（活性化全凝固時間）を測定し指示された範囲内でコントロールされます（ACT：150～200秒程度）．

- **血栓・アテローム塞栓症（シャワーエンボリズム）**は動脈壁の粥状化によるもので，全身の臓器（脳・腸・腎臓など）に塞栓症をひき起こします．シャワーエンボリズムを起こすと代謝性アシドーシスに傾きます．そのため血液ガス分析上で代謝性アシドーシス（−BE）をくり返す場合，臓器の塞栓症を疑います．またACTや血小板数，ヘモグロビン値，プロトロンビン時間に異常がないか確認します．
- **動脈解離・損傷**はカテーテルの挿入操作によるもので，カテーテル挿入時の急激な血圧低下や背部・腹部痛が出現した場合は注意が必要です．また，**動脈分岐部の閉塞**はカテーテル留置によるもので，とくに下肢の動脈の場合は両足背動脈・両後脛骨動脈の触知状態，ドップラー血流音の聴取，カテーテル挿入部より下側の冷感，チアノーゼ，疼痛，しびれの有無の観察が早期発見につながります．
- 非血管性では**バルーンの破裂・穿孔**がまれにみられます．原因としては挿入時の損傷や動脈内の石灰化とバルーンとの頻繁な接触，バルーンがねじれた状態でポンピングされたことによる疲労破裂が考えられます．バルーンの破裂によりヘリウムが漏出し，ガス塞栓を起こす可能性もあります．また，バルーン内に血液が入り，血液とヘリウムが混合され血栓が生じます．
- バルーンが破裂した場合は，ポンプリークアラームが頻発します．バルーンカテーテルからの体外チューブ（エアチューブ）内の**血液血栓（砂状で赤褐色）**血流の逆流が確認できるため，早急に医師に報告しバルーンを抜去する準備をすることが大切です 図17．
- **出血・血腫**は血小板の破壊，凝固因子の消費，抗凝固療法の影響によるもので，カテーテル・ライン刺入部，皮下出血，歯肉出血，血尿の有無を観察し，貧血のラボデータの把握と進行状況，血行動態に注意が必要です．
- カテーテル挿入時に大腿**神経を損傷**した場合や動脈解離を起こした場合に，一過性に知覚障害がみられることがあります．また，**腓骨神経麻痺**は腓骨神経の長時間圧迫状態により生じるものであり，体位変換時に外旋位により腓骨神経が圧迫されないよう下肢の位置を調節することが重要であり，同時に良肢位を維持し尖足や背屈障害，感覚障害の有無の観察は，その後の離床（歩行）にも影響を及ぼすため頻繁に確認します．
- そのほかバルーンカテーテルが大腿部に近い大腿動脈から挿入されることが多いため，陰部に近いことから排泄物による汚染などもあり，挿入部位の清潔保持と**感染**徴候の観察に注意します 図18．挿入部の発赤，腫脹，疼痛，熱感，滲出液の有無と程度，全身の発熱，白血球数，CRPなどの炎症反応の有無などを把握します．

⑤ 腸間膜動脈や腎動脈，脾動脈などの血栓症により，膵臓や脾臓の機能障害，腸管壊死，急性腎不全などの症状の有無に注意が必要．

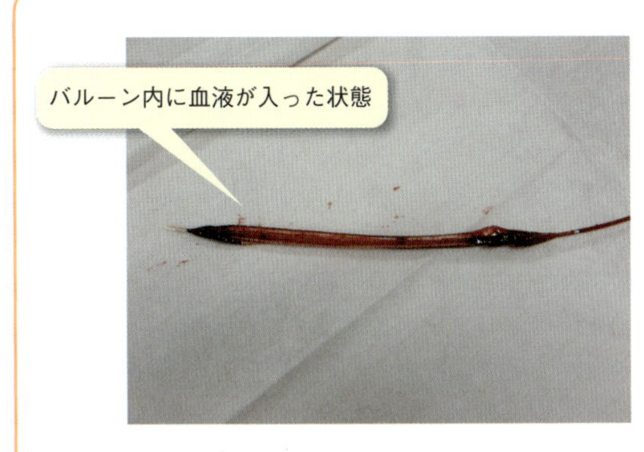

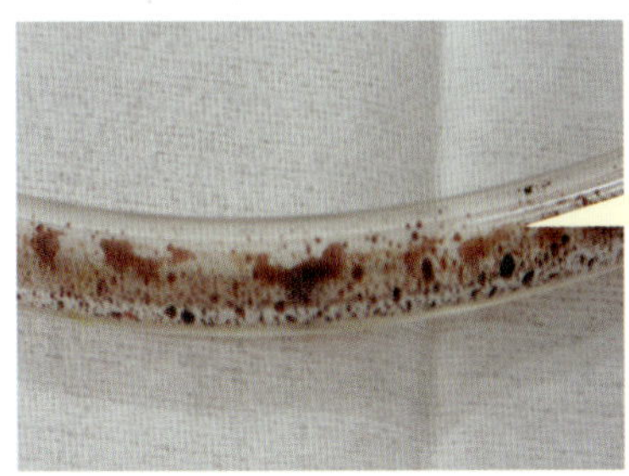

図17 バルーンの破裂と逆流した血液と血栓

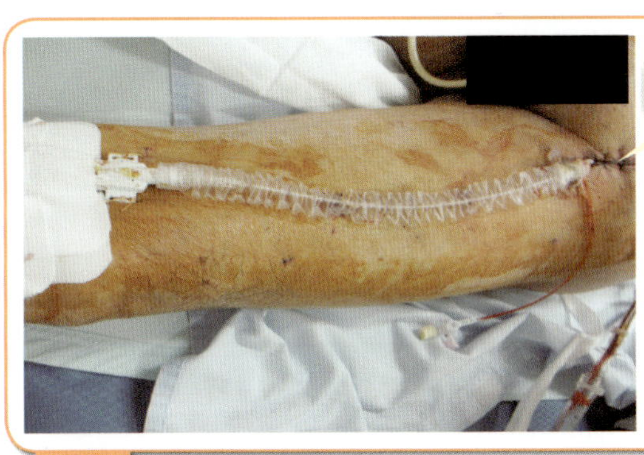

図18 大腿動脈に挿入

IABP 装着中の患者観察はすべての補助循環装着患者の基本，原点ですので，しっかりと理解することが重要です

- IABP 装着患者の患者管理は**重症心疾患（心不全）患者の管理**，つまり基本となる基礎疾患の病態生理の理解，それに至るまでの既往歴や合併症の把握，治療方法や内容・看護を理解することがとても大切です．
- 加えて，必要なことは**IABP 患者特有の管理**です．つまり IABP 機器操作の管理と理解，合併症・感染の予防と早期発見と早期対処，安静・安楽に対する看護介入，褥瘡対策，体位の工夫，患者指導，メンタルケア

表3 IABP 装着の効果

モニタ指標	IABP 装着の効果
心電図モニタ	重症不整脈の減少，狭心発作の減少・消失
動脈圧モニタ	自己血圧の上昇，バルーン内圧波形の優位
スワン・ガンツカテーテル	後負荷軽減にともなう PCWP の低下，CO・CI の改善
尿量・末梢循環状態	腎血流量増加にともなう尿量の増加，末梢循環の改善による末梢温の上昇や皮膚色の改善
心エコー検査	EF の改善，心室壁運動の改善
胸部 X 線	肺うっ血像の改善，CTR の縮小化
その他	各種臓器の血流改善による効果 肝機能・腎機能の改善，血液ガス分析値の改善，アシドーシスの改善

などが挙げられます．

- IABP 装着患者の患者観察の重要なことは，これまで述べてきたそれぞれの**確認・点検を確実に実施する**ことと，IABP 装着によりその**効果を実際の患者の血行動態から観察**し判断することです．実際の IABP 効果内容は 表3 に示します．
- 呼吸状態は血行動態の改善により酸素化も良好となり安定することが多いのですが，一方で安静臥床が要因で下側肺障害や VAP などの**呼吸器合併症のリスク**もともないます．肺合併症予防に努め，呼吸状態の観察や血液ガス分析値や胸部 X 線などのモニタリングは重要です．
- **皮膚トラブル・褥瘡の予防**対策は重要です．IABP 装着中は安静臥床や自力体位変換が困難なため，同肢位による圧迫や低栄養による浮腫，カテーテル挿入にともなう皮膚への圧迫，固定テープによる皮膚トラブルも重要な観察ポイントです．先にも述べましたが保護ドレッシング材やテープの種類を考慮し，体圧分散マットレスの使用や腰背部や仙骨部に保湿剤を塗布することも重要です．またカテーテルの屈曲に注意して定期的な身体の軸体位変換（下肢を伸ばした状態）を行うなど体位の工夫に心がけることが大切です．
- また，同じく同肢位の安静により**下肢の廃用性萎縮**状態をまねくことがあります．ベッド上では可能な範囲で ROM（関節可動域訓練）を実施し，関節の拘縮予防，四肢の筋力低下に努めます．とくに大腿部にカテーテルが挿入されている場合は，突発的な屈曲を防止する目的で足首をベッドに固定している場合もあります．**足脊の背屈運動**を実施し尖足予防に努めます 図19．
- 患者は IABP 装着によりその間，活動制限や安静を基本的に強いられるため，腰背部，膝関節の痛みなど**身体的苦痛**を訴えてきます．患者の状

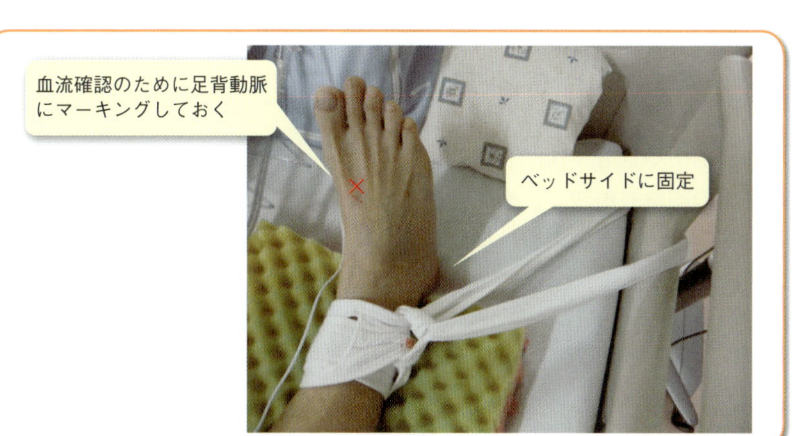

図19 足首をベッドに固定している状態

態安定のために必要時早期から鎮静・鎮痛薬の使用を考慮します．また基本的な行為としては体位変換や体位の工夫，マッサージや温熱療法を併用し苦痛の緩和に努めることが重要です．

- また，長期の挿入管理となった場合や意識のある患者の場合は，カテーテル管理にともなう長時間の同肢位による安静，ICU 内のさまざまな機械音，IABP の駆動音やアラーム音，動けない起き上がれない苛立ちから不眠，不満，見通しがつかない不安，怒りなどを訴え**精神的な苦痛・ストレス**を増強させる場合があります．これらのことが要因となり**せん妄**に至るケースも少なくありません．
- 意識のある患者の場合には，IABP の重要性の理解を得るために十分に説明を行います．安静や下肢の伸展や必要時の下肢の固定など，患者の同意や協力・指導をお願いする場合もあります．IABP 装着中にも可能な限り睡眠環境を整え，鎮静薬や睡眠薬の投与，テレビや CD，面会時間の考慮など患者の要望や希望を傾聴し生活のリズムの調整を図ることは重要であり，また患者だけでなく**家族の抱える苦痛も同時に緩和**していくことも看護師として重要な役割です．

IABP 装着から離脱に向けて継続的な観察を行い，抜去後も血行動態の変化に注意する必要があります

- 重症心不全が改善し循環改善薬の減量，心エコー検査，スワン・ガンツデータから血行動態が安定してきたら，**IABP の離脱（weaning）**⑥が開始されます．離脱にともないサポートの駆動回数を減らしていきますが，回数を減らした状態で長時間管理するとバルーン内に血栓が生じる場合があるので，ACT のコントロール値を確認しておくことが大切です．
- 離脱中は自己心の機能状況によるため**逆に心臓に負担をかける状態**になっていることを理解し，不整脈の出現などの心電図の変化や末梢冷感

⑥ **離脱基準**
【血行動態的指標】
・収縮期圧＞90 mmHg
・PAWP（ウェッジ圧）＜20 mmHg
・CI（心係数）＞2.2 L/分/m^2
【臨床的指標】
・不整脈の消失
・心不全の解消
・尿量 0.5 mL/kg/時↗

などの末梢循環動態変化，スワン・ガンツカテーテルモニタの異常値（CI・SvO_2 の低下）はないか，尿量の低下がないか観察することはとても重要なことです．

- また，患者が訴える胸部不快や気分不快，意識レベルの低下，冷汗，顔面蒼白，呼吸回数の増加の観察も重要で，離脱過程で心負荷が増大し心不全に移行する場合もあるため，このような徴候が観察された場合はすぐに医師に報告します．
- IABP 抜去時は血栓を流出させる目的で，多少血液を排出させながら抜去するため，カテーテルに血栓が付いていた場合は**血栓が遊離する**ことがあります．また，抜去後は徒手圧迫で止血する場合（約 30 分前後），強く圧迫したことにより血栓塞栓症を起こす可能性があります．IABP 抜去も下肢や各臓器の血栓塞栓症状の出現にはとくに注意が必要です．抜去後の下肢の安静は数時間要するため，抜去部を屈曲しないように**抜去部の安静**を維持するように患者に説明し協力を得ることも大切です．
- カテーテル抜去後も両足背動脈・両後脛骨動脈の触知状態，ドップラー血流音の聴取，下肢の冷感，チアノーゼ，疼痛，しびれの有無を観察します．またIABP 装着中は抗凝固療法を行っていたため，圧迫部位の出血・血腫もひき起こしやすく，検査データにより**出血傾向の有無を確認**しておくことが大切です．同様に全身状態の悪化から DIC を併発している場合もあり，患者が**易感染状態**にあるかどうか事前に把握しておくことは，IABP 抜去後の出血の早期発見・早期対処の重要なポイントとなります．
- IABP 抜去後に大切なことは，徐々に**心不全が再燃し悪化する**ことが起こる可能性を理解しておくことです．この場合，再度 IABP が挿入され管理されます．患者への心負荷も増大し，加えて患者や家族の不安や苦痛も大きくなります．そのため IABP 抜去後も血行動態のモニタリング観察は密に行い，心電図変化や尿量状態，血液ガス分析値，胸部 X 線，末梢循環動態，患者の自覚症状の有無など全身状態の異常の早期発見に努め，**心不全の再発徴候を見逃さない**ことはとても重要となります．

↗以上
・胸痛がない
・心電図の変化がない

補助循環法の一つである IABP の最近の位置づけはどのようなものなのでしょうか？

IABP は，他の VA-ECMO や VAS などの補助循環装置と比べ身近で容易で簡便に使用される装置です．短時間で駆動させることが可能であり，カテーテルの小径化にともない簡単に使用できるようになりました．駆動装置は小型化され自動化

も進んで日々進化しています．また，バルーンの拡張（inflation）と収縮（deflation）の調整も自動で行うことが可能です．循環器内科治療の一端としてPCI（経皮的冠動脈形成術）施行の際のバックアップとして有益に使用することも多くなってきています．

IABPバルーンのサイズの目安って何かあるのでしょうか？

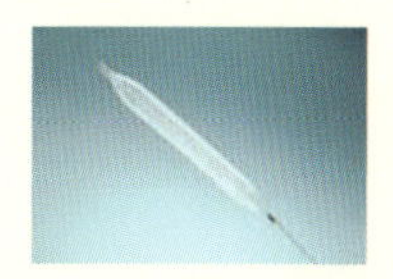

バルーンの先端は大動脈弓の鎖骨下動脈分岐部より約2 cmに留置します．またバルーンの下端は腹腔動脈や上腸間膜動脈，腎動脈の分岐部にかからないサイズが選択されます．一般的に身長140 cm以下なら30 mL程度，140～165 cm程度なら35 mL程度，165 cm以上なら40 mL程度のバルーン容量のものを選択することが推奨されています．

心臓マッサージ中（胸骨圧迫時）のIABPはどうすればよいのでしょうか？

そのままでも構わないとされています．心電図トリガーあるいは動脈圧トリガーで胸部圧迫リズムに同期させることが可能といわれています．ただし，アラームが頻発するため，トリガーモードをインターナルモード（トリガーに関係なく1分間に定時的に拍動する）にします．しかし，胸部圧迫によってバルーンの位置がずれて動脈壁を損傷する場合や，カテーテルがキンク（折れ）したところからのヘリウムガス漏れの可能性もあるため，IABPを駆動中止している場合もあります．この際，重要なことは，血管内に留置されたバルーンは30分以上の中止で血栓が形成されることを理解しておく必要があります．

参考文献

1）四津良平 監：“ノートラブルで進める！　IABP・PCPS・ペースメーカー・ICD看護マスターブック”．メディカ出版，2012

2）向原伸彦 監：“カラービジュアルで見てわかる！　はじめての補助循環ナースのためのIABP・PCPS入門書”．メディカ出版，2014

3）道又元裕 編：特集 補助循環のなぜ？　エキスパートの目線と経験知．重症集中ケア 8（1）：4-32，2009

（武澤　真）

ECMO 装着中のケア
～これを押さえれば，補助循環は怖くない～

- ECMO は一時的な心肺補助であり，個々の原疾患を治療するものではないということを念頭におき，全身管理を行おう．
- 潜在的な合併症についても常にアセスメントし，予防的ケアを実践していくことが大切である．
- 安全に機器の管理を行うためには，医師および臨床工学技士らと情報共有して医療チームとして管理する視点が重要である．

補助循環は心臓の機能を代行する治療法です

- 補助循環とは，「さまざまな原因によって惹き起こされたポンプ失調に対し，外的エネルギーを加えることにより心臓のポンプ機能の一部を補助，あるいはそのすべてを代行する治療法」と定義されます[1)]．補助循環は，大動脈バルーンパンピング（intra-aortic balloon pumping：IABP）や体外式膜型人工肺（extracorporeal membrane oxygenation：ECMO），補助人工心臓（ventricular assist device：VAD）などの機器によって施行されるため，機械的補助循環と称されています．表 1 に機械的補助循環の種類と特徴を示します．機械的補助循環は，「前負荷軽減を目的とする流量補助」と，「後負荷軽減を目的とする圧補助」に分けられます．前者は ECMO や VAD であり，後者は IABP となります．さらに ECMO には，心機能が維持されている時に肺機能のみを補助する VV-ECMO と，左心室の機能を補助する VA-ECMO があります．本稿では VA-ECMO について説明します．
- ECMO の利点として，①脱血条件が良ければ，ほぼ全身を維持する血流を確保することができる．②両心補助があり，同時に強力な呼吸補助も行うことができる．③システムが簡便で緊急時にも比較的短時間で使用可能となる．ただし，医療チームとしてのトレーニングが必要．④小児にも使用可能．
- 一方，欠点として，①全身循環は維持できるが，補助流量によっては心臓の後負荷を増すことになる．②抗凝固療法が必須となるため，出血の合併症に注意が必要．③長期補助は困難．④使用中は継続的に高度な技

表1 補助循環の種類と特徴

	IABP	ECMO	VAD	
			体外設置型	体内植込み型
挿入方法	経皮的	経皮的，外科的	外科的	外科的
補助流量	心拍出量の最大40％以上	2.0～3.0 L/分	3～5 L/分	機種により異なる～10 L/分
補助する心室	左心	左心・右心	左心・右心	左心
肺機能補助	効果なし	可能	効果なし	効果なし
補助期間	数日～数週	数日～数週	数ヵ月（交換により数年も可）	数ヵ月～数年
補助循環の分類	圧補助	流量補助		

術的監視・管理が必要となる，などが挙げられます．

緊急時に備えて日頃からシミュレーションをしましょう

- わが国のECMOの施行割合は，循環器内科（43％），救命救急（31％），心臓血管外科（23％）の順に多く，その使用目的は，急性心肺不全（38％），救命領域（35％），開心術後（14％）と報告されています[2]．このような循環器救急の場合，ECMO導入の遅れは致命的となり，救命できたとしても脳に障害を生じる可能性があるため，迅速な対応が何よりも重要です．したがって，日頃から緊急時に備えたシミュレーションなどを行っておく必要があります．

ECMOの適応と禁忌（急性心不全治療ガイドライン[3]，肺血栓症ガイドライン[4]より）

おもな適応

- 心肺停止状態，心原性ショックでの心肺蘇生
- 内科治療で呼吸循環不全が安定しない急性肺血栓塞栓症
- 難治性心不全での呼吸循環補助
- 開心術後低拍出状態
- 薬物抵抗性難治性不整脈
- 重症呼吸不全など

禁　忌

- 高度の閉塞性動脈硬化症のある患者
- 中等度以上の大動脈弁逆流症のある患者
- 出血傾向のある患者
- 最近発症した脳血管障害・頭部外傷患者
- 薬物治療抵抗性の敗血症患者

ECMO による血行動態を理解しよう 図1

- ECMO は，大腿静脈から右心房まで挿入したカニューレ（脱血管）により，遠心ポンプを用いて静脈血を脱血します．そして人工肺[1]を介して酸素化した血液を大腿動脈に挿入したカニューレ（送血管）より動脈血として送血します（静ー動脈バイパス V-A bypass：VAB）図2．
- ECMO からの送血と自己心拍出血流が対向する部位を mixing zone 図3 といい，自己心の機能や補助流量の割合に影響を受けます．一般に自己心の 30 %の補助流量の場合，mixing zone は腎動脈分岐部付近といわれています．脳や冠動脈は自己心から拍出された動脈血が灌流し，下半身は ECMO の人工肺で酸素化された血液が流れることになりま

[1] 人工肺は，血液をファイバー（膜）の外側に，酸素ガスを内側に流し，それにより生じる酸素および炭酸ガスの分圧の差により膜の微細孔を通してガス交換を行う．

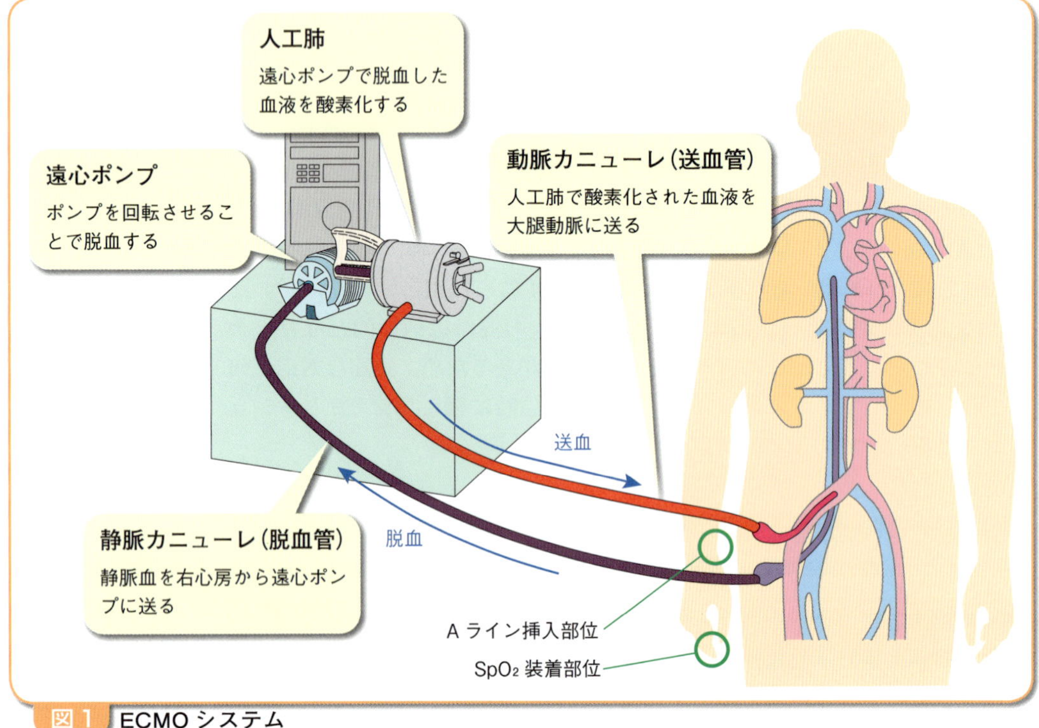

図1 ECMO システム

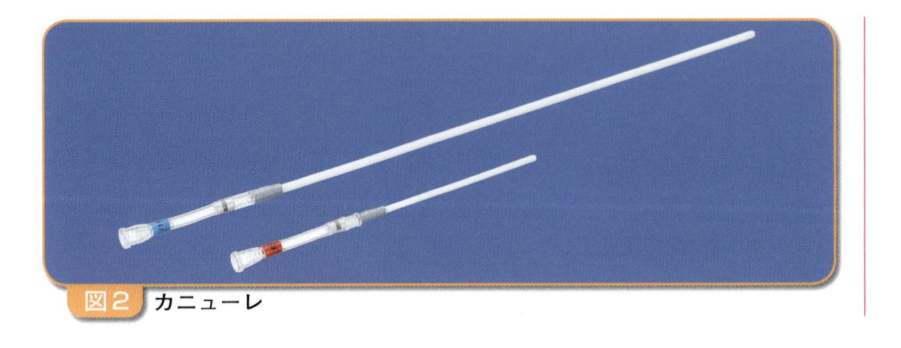

図2 カニューレ

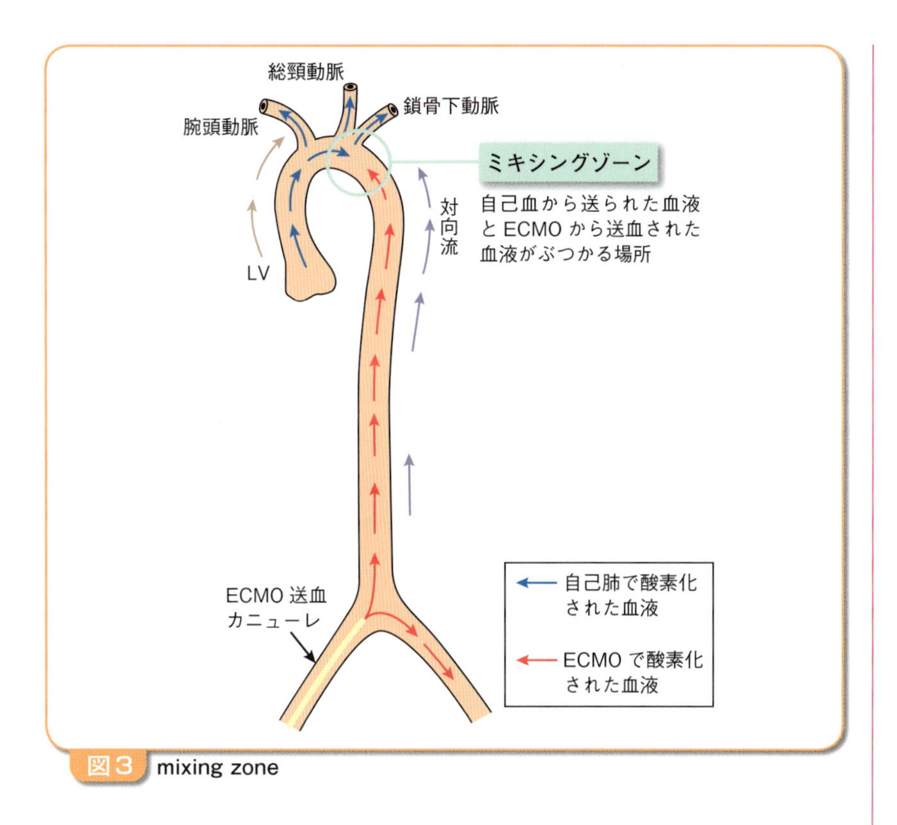

図3 mixing zone

す．このことから，送血部位からいちばん遠い右手に経皮的酸素飽和度（SpO_2）を装着し，血ガス分析も右橈骨動脈より採血し，自己心の評価指標とします．

ECMO装着中の一般的な管理はこうする

- ECMOの流量は，循環血液量やカニューレ（送血管：13.5〜16.5 Fr・脱血管：18〜21 Fr）のサイズおよび位置によって規定されます．
- 循環管理の目標は，補助流量2.0 L/分以上を目安とし，平均動脈圧60 mmHg以上で尿量（1 mL/kg/時）が確保できる血圧を保ち，混合静脈血酸素飽和度（$S\bar{v}O_2$）60〜70 %以上を目標とします．スワン・ガンツカテーテルによる心拍出量は，指標とならない[②]ので，灌流が適正かの判断は，$S\bar{v}O_2$を指標とします．
- またECMO作動にともなう凝固因子/血小板の消費が起こるため，ヘパリンの持続注入を行い，ACTを200秒前後に管理します．ただし，ヘパリン起因性血小板減少症（HIT）の患者では，アルガトロバンによる抗凝固療法を行います．
- ECMOによる大腿動脈からの送血は，自己心から拍出される血流に対して，逆行性になるため，後負荷を増大させます．このため，後負荷を軽減しつつ血流を増加させる目的で，IABPを併用する場合が多くあります．

② スワン・ガンツカテーテルの熱希釈法では，注入液が脱血され測定結果は過大評価され，参考にならない．

ECMO装着中の患者と機器の観察は，ここがポイント 表2

- 患者とECMOの観察項目の一覧を表2に示します．ECMOは流量補助のため，循環血液量が維持されないとフロー（流量）を得ることができ

表2　ECMO装着中の患者および機器の観察項目

区分	項目
患者側	**ECMO装着中のモニタリング**
	●現在の回転数での血流速度（実測値）
	●血行動態パラメータ 〔動脈圧，肺動脈楔入圧，肺動脈圧，右房圧（CVP），混合静脈血酸素飽和度（$S\bar{v}O_2$），尿量（水分バランス）〕
	●血液ガス分析（送血回路，右橈骨動脈）
	●経皮的酸素飽和度（SpO_2）：右手で測定する
	●ACT
	●血液検査（血算，血清カリウム，心筋逸脱酵素）
	●心電図（不整脈の有無，ST-T変化の有無）
	●深部体温
	フィジカルイグザミネーション
	●視診：皮膚の色調，チアノーゼ，溶血尿，出血，下肢の阻血，表情・体動
	●触診：浮腫，足背・後脛骨動脈触知（触知できない場合はドプラで血流確認），四肢冷感，湿潤，CRT*＜3秒
	●聴診：呼吸副雑音，心音，腸蠕動音
	●打診：気胸，無気肺，腹水，腸内ガス
	●神経徴候：意識・鎮静レベル，瞳孔の大きさ・位置・形状・対光反射の有無
	合併症の早期発見
	●出血（刺入部の出血，皮下血腫の有無，口腔内・気管・消化管からの出血の有無）
	●下肢虚血（足背・後脛骨動脈触知，色調変化，末梢冷感・チアノーゼ，足底温の左右差）
	●血栓・塞栓（回路内血栓，各臓器障害および神経障害）
	●溶血（RBC低下，LDH上昇，溶血尿の有無）
	●感染〔炎症所見（WBC，CRP），培養検査（血液，痰，尿）〕
	●褥瘡（皮膚湿潤，発赤の有無，栄養状態）
	●安静臥床による下側肺障害および関節拘縮
ECMO側	**一般的管理項目**
	●設定条件の確認〔回転数（rpm），フロー，酸素濃度（F_IO_2），酸素流量（L/分），熱交換器使用の場合は設定温度（℃）〕
	●無停電電源への確実な接続（緩みがない）
	●各種配管（酸素・圧縮空気など）の確実な接続（緩みがない）
	●人工肺（水滴は透明か，酸素フラッシュの施行）
	●回路の固定状況
	●カニューレの先端位置の確認（X線写真）
	トラブルの早期発見
	●アラームの有無（これまでの経過のなかでの有無）
	●人工肺（血漿リーク，ウェットラング）
	●血液回路（気泡の有無，血栓の有無，回路の振動，回路内血液の色）
	●遠心ポンプ（異音・発熱，血液量と回転数）
	●緊急時の対処方法について把握

*capillary refilling time（毛細血管再充満時間）：爪床を圧迫して離した時に，もとの赤みの色に戻るまでの時間が3秒以上かかると末梢循環が悪いと評価する（正常範囲2秒以内）．

ません．とくに導入開始時は，大量の輸液や輸血などを必要とする場合が多くあります．また，体外循環であることにより抗凝固療法が必要になります．これらのことから，全身の循環の維持の確認とさまざまな合併症の早期発見や予防が重要です．急な変化に気づくことも大切ですが，前回の観察と比較して「状態が良い方向にあるか，もしくは悪化傾向か？」という点でリアルタイムな情報の推移を観察すること，医療チームでその情報を共有し，変化があった場合は迅速に対応することが大切です．加えて，そのような患者を支えている家族の精神的支援にも配慮します．

さまざまな合併症を未然に防ぐためにここを押さえよう

体温管理

- ECMO 装着中は，鎮静下であり生理的な体温調整ができない状況に加え，体外循環により大量の血液が室温に曝され冷やされることから，体温管理はきわめて重要です．患者自身の肌の露出をできるだけ防ぐとともに，体外循環回路の保温も考慮します．ただし，脳保護を目的として低体温療法を併用する場合もあるため，治療方針に準じた管理に努めます．
  ※最新型の ECMO には熱交換器が付属しており，適切な温度に血液をコントロールして患者に返血できます．

栄養状態の評価

- 必要摂取カロリーの計算や総蛋白量，アルブミン量，リンパ球総数，ヘモグロビン値などの血液検査データや体重などを NST チームなどと連携し栄養状態をアセスメントします．

鎮静の評価

- 患者にとって安全安楽な点においても鎮静が必要となります．適切な鎮静状態を維持するために The Richmond Agitation Sedation Scale（RASS）などを用いて定期的に評価します．

出　血

- ECMO の管理には抗凝固療法を要することや，遠心ポンプによる血球破壊や血小板の減少などにより，出血を起こしやすい状況にあります．とくに口腔ケアや全身清拭，体位変換および吸引による外的刺激など，日常的に行っている看護ケアで出血を助長させてしまう可能性があるため，愛護的なケアに努めます．

下肢の虚血

- 送血カニューレは，14～15 Fr が用いられるため，大腿動脈の細い患者や動脈硬化の強い患者では，下肢の虚血が起こりやすい状況にあります．下肢の虚血が予想される場合や，血流ドプラで足背動脈の血流が確認できない場合には，大腿動脈に吻合した人工血管から下肢へ送血する方法や，末梢側に細いカニューレを挿入して末梢側の血流を保つ方法を行います．

感　染

- ECMO 装着患者は，複数のライン挿入や体外循環などにより感染に対し無防備であることから，感染対策を徹底することが重要です．とくに，絶食による腸管の浮腫や鎮静薬の使用による腸蠕動運動の抑制により，下痢をきたしやすいこともあり，刺入部が便汚染される可能性にも注意します．また，肺炎や尿路感染にも注意し，感染徴候があれば培養を提出し適切に抗生剤を用いるなどの対応が重要です．

皮膚トラブル

- 前述の下痢症状に加え，循環を維持するために輸液・輸血療法によるインオーバーや浸透圧の影響で間質への水分移動による浮腫などにより，皮膚は薄く張った状態になっています．摩擦などのわずかな刺激で表皮剥離を生じる可能性があります．また不動状態による褥瘡のハイリスク状態でもあることから，予防的なケアが重要となります．体圧分散マットの使用や可能な限り体位変換に努めます．

遠心ポンプ・人工肺（使用限界は５～７日が目安とされています）

- 人工肺のトラブルとして，血漿リークやウェットラングなどがあります．血漿リークは，人工肺内部の中空糸から泡や血漿が滲みだし人工肺のガスポート（出口）から濾出されることです．一方，ウェットラングは人工肺内部でガス交換後，蒸気を含んだガスが冷却されることによって結露が生じ，ガスポート（出口）に水滴が付着し人工肺を塞いでしまう現象です．いずれもガス交換能が低下しますが，ウェットラングは，一時的な O_2 フラッシュや，人工肺を加温することで結露を防ぐことができるのに対し，血漿リークは人工肺の劣化を示唆するもので，回路交換を検討します．

ケーススタディ

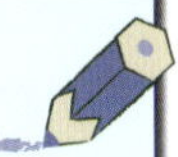

30歳，女性．拡張型心筋症（DCM）で外来フォローしていたが，心不全症状悪化し緊急入院となった．検査の結果，重症感染症をともなう急性非代償性うっ血性心不全（ADHF）と診断された．鎮静管理のもと薬物療法を施行し，人工呼吸器管理で経過．スワン・ガンツカテーテルで血行動態のモニタリングを行っていたが，薬剤の反応が乏しくなり，血行動態が維持できず，左心補助の目的でECMOを装着となった．

表3 モニタリングデータ

		1day	2day	3day	4day	5day
PaO_2 (torr)	右RA (F_IO_2)	144.1 (0.4)	186.2 (0.6)	95.2 (0.55)	213.7 (0.5)	157.5 (0.35)
	(P/F比)	360	310	173	427	450
	ECMO (F_IO_2)	162.0 (0.7)	206.3 (0.7)	263.8 (0.7)	233.1 (0.7)	120.5 (0.7)
SpO_2（%）		98	100	98	99	100
$S\bar{v}O_2$（%）		49	56	56	61	60
ECMO	流量（L/分）	3.1	3.1	3.3	2.9	2.8
	回転数（rpm）	2,202	2,201	2,203	2,104	1,902

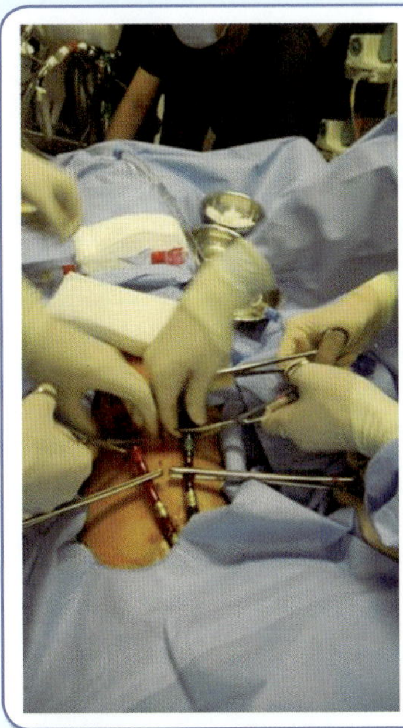

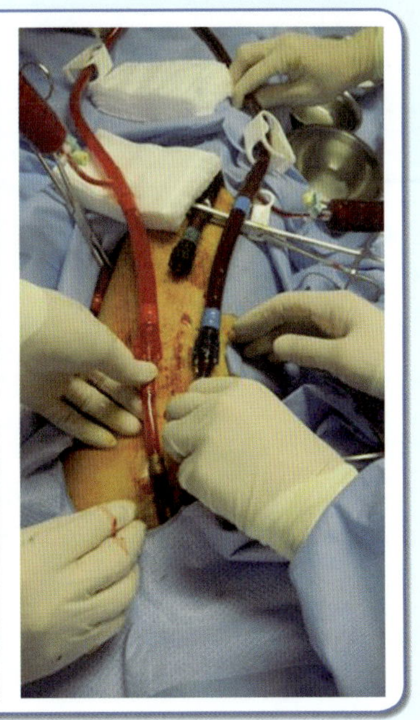

図4 ECMO回路交換

■看護の実際

前述した一般的管理事項に基づいてECMO装着中のケアを行います．特に，全身の循環が維持されているか？　自己心の機能はどうか？　人工肺の劣化はないか？　臓器不全の徴候はないか？　合併症を生じていないか？　という問いを基本とした細やかな観察を基にアセスメントを行い，全身状態を管理します．

本ケースにおけるモニタリングデータの一部を表3に示します．

1～2dayは，ECMOの回転数は一定で，かつ流量変化がなく，$S\bar{v}O_2$も低値であることから，ECMOに依存している状態であると考えます．ところが，4～5dayは回転数と流量が低下してきているものの$S\bar{v}O_2$は60％以上維持できています．通常，送血回路の血液は鮮やかな赤色に対し，脱血側は黒みがかった赤を呈していますが，本ケースでは，送血側の血液は暗紫色の色調に変化してきました．さらに，F_IO_2（0.7）は一定であるのにPaO_2は低下傾向にあることから人工肺の劣化が考えられ，ECMOの回路交換を行いました図4．また，身体面では，血漿膠質浸透圧の低下により浮腫図5やサードスペースへの水分シフトが起こります．心電図のリードも圧痕となる場合があり図6，皮膚トラブル防止に努めました．

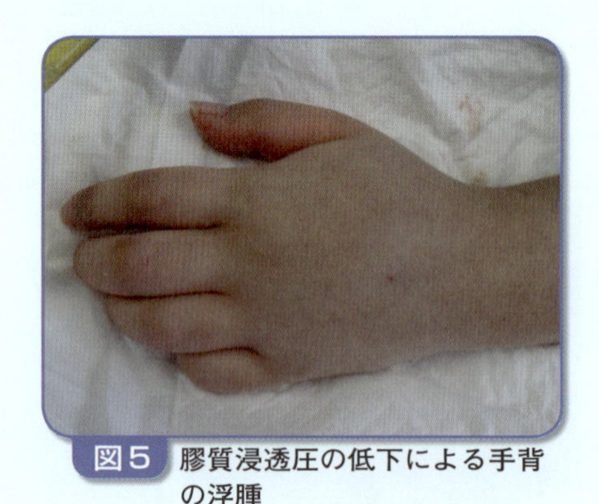

図5　膠質浸透圧の低下による手背の浮腫

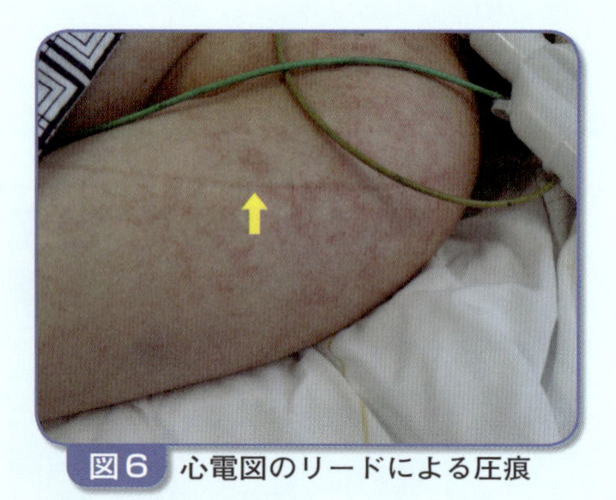

図6　心電図のリードによる圧痕

■その後の経過

モニタリングデータや心エコー所見によって，自己心の機能が徐々に回復してきたため，ECMO装着14日目で離脱しました．ECMOの離脱基準を次頁に示します．

【ECMO 離脱基準】
- 収縮期血圧 80 mmHg 以上
- PCWP：12 mmHg 以下
- 心係数（CI）：2.2 L/分/m^2 以上
- 開心術後の場合ドレーンからの出血量が少ない
- 自己肺のガス交換が適正範囲で維持できている
- 末梢循環および尿量が保てている
- 心エコー所見
- ON/OFF テスト：ACT を 250 以上にし，ECMO を数分程度停止させて循環動態と呼吸状態の変化をみる

このケースから学べること・まとめ

- ECMO 装着中の患者は，自己心では全身の循環が維持できない重症な心不全や呼吸不全など生命の危機状態に陥っています．
- 多様なモニタリングデータや画像所見，水分出納（とくに尿量）などを組み合わせて，総合的にアセスメントすることが大切です．
- 多臓器不全状態，低栄養状態，易感染状態，活動耐性低下などの潜在的リスクに曝されていることを常に念頭におき，早期より予防的ケアを実践していくことが重要です．

Q PCPS と ECMO の違いを教えてください．

A PCPS（percutaneous cardiopulmonary support）とは，経皮的にカテーテル操作で送血管・脱血管をカニューレーションする心肺補助の挿入法およびその管理のことです．ECMO は体外式膜型人工肺で，血液を体の外に出して酸素化をして体に戻す心肺補助の総称です．

回転数を上げてもフローが上昇しないのはなぜでしょうか？

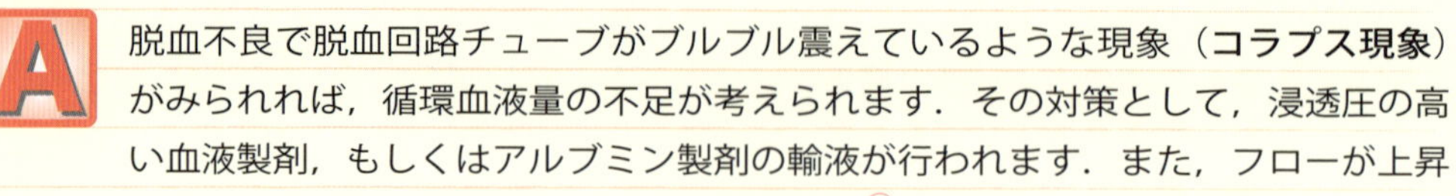

脱血不良で脱血回路チューブがブルブル震えているような現象（**コラプス現象**）がみられれば，循環血液量の不足が考えられます．その対策として，浸透圧の高い血液製剤，もしくはアルブミン製剤の輸液が行われます．また，フローが上昇しないからといって無理に回転数を上げると**空洞現象**④が発生し，空気塞栓のリスクとなるので注意します．また，チューブが折れ曲っていたりしても，フローが上昇しないこともよくあるため，管理上のトラブルがないか確認することも重要です．

④ 空洞現象（cavitation）：液体が急激に強い陰圧にさらされた際に，気泡となる物理現象．

参考文献

1）許　俊鋭：補助循環の定義．PCPS．“改訂第２版補助循環マスターポイント102” 許　俊鋭 編．メジカルビュー社，p17，pp60-70，2009

2）吉岡大輔：PCPS研究会アンケート集計結果（2009-2012），日本経皮的心肺補助（PCPS）研究会 http://www2.convention.co.jp/pcps/pdf/common/enquete24th.pdf

3）和泉　徹 他：“循環器病の診断と治療に関するガイドライン（2010年度合同研究班報告），急性心不全治療ガイドライン（2011年改訂版）”．日本循環器学会 他，2011 http://www.j-circ.or.jp/guideline/pdf/JCS2011_izumi_h.pdf

4）日本循環器学会 他：肺血栓塞栓症および深部静脈血栓症の診断，治療，予防に関するガイドライン（2017年改訂版） https://www.j-circ.or.jp/cms/wp-content/uploads/2017/09/JCS2017_ito_h.pdf

5）許　俊鋭：第３章　経皮的心肺補助循環（PCPS）膜型人工心肺体外循環（ECMO）．“研修医，コメディカルのためのプラクティカル補助循環ガイド” 澤　芳樹 監．メディカ出版，pp110-148，2007

6）青景聡之，竹田晋浩：院内急変におけるECMO/PCPSの適応．救急医学 35：1102-1107，2011

（山内 英樹）

末期心不全患者への補助人工心臓（VAD）治療

～植込型補助人工心臓の術前ケアから退院支援までの流れ～

- 植込型 VAD の特徴，VAD 装着患者の背景を知ることが VAD 看護の第一歩．
- 植込型 VAD 特有の合併症を理解し，予防的ケアを実践していくことが大切．
- 在宅療養では家族のサポート力が重要なため，家族へのトレーニングも重要．

植込型 VAD 治療の特徴・適応基準

- 植込型補助人工心臓（ventricular assist device：VAD）は，最大限の内科的治療（薬物治療や IABP：intra-aortic balloon pumping，VA-ECMO：venoarterial extracorporeal membrane oxygenation，IMPELLA®：補助循環用ポンプカテーテル）が限界となった末期心不全の患者が適応になります．日本では 2011 年から心臓移植待機患者に使用されています．2021 年からは終身医療，つまり destination therapy（DT）：長期在宅補助人工心臓治療としても保険償還されました．
- 患者，家族にとって VAD 治療は未知の部分が多く，手術する前から強い不安を抱えています．VAD 装着患者とその家族へのケアは，VAD 治療が視野に入った時点から開始する必要があります．
- 植込型 VAD 治療の流れを 図 1 ，心臓移植へのブリッジにおける植込型 VAD 適応基準を 表 1 ，DT の選択基準を 表 2 で示します．

植込型 VAD の特徴を理解する

- VAD の目的は，ポンプ機能不全になった左室を代行して体循環を維持することです．左室心尖から脱血し，血液ポンプを経由して，上行大動脈に送血されます．体内に埋め込まれた血液ポンプが腹部から出るドライブラインを介して駆動装置とつながっています．近年，駆動装置やバッテリは小型化され，軽量で循環補助能力が高く，長期耐久性にも優れているため，自宅退院が可能で生活の質（QOL）の向上が期待できます．原則，保険を使用した植込型 VAD 治療は左心系のみです．
- 図 2 に HeartMate3™， 図 3 に HVAD® の装着図を示します．

> **編者メモ**
>
> **保険償還**
>
> 植込型補助人工心臓（非拍動流型）は 2011 年から保険適用となりました．入院中は①心臓移植適応の患者で，薬物療法や他の補助循環法によっても継続した代償不全に陥っており，かつ，心臓移植以外には救命が困難と考えられる症例，または②心臓移植不適応の重症心不全患者で，薬物療法やその他補助循環法によっても継続した代償不全に陥っている症例に対して，長期循環補助を目的として使用するときに算定されます．入院期間によって算定額が変わります（K604-2）．
>
> なお，外来で定期的な管理を行っている場合は在宅植込型補助人工心臓（非拍動流型）指導管理料で算定されます（C116）．
>
> **K604-2 植込型補助人工心臓（非拍動流型）**
>
> 1 初日（1 日につき） 58,500 点
>
> 2 2 日目以降 30 日目まで（1 日につき） 5,000 点
>
> 3 31 日目以降 90 日目まで（1 日につき） 2,780 点
>
> 4 91 日目以降（1 日につき） 1,800 点
>
> **C116 在宅植込型補助人工心臓（非拍動流型）指導管理料**
>
> 45,000 点（月に 1 度）
>
> ［山中］

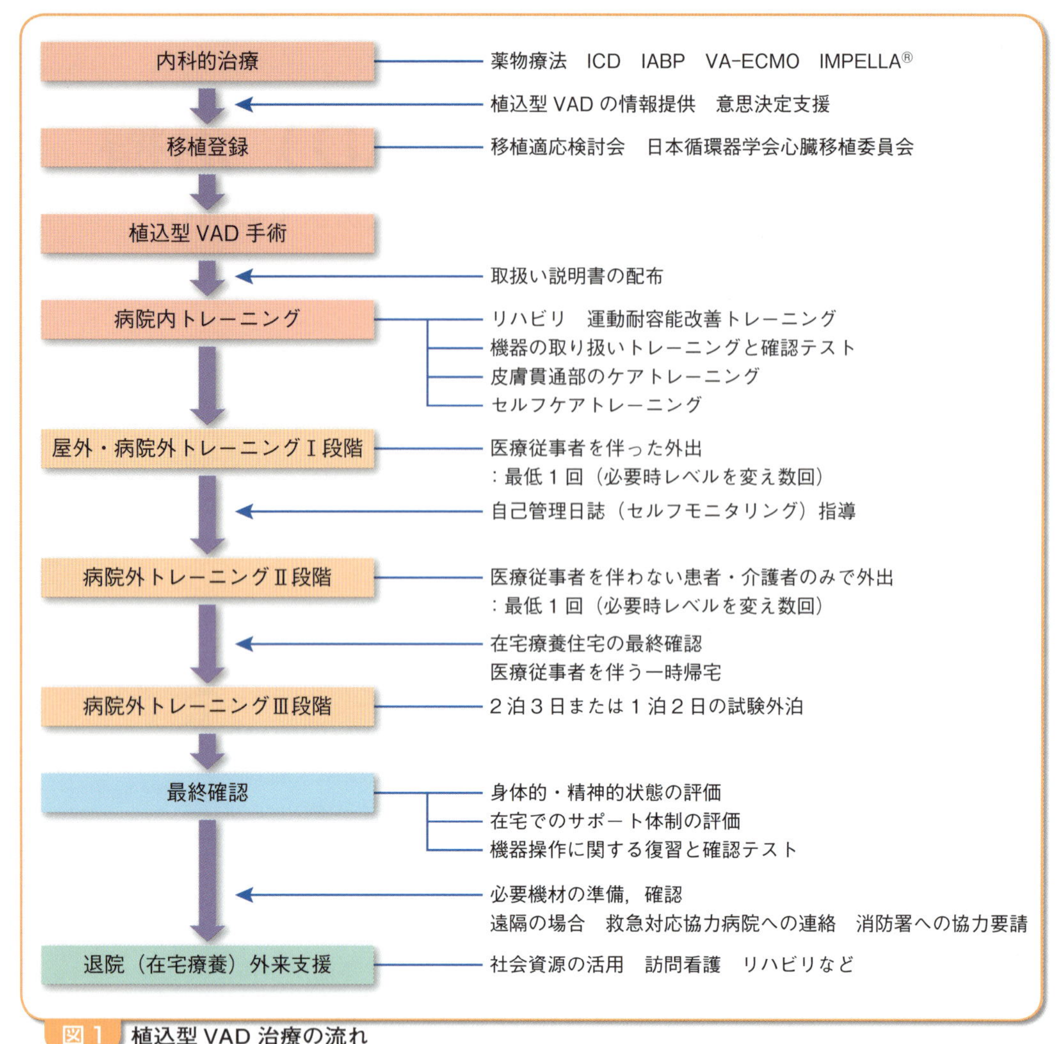

図 1　植込型 VAD 治療の流れ

（山中源治，小泉雅子：VAD の機器トラブルと対応のなぜ．道又元裕 監 "心臓血管外科の術後管理と補助循環"，日総研出版，pp177-182，2012 を基に作成）

VAD 手術のタイミングは，術後に大きな影響を及ぼす

- VAD 医療は，術前の状態が術後に大きく影響するため，実施するタイミングが重要です．装着前の治療，看護，管理は，VAD 医療の質を向上させるうえで重要な要素です．患者の状態を評価し，VAD 装着のタイミングを検討するための一つの指標として，J-MACS の profile 分類が使用されています．J-MACS 分類は 7 つのカテゴリー（profile）と副カテゴリー（modifier）で構成されています 表 3．

表 1　心臓移植へのブリッジ（BTT）における植込型補助人工心臓適応基準

適応基準		
選択基準	病態	心臓移植適応基準に準じた末期重症心不全であり原則 NYHA 心機能分類Ⅳ度，ガイドラインで推奨された標準治療を十分施行しているにもかかわらず進行性の症状を認めるステージ D 心不全
	年齢	65 歳未満
	体表面積	デバイスごとに規定
	重症度	ドブタミン・ドパミン・ノルエピネフリン・PDEⅢ阻害薬などの強心薬依存状態（INTERMACS Profile 2 または 3）．IABP，循環補助用ポンプカテーテル，体外設置型 LVAD 依存状態．modifier A（とくに INTERMACS Profile 4 の場合）
	社会的適応	本人と介護者が長期在宅療養という治療の特性を理解し，かつ社会復帰も期待できる
	薬物療法	ACE 阻害薬・ARB・β遮断薬・MRA・SGLT2 阻害薬・ARNI・イバブラジン・利尿薬などの最大限の薬物治療が試みられている
	非薬物療法	心臓再同期療法や僧帽弁閉鎖不全症への介入，虚血性心筋症への血行再建術などについて十分に検討されている
除外基準	全身疾患	悪性腫瘍や膠原病など治療困難で予後不良な全身性疾患
	臓器障害	不可逆的な肝腎機能障害，インスリン依存性重症糖尿病，重度の出血傾向，慢性腎不全による透析症例
	呼吸器疾患	重度の呼吸不全
		不可逆的な肺高血圧症（血管拡張薬を使用しても肺血管抵抗が 6 Wood 単位以上）
	循環器疾患	治療困難な大動脈瘤，中等度以上で治療できない大動脈弁閉鎖不全症，生体弁に置換困難な大動脈弁位機械弁，重度の末梢血管疾患
	神経障害	重度の中枢神経障害
		薬物またはアルコール依存症
		プロトコルの遵守または理解が不可能な状態にある精神神経障害
	感染症	活動性重症感染症
	妊娠	妊娠中または妊娠を予定
	その他	著しい肥満など施設内適応検討委員会が不適当と判断した症例

〔日本循環器学会：2021 年改訂版 重症心不全に対する植込型補助人工心臓治療ガイドライン（日本循環器学会/日本心臓血管外科学会/日本胸部外科学会/日本血管外科学会合同ガイドライン）https://www.j-circ.or.jp/cms/wp-content/uploads/2021/03/JCS2021_Ono_Yamaguchi.pdf（2021 年 12 月閲覧）より引用〕

植込型 VAD 特有の合併症は，発生要因や基本的な管理を理解したうえで予防に努める

- 植込型 VAD 装着後の合併症の発症率は，罹患期間や諸臓器障害の重症度といった術前の状態により大きな差があります．装着後は，一般的な心臓血管手術に準じた合併症対策に加えて，右心不全・肺高血圧症，脳血管障害，ドライブラインに関連する皮膚貫通部の感染症，精神障害，機器トラブルといった特有の合併症に留意する必要があります．

表2 Destination Therapy（DT）症例の選択基準

適応症例
・重症心不全に対する植込型補助人工心臓の適応基準が基本
・心臓としては移植が必要だが，心臓以外の理由により移植適応とならない成人（18歳以上）
・INTERMACS Profile 2～4 であること
・J-HeartMate Risk Score*で low risk など，年齢，腎機能，肝機能などに関するリスク評価が十分行われていること
・心疾患以外により規定される余命が 5 年以上あると判断されること
・退院後 6 ヵ月程度の同居によるサポート可能なケアギバーがいること（それ以後もケアギバー，もしくは公的サービスなどによる介護の継続が可能であることが望ましい）
・患者およびケアギバーが DT の終末期医療について理解し承諾していること
除外症例
・維持透析症例
・肝硬変症例
・重症感染症
・術後右心不全のため退院困難なことが予測される症例
・脳障害あるいは神経筋疾患のためデバイスの自己管理が困難なことが予測される症例
・その他医師が除外すべきと判断した症例

*Japan-VAD risk score＝0.0274×年齢－0.723×alb(g/dL)＋0.74×Crn(mg/dL)＋1.136×INR＋0.807×(0 or 1)（2 年間で植込型 LVAD の経験が 3 症例以上ある施設ならば 0）

〔日本循環器学会：2021 年改訂版 重症心不全に対する植込型補助人工心臓治療ガイドライン（日本循環器学会/日本心臓血管外科学会/日本胸部外科学会/日本血管外科学会合同ガイドライン）https://www.j-circ.or.jp/cms/wp-content/uploads/2021/03/JCS2021_Ono_Yamaguchi.pdf（2021 年 12 月閲覧）より引用〕

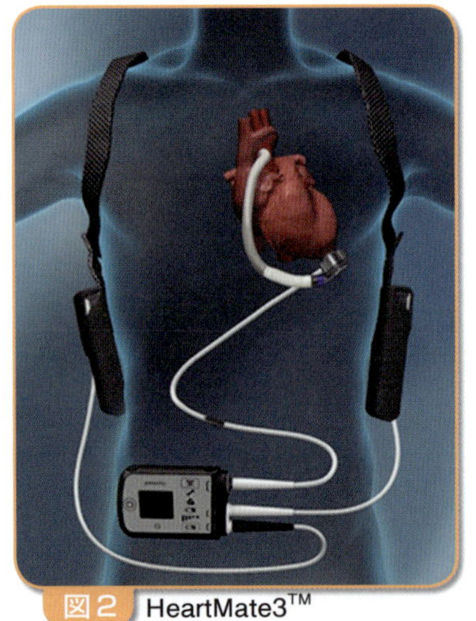

図2 HeartMate3™
（画像提供：アボットメディカルジャパン合同会社）

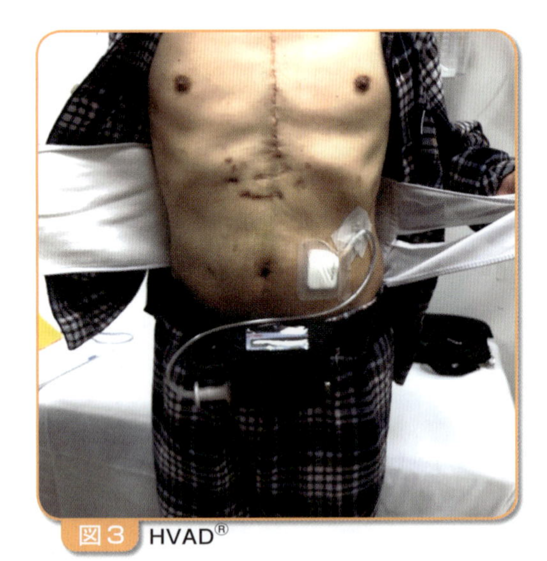

図3 HVAD®

右心不全

● 植込型 VAD を必要とする患者のほとんどは，術前より右心不全を生じており，装着後の予後に大きく影響します．周術期の循環血液量の増加，不整脈などから右心不全は悪化する可能性があります．右心不全に対す

表3 INTERMACS/J-MACS 分類とデバイスの選択

P*	INTERMACS / J-MACS	状態	デバイス選択
1	Critical cardiogenic shock "Crash and burn" 重度の心原性ショック	静注強心薬の増量や機械的補助循環を行っても血行動態の破綻と末梢循環不全をきたしている状態	IABP，PCPS，循環補助用心内留置型ポンプカテーテル，体外循環用遠心ポンプ，体外設置型 VAD
2	Progressive decline despite inotropic support "Sliding on inotropes" 進行性の衰弱	静注強心薬の投与によっても腎機能や栄養状態，うっ血徴候が増悪しつつあり，強心薬の増量を余儀なくされる状態	IABP，PCPS，循環補助用心内留置型ポンプカテーテル，体外循環用遠心ポンプ，体外設置型 VAD，植込型 LVAD
3	Stable but inotrope-dependent "Dependent stability" 安定した強心薬依存	比較的低用量の静注強心薬によって血行動態は維持されているものの，血圧低下，心不全症状の増悪，腎機能の増悪の懸念があり，静注強心薬を中止できない状態	植込型 LVAD
4	Resting symptoms "Frequent flyer" 安静時症状	一時的に静注強心薬から離脱可能であり退院できるものの，心不全の増悪によって容易に再入院を繰り返す状態	植込型 LVAD を検討（特に modifier A** の場合）
5	Exertion intolerant "House-bound" 運動不耐容	身の回りのことは自ら可能であるものの日常生活制限が高度で外出困難な状態	Modifier A** の場合は植込型 LVAD を検討
6	Exertion limited "Walking wounded" 軽労作可能状態	外出可能であるが，ごく軽い労作以上は困難で 100 m 程度の歩行で症状が生じる状態	
7	Advanced NYHA Ⅲ "Placeholder" 安定状態	100 m 程度の歩行は倦怠感なく可能であり，また最近 6 ヵ月以内に心不全入院がない状態	

*プロファイル
**致死性心室不整脈により ICD の適正作動を頻回に繰り返すこと．
〔日本循環器学会：2021 年 JCS/JHFS ガイドラインフォーカスアップデート版 急性・慢性心不全診療（日本循環器学会/日本心不全学会合同ガイドライン）https://www.j-circ.or.jp/cms/wp-content/uploads/2021/03/JCS2021_Tsutsui.pdf（2022 年 3 月閲覧）より引用〕

るカテコラミンの投与，左心系へ流れやすくするための肺動脈拡張薬が使用されます．それでも改善がみられない場合には，右心系に対する補助循環（基本的には体外式 VAD）が検討されます．遠隔期では左室内脱血の結果，中隔が左室側にシフトし，右室の形態が変化することによって起こる右心不全があります．植込型 VAD 装着中は，過度な補助流量の増加を避け，定期的に心エコーで左室内腔の大きさと心室中隔の位置を確認しながら適正な補助流量を評価していく必要があります．

看護の視点

- VADの流量（flow），スワン・ガンツカテーテル上の数値，水分出納バランスなどの指標から循環動態を評価します．脱水や過度な不適切なポンプ設定ではサッキング現象①が生じます．
- 右心不全に対する治療によって循環動態がどのように変化したのか，投与薬剤の増減によって悪化傾向がみられるかなど，リアルタイムな情報の推移を観察していきます．

①サッキング現象
VADの適正回転数以上の設定や循環血液量減少，脱水状態では，左室内吸引による左室容量減少のため，ポンプの脱血部に心室が吸引され，左室容量の減少につながり，補助流量の低下や不整脈の発生をまねく．

心タンポナーデ

- 術後は易出血状態②です．術後，止血が確認されると，植込型VAD装着にともなう抗凝固療法が開始されます．ヘパリンの持続投与からワルファリンへの内服薬へと置換します．植込型VADでは連続流のため脈圧が小さく，通常の開心術後に生じる心タンポナーデよりも，臨床所見が乏しいことが多いです．抗凝固療法が開始された後に心タンポナーデを発症することもあり，手術後2週間程度は常に心タンポナーデの危険性があります．

②術前から重症心不全の影響により，肝機能の低下や補助循環治療にともなう血小板の減少，ヘパリンの持続投与による抗凝固療法が余儀なくされ，易出血状態である．

看護の視点

- 抗凝固療法が開始された後に出血量の増加はないか，開始後に循環動態に悪化がないかを評価します．
- ドレーン排液の急激な減少はドレーンの詰まりが疑われ，必要時ミルキングを行う必要があります．

肺高血圧症

- 術前より，左心室の機能低下から肺高血圧を生じている患者が多く，術後，右心系が補助されないこと，手術中に使用される輸血の影響から肺高血圧はさらに顕著化します．術後は肺動脈圧，補助流量を指標にしながら急性期では肺動脈拡張作用薬や一酸化窒素（NO）が使用され，その後内服薬へ置換されます．右心系に対する後負荷を軽減させ，左心系へ血流を流れやすくします．

看護の視点

- 急性期から肺動脈圧や中心静脈圧の値がどのように変化したのか，NO，肺動脈拡張薬の減量，内服置換にともなう数値の変化に注意していきます．また，鎮静薬の減量，覚醒にともなう数値の変化にも注意が必要です．

脳出血

- 易出血状態に加えて，術後開始される抗凝固療法により，さらに脳出血のリスクが高まります．脳出血が起こってしまった場合，急速に病状が悪化し，致命的になる危険性があります．国際標準比プロトロンビン時間：PT-INRを指標に適正な数値の維持，患者の凝固能の状態から慎重な管理が必要になります．脳出血が疑われる場合，ただちに頭部CT検査が施行されます．脳出血の超急性期では，新鮮凍結血漿や乾燥濃縮人プロトロンビン複合体（ケイセントラ®）の緊急投与により，ワルファリンの緊急リバースを施行します．脳神経外科チームと協働し，致命的な状態に陥る前に治療が開始されます．遠隔期においては，適正な抗凝固療法の維持や脳血管障害の早期発見が中心となります．在宅加療中でも厳重な抗凝固療法を継続するために，血液凝固分析器を使用し管理します③．

③ 血液凝固分析装置（コアグチェック® INRange）を使用し，患者自身でPT-INRの測定を行い，管理病院と共有することで，大幅な変動を事前に察知し，安定した抗凝固療法を維持できるように管理する．

看護の視点

- 突然の神経脱落症状，頭痛，嘔気，嘔吐，意識障害，血圧上昇が生じた際は，真っ先に脳出血を疑い，医師へ報告します．
- 機種別の抗凝固療法の適正値や現在の目標値を医師と共有しておくことも大切です．

編者メモ

神経脱落症状

原因は，心臓内もしくはポンプ内にできた塞栓子(脂肪・血栓)などであり，主病態は脳の血流が減少・途絶による脳梗塞です．おもな症状には失語や失認，麻痺などがありますが，障がいは梗塞部位により異なります．

［山中］

脳梗塞

- 慎重な抗凝固管理が行われていても，過度な脱水は血液粘度の上昇から，血栓形成を助長し，脳梗塞のリスクが高くなります．水分出納バランスは過度なマイナスバランスに注意します．経口での飲水量が不足する場合は点滴投与を考慮します．脳梗塞が疑われる症状が生じた場合，緊急CT検査が行われます④．虚血性病変に対しては適切な抗凝固療法に加えて，急性閉塞に対しては脳血管内治療の適応が考慮されます．

④ 詳細な梗塞部位や大きさを確認するため，perfusion CT（CT灌流画像）が選択される．植込型VAD装着下ではMRI検査は禁忌．

看護の視点

- 過度な脱水状態にならないよう水分出納バランスを評価し，必要であれば飲水を促すなどの対応を行います．
- 脳梗塞の症状：意識障害（JCS，GCSで確認），頭痛，めまい，四肢の麻痺，しびれや脱力感，呂律が回らない，言葉が出にくい，視野欠損など中枢系の症状に注意します．

ドライブライン皮膚貫通部感染症

- 術前からの重症心不全により免疫機能の低下，VADの装着によりポンプやドライブラインなど人工物が体内に挿入されるため，通常の開心術と比較し，術後感染症を合併するリスクは高いといわれています．急性期は，感染源となりやすいドライブライン皮膚貫通部は周囲皮膚を健常な状態に維持し，創部の菌量の減少を図るため，固定や消毒は入念に行います．

- また，この時期の固定管理は，長期的に貫通部の状態を良好に維持するためにも重要です．回復期以降では活動範囲が拡大し，体動により皮膚貫通部に形成された癒着が剥がれる治癒不全が起こり，ドライブライン皮膚貫通部感染症（drive line infections：DLI）になる危険性があります．固定不良や貫通部へのストレスが発端となることが多く，適時，患者の状況に合わせて固定位置と方法を見直す必要があります．回復期では，全身状態が安定していれば，清潔保持の目的にシャワー浴を実施します．

看護の視点

・貫通部およびその周囲皮膚の感染徴候（疼痛，発赤，腫脹，熱感，発熱状況，滲出液・排膿・出血・不良肉芽の有無，性状，色調，臭気など）を見逃さないことが重要です．
・固定管理は貫通部へのストレスがかからない位置を探り，患者の状況に合わせて方法や位置を変更していくことが重要です．

大動脈弁閉鎖不全症

- 植込型 VAD の特徴的な合併症に，新規に生じる大動脈弁閉鎖不全症があります．術前から中等度以上の大動脈弁閉鎖不全症を合併している場合，手術時に同時に外科的な介入が行われます．自己の大動脈弁が開閉しない症例で多く発症が報告されています．予防として自己の大動脈弁を解放させるよう回転数の調整や前負荷を維持する方法がとられます．
- 肺うっ血などの症状が出現してしまった場合は回転数を上げ，利尿薬の投与を行い症状の軽減を図りますが，これらの対処が長期的には更なる悪化をまねくことも報告されていますので，心エコー検査やカテーテル検査で定期的にモニタリングを行い，調整をしていく必要があります．

看護の視点

・平均血圧を 80 mmHg 以下でコントロールすることがよいでしょう．ADL の拡大，リハビリによって血圧の変動を確認し，目標値を上回るようであれば，医師へ相談し対処する必要があります．

編者メモ

VAD 駆動時の特異的な血圧について

植込型 VAD は非拍動流，つまり定常流で血流が全身に流れます．そのため脈圧がない患者がほとんどで，自動血圧計では測定できません．植込型 VAD 患者では「平均血圧」の維持，それによる細胞・組織灌流の確保が最重要課題となるため，平均血圧は 65 mmHg 以上が望ましいとされています．

一方で，植込型 VAD 患者は高血圧に注意が必要です．平均血圧 90 mmHg 以上が長期間続くと，大動脈弁への圧負荷が強くなるだけでなく，脳出血のリスクが非常に高くなります．そのため，降圧薬で平均血圧を 65～80 mmHg 前後でコントロールすることが一般的です．

［山中］

精神障害

- 植込型 VAD を装着する患者は，術前から補助循環治療による鎮静薬が使用されていることが少なくありません．そのような状況での意思決定やVADに対する十分な理解が得られないうちに装着が行われることで，後々の後悔や抑うつ，適応障害，不安障害を生じる可能性があります．VAD装着による身体的精神的な拘束，喪失体験（ボディイメージの変容，日常生活上の制約，規制，社会復帰や家族役割の遂行困難）により，VADに生かされている違和感や葛藤，自尊感情・自己効力感の低下をまねくことがあります．

看護の視点

・“術後だから，心不全だから”といった医療者の偏った見解は，ときにせん妄や抑うつ・不安などの精神障害を見逃し，対応の遅れをまねくため，根拠に基づいたていねいな観察，対応が必要です．
・清潔ケアやリハビリテーション，散歩や買い物は気分転換に有用です．植込型VAD装着患者との交流は気持ちの安定や将来への見通しがつく契機になることもあります．
・患者を支える家族の支援も重要です．必要に応じてリエゾン精神科医師や臨床心理士との連携も図ります．

大きな危機トラブルは不可逆的な障害を患者に与え，ときに生命に危険を及ぼします

● 看護師は起こりうるトラブルを知り，危険性を予測することで安全に管理し，トラブルの早期発見と対処に努めなければなりません．在宅療養に移行すると，トラブルの回避および早期発見・対処は患者・家族自身で行う必要があるため，機器管理の知識と技術を習得できるような支援体制を構築する必要があります．

駆動装置のトラブル・電源の不備

● VADがより安全な機器だとしても，100％重大なトラブルが起きないとはいい切れないため，日常点検や緊急時の対処訓練は大切です．患者の取り扱いによりトラブルを起こす可能性があるため，扱い方の指導をすることが重要です．故障などのトラブルを回避するために，日々の駆動確認やバッテリの消耗状態などの点検を家族が行えるよう教育が必要です．また，臨床工学技士の定期的な点検も重要です．電源管理においては，機種によっての運用方法の違い⑤を理解し，教育する必要があります．

⑤ **機種による電源の違い**
・システムコントローラ自体にバッテリ機構が備わっている機種：HeartMate3™・EVAHEART®
・バッテリが1本は装着されていないと駆動できない機種：HVAD®・Jarvik2000®

トラブルシューティング

- 緊急対処を必要とする状況は，機器のトラブル，患者自身の急変の2つが考えられます．医療者および患者・家族は，万が一VADにトラブルが生じたときに，適切な対処・行動が取れるようにそれぞれ教育を受ける必要があります．トラブルシューティングの流れを 図4 に示します．
- 植込型VAD装着患者に緊急トラブルが生じたとき，最初に確認するのは患者の意識状態です．その後，患者の全身状態を確認する「Check the Patient」，VAD機器の状態を確認する「Check the Pump」を行います．
- 患者に意識がある場合は，すみやかに安全な場所に移動し安楽な体勢にした後にVADチームへ連絡，指示を受けます．意識がない場合，VADのPump駆動か患者に原因があるのかを確認します．Pump駆動の異常が否定されたら患者自身に何らかの問題が生じていると考えられるため，患者への対応が必要になります．一方，Pump駆動の異常があれば，バックアップコントローラへの交換が必要になります．
- 機器の対応を行っても変わりなければ，心肺蘇生法を施行します．院外で緊急トラブルが発生した場合，その対処を家族が対応しなくてはなりません．

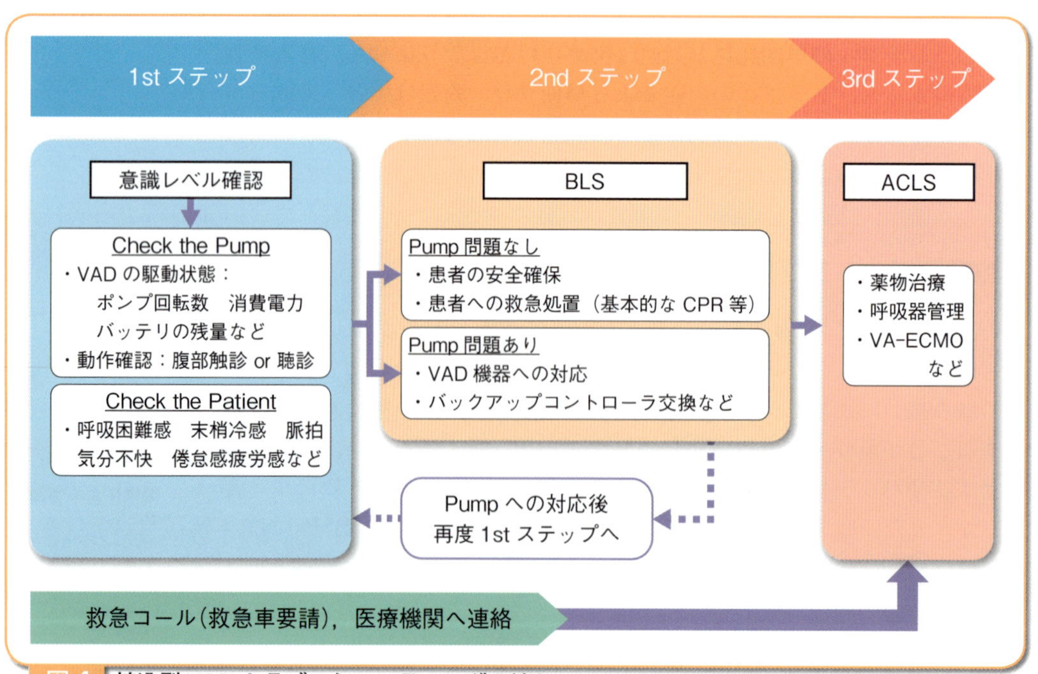

図4 植込型VADトラブルシューティングの流れ

(山中源治，小泉雅子：VADの機器トラブルと対応のなぜ．道又元裕 監 "心臓血管外科の術後管理と補助循環"，日総研出版，pp177-182，2012より引用，一部改変)

看護の視点

・退院支援教育では，トラブルの早期発見と適切な対応などの教育やトラブルシューティングを行います．
・医療機関への緊急連絡方法の指導も重要です．

多職種で連携し包括的にトレーニングを進め，家族を含めた退院支援を行う

- 植込型 VAD 装着手術から全身状態が安定し一般病棟へ移動すると，早期に貫通部管理の教育が開始されます．医療者の実施から徐々に見守りでの実施，自己消毒・管理に移行していきます．固定管理には時間をかけて指導していきます．長期間の管理が必要となるため，それぞれの患者の貫通部の特徴や ADL を踏まえたうえでの管理方法の指導が必要になります．
- 機器のトレーニングは，臨床工学技士が主導となり実施していきます．重要項目の説明やデモンストレーション機器を用いた体験学習を行い，最終的には確認テストを行います．
- 重症心不全管理は慢性心不全認定看護師の視点から，内服，食事管理は薬剤師，管理栄養士が指導を行います．それぞれ患者の理解状況をアセスメントしながら多職種チームで進めていきます．
- 看護師は，直接的な実践以外にもコーディネータとしての役割も担います．医療者間および医療者—患者・家族の橋渡しをして，ケアやトレーニングのスケジュール調整や支援体制の整備も行う必要があります．

看護の視点

・貫通部管理トレーニングでは，衛生・セルフモニタリング・固定管理の指導を行います．これらの項目を患者の理解度を確認しながら進めていきます．
・機器管理では安全に行うことができているかを評価します．
・多職種からの専門的な教育を行います．
・看護師はこれらのトレーニングが滞りなく行われるよう調整するコーディネータとしての役割も担います．

参考文献

1）許　俊鋭 編：“実践！ 補助人工心臓治療チームマスターガイド”．メジカルビュー社，2014
2）日本人工臓器学会 監：“必携！ 在宅 VAD 管理”．はる書房，2019
3）道又元裕 監：“心臓血管外科の術後管理と補助循環”．日総研出版，2012
4）西村元延 監：“最新にして上々！ 補助循環マニュアル”．メディカ出版，2015

（榊原　亮）

IMPELLA®
～補助循環用ポンプカテーテルの仕組みと看護～

- IMPELLA®とは，心原性ショックなど急性心不全患者に対して用いる左室内留置型のポンプカテーテルである．
- VA-ECMO と違い順行性に送血して流量補助を行うため，心負荷軽減，心筋保護，冠血流の改善が期待できる．
- IMPELLA®の効果を得るためには，機器の管理，合併症リスクを理解し，予防的ケアを行うことが重要である．
- 循環補助装置であり，生命維持に直結するため，医療チームで連携した管理，ケアを行うことが大切である．

IMPELLA®の概要

IMPELLA®とは，補助循環・左室補助を行う軸流ポンプを内蔵した心内留置型のカテーテルです

- わが国では，2017 年 9 月より急性心不全・心原性ショックに対し保険適用となった補助循環用ポンプカテーテル①です．
- 経皮的に大腿動脈もしくは腋窩動脈からアプローチし，大動脈弁を越えて左室内に留置します．ポンプカテーテル内のインペラと呼ばれる羽根車が高速回転することで左心室内血液を吸入部より脱血し，上行大動脈に位置した吐出部より順行性に送血し循環補助②を行います 図 1 表 1．補助人工心臓（ventricular assist device：VAD）に分類されます．

① IMPELLA®を使用するには，補助人工心臓治療関連学会協議会インペラ部会により施設認定を受ける必要がある．

② 逆行性送血となる VA-ECMO とは血行動態が大きく異なり，循環補助様式は，左室補助人工心臓（LVAD）と同様となる．

IMPELLA®の効果は 2 つあります

1．血行動態補助効果

- IMPELLA®は，上行大動脈への**順行性に送血し，心拍出の流量補助**を行います．心拍出量の増加，大腿動脈血流増加，平均動脈圧上昇など血流量の増加により臓器灌流不全の改善が期待できます．

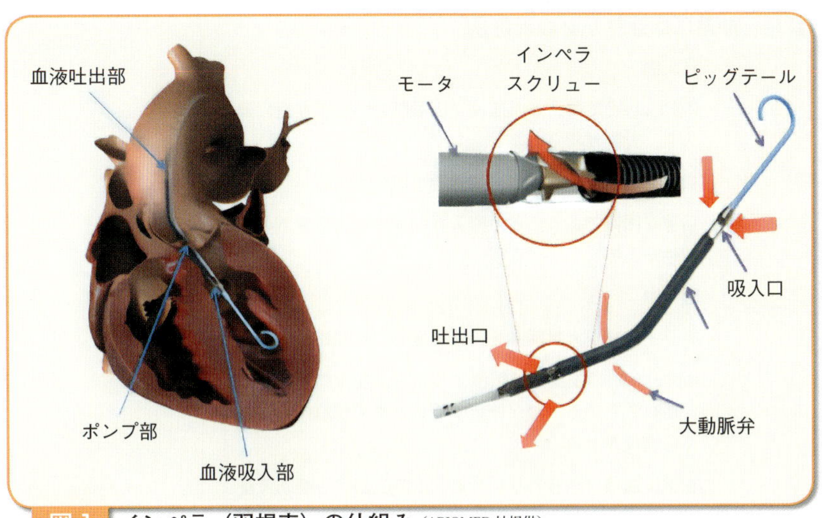

図1 インペラ（羽根車）の仕組み（ABIOMED 社提供）

表1 各デバイスの性能

	IMPELLA® 2.5	IMPELLA® CP	IMPELLA® 5.0
最大補助流量	2.5 L/分	3.7 L/分	5.0 L/分
最大回転数	51,000 rpm	46,000 rpm	33,000 rpm
ポンプ径 （カニュラ最大径）	12 Fr	14 Fr	21 Fr
カテーテル径	9 Fr	9 Fr	9 Fr
挿入方法 挿入場所	経皮的 透視室	経皮的 透視室	カットダウン 手術室
位置モニタリング	位置波形＋モータ波形	位置波形＋モータ波形	位置波形 （位置感知用センサ）
使用日数	5日	8日	10日

2．心負荷低減効果

- 左心機能不全では，心機能低下により心拍出量が低下し，左心負荷の増大，左室拡張末期圧が上昇します．IMPELLA®は左室から脱血し，左室拡張末期圧・左室拡張末期容量を低下させます．これにより，**左室仕事量の低減，総血流量および血圧を上昇させ，心筋保護によって自己心機能の回復が期待**できます．この**効果はVA-ECMOにはなく，IMPELLA®の利点**です．
- さらに，IMPELLA®は，平均動脈圧の上昇，左室拡張末期圧を低下させるため，冠血流の増加も期待できます．

表2　IMPELLA®の禁忌と使用には注意が必要な症例

禁　忌	理　由
大動脈閉鎖不全症（中等度以上）	IMPELLA®で脱血した血液が大動脈から再度左室に流入し，効果が得られない
機械式人工心臓弁（大動脈）	機械弁の損傷や大動脈弁逆流の可能性がある
心室中隔穿孔 閉塞性肥大型心筋症	留置が困難であること，吸入孔閉塞や吐出量低下の可能性がある
使用注意	**理　由**
大動脈弁狭窄症	カテーテルが大動脈弁を通過できない可能性がある
左室内血栓	IMPELLA®は左室内に留置するため，左室内血栓を吸い込むことでモータが停止することや末梢塞栓を生じる可能性がある
右心不全	左室に血液が送られないため，IMPELLA®の補助流量が十分に得られない可能性がある
閉塞性動脈硬化症・大動脈の蛇行	カテーテルの挿入・留置が困難となる可能性がある
出血傾向のある患者	ポンプ内血栓予防のため抗凝固療法を行う．出血リスクが高い症例では注意が必要である

IMPELLA®の適応疾患と禁忌症例 表2

● わが国のIMPELLA®の適応は，補助人工心臓治療関連学会協議会インペラ部会が定める「IMPELLA適正使用指針」に基づき[1)]，「心原性ショック等の薬物療法抵抗性の急性心不全」とされています③．ただし，自己心拍再開をみとめていない症例や，低酸素性脳症が強く疑われ，予後がきわめて不良と想定される症例は禁忌です．

③ 欧米では心原性ショック症例のみならず，PCI中の補助循環（supported PCI）としても使用されている．

④ カテーテル状の位置感知用開口部で得られた圧をカテーテルプラグに内蔵された圧トランスデューサに伝達し，波形で表示したもの．IMPELLA® 2.5とCPでは大動脈圧波形，IMPELLA® 5.0ではパルス状の波形が表示される．

IMPELLA®の機器の構造 図2

● IMPELLA®の制御装置の表示画面には，位置波形④とモータ波形⑤が表示されます 図3 図4．補助レベルを上げるにつれて回転数は増え，流量は増加します．IMPELLA®単独使用の場合，補助レベルは高いほうが左室圧低下と平均大動脈圧上昇を期待できるため，可能なかぎりP8を目指します⑥．

⑤ 吸入部と吐出部の圧差，およびモータ速度によって変動するモータ消費電流を波形で示したもの．

⑥ IMPELLA® 2.5補助レベルP8で肺うっ血の改善をみとめない場合や臓器障害が進行する場合は，5.0へのupgradeを考慮する．右心不全が存在する場合は，VA-ECMOを考慮する．

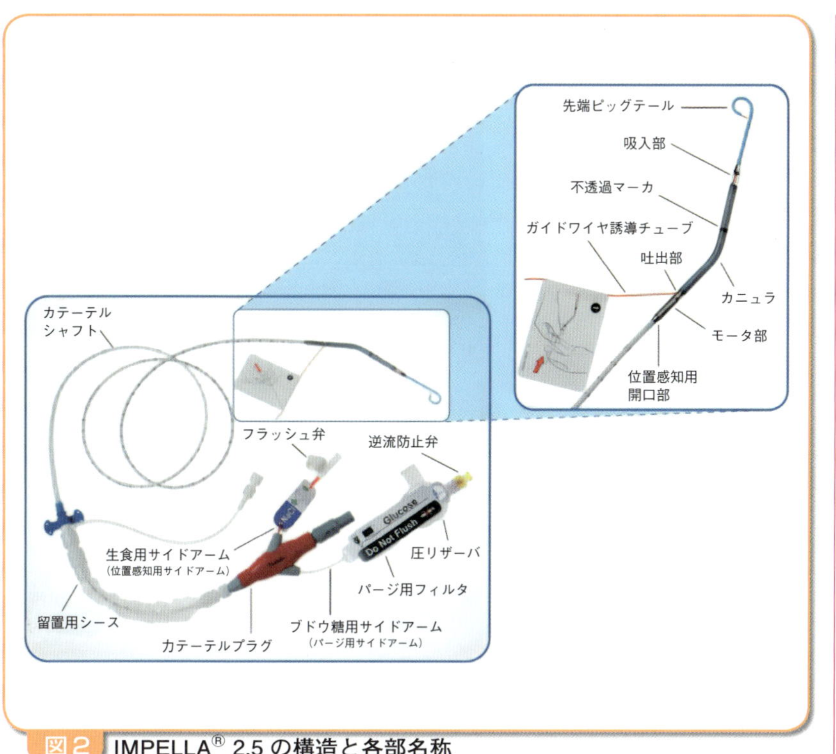

図2 IMPELLA® 2.5 の構造と各部名称

IMPELLA® 2.5，CP のみ生食用サイドアームがついている． （ABIOMED 社提供）

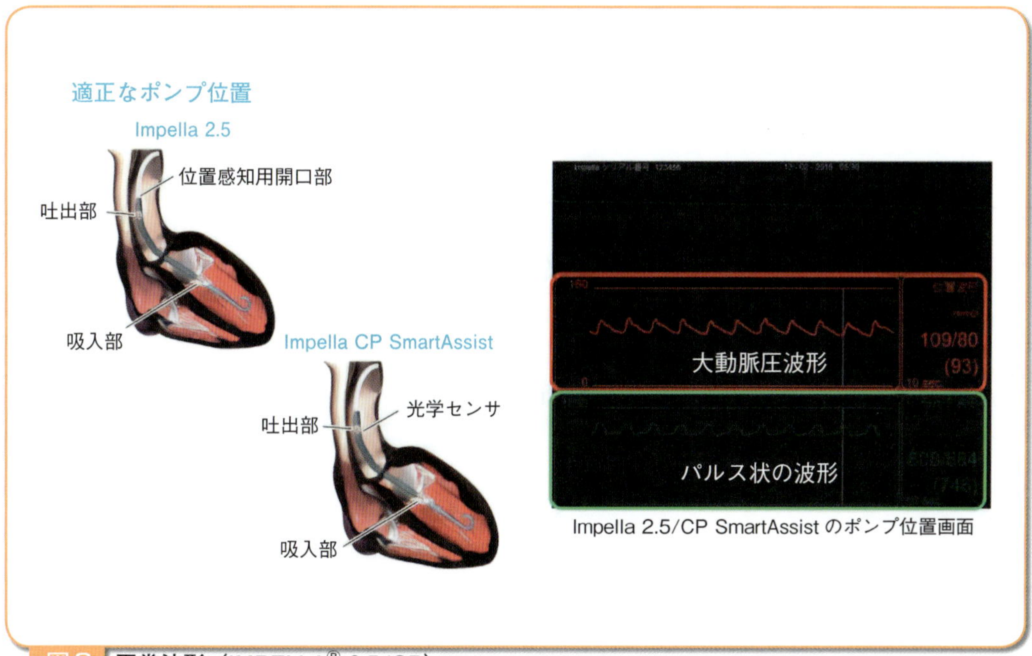

図3 正常波形（IMPELLA® 2.5/CP）

IMPELLA® 2.5，CP は，モータ波形がパルス状の波形，位置波形が大動脈圧波形となる．

（ABIOMED 社提供）

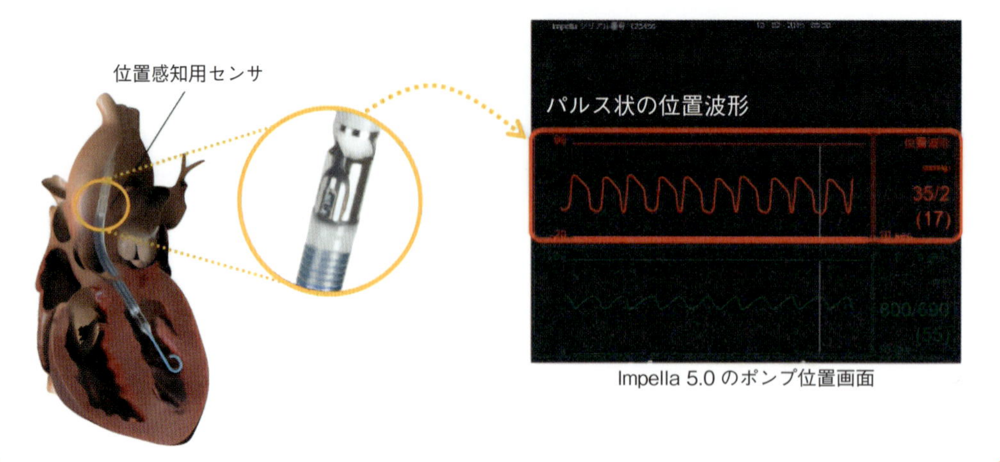

図4 正常波形（IMPELLA® 5.0）

IMPELLA® 5.0 は，位置波形がパルス状の波形となる．（ABIOMED 社提供）

コラム

最新治療！　ECPELLA の血行動態

重度の肺うっ血や右心不全症例では，左室を補助する IMPELLA®のみでの治療効果は期待できません．加えて，重度の心原性ショックでは臓器灌流維持のため，VA-ECMO を挿入し循環補助が必要となります．しかし，VA-ECMO は大腿動脈からの逆行性送血となるため，左室の後負荷を増大させ，自己心機能が低下した症例では左室拡張末期圧上昇から肺うっ血を増悪させます．従来，左室の後負荷を軽減するために IABP®が併用されてきました．IMPELLA®の登場によって ECMO＋IMPELLA®を組み合わせた ECPELLA としての循環管理戦略が行われるようになりました．ECPELLA は，合併症の頻度を増加させることなく，生存率を改善することが報告されています．

IMPELLA®装着中の管理

血行動態・循環血液量モニタリング

- IMPELLA®は血行動態に影響を及ぼすため，心拍数，平均血圧，中心静脈圧，肺動脈楔入圧，心拍出量，心係数，肺動脈圧，混合静脈血酸素飽和度など経時的に評価をします．また，低心拍出量症候群症状（末梢血管収縮による四肢冷感，蒼白，チアノーゼ，血圧低下，尿量低下など）の観察，採血データ（乳酸，肝臓，腎機能データなど）を確認し，組織循環の評価も行います．IMPELLA®の流量補助は，定常流であるため，脈圧の低下や消失が起こります．そのため，血圧の評価は，臓器灌流の指標となる平均血圧が重要となります．IMPELLA®補助により平均動脈圧は上昇し，左室拡張末期圧（肺動脈楔入圧）は低下します．

- 右心不全を併発すると，右心系から左心系に十分な血液が流れず，IMPELLA®の補助効果が得られにくくなります．そのため，NOの使用や強心薬，補液などを行い，右心機能を維持，左室虚脱によるサッキング⑦にも注意が必要です．強心薬は酸素需要量を上昇させるため必要最低限にし，心筋障害を予防します．

看護の視点

- IMPELLA®の補助開始後は，平均血圧，左室拡張末期圧（肺動脈楔入圧）を観察し，効果が得られているか確認します．
- 血行動態のパラメータ，循環血液量の指標となる中心静脈圧や水分出納バランスの経時的なモニタリングを行います．
- VSの変動や低心拍出量症候群症状出現時，サクション⑧アラームが生じた場合などは，医師へ報告します．

⑦ **サッキング**
右心不全や脱水などにより循環血液量の低下にともない左室内腔が虚脱することや，カテーテル位置不良により，吸入部が左室壁に吸いついてしまう現象のこと．

⑧ **サクション**
脱水傾向，右心不全を併発している場合には，右心室から血液が送られてこないため循環補助が制限される．そのような場合，サクションアラームが鳴る．

留置位置の確認

- IMPELLA®カテーテル先端の留置位置は表3に示します．IMPELLA®の刺入部は固定されていても，体位変換，IMPELLA®の回転数，自己心機能の回復などで容易に先端位置がずれてしまいます．吸入部が大動脈弁の4 cm以上下側や吐出部が大動脈弁の近位にある場合，吸入部・吐出部とも大動脈内に移動してしまうことで脱血の阻害や弁・腱索・乳頭筋損傷，心室性不整脈（心室性期外収縮，心室頻拍，心室細動）の出現といった重篤な合併症をひき起こします．また，体格が小柄な方や左室壁肥厚がある方，心不全が改善し心腔が小さくなった場合も，ポンプが弁などの左室内構造物に当たりやすくなります．ポンプ位置が不適切時には，アラームが発生します図5．医師へ報告し，補助レベルをP2まで下げ，透視下または心エコーを用いて位置調整を行います．

表3 IMPELLA®の留置位置

適切な留置位置 IMPELLA®カテーテルの先端が心尖方向に向くように調整する	
吸入部	僧帽弁や乳頭筋などの左室内構造物に接触していない 大動脈弁下3.5 cmに位置する
吐出部	大動脈弁に接触せず，大動脈弁より上部に位置する

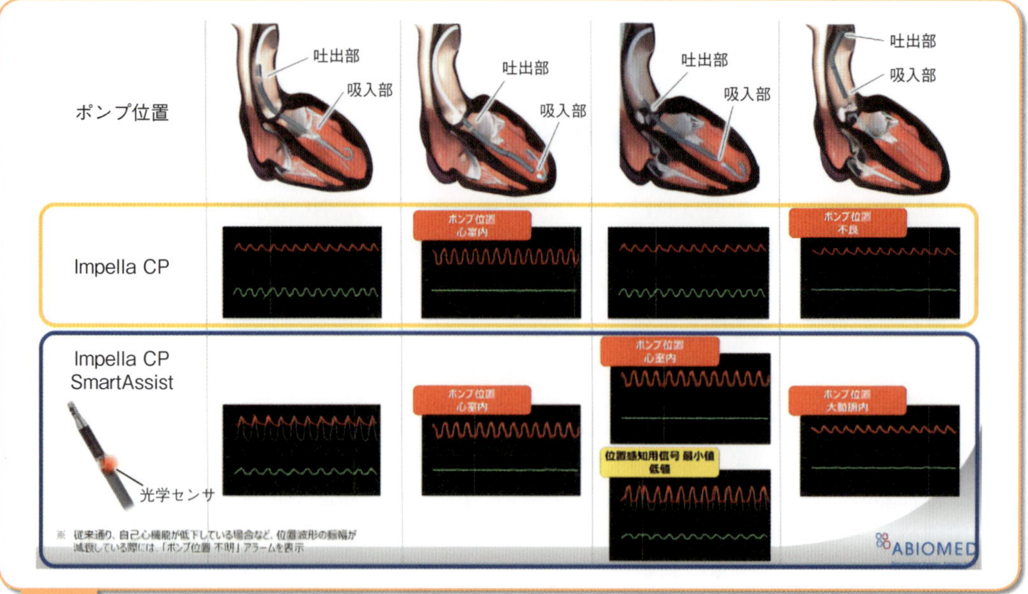

図5 ポンプ位置の異常時波形

（ABIOMED 社提供）

看護の視点

・毎日の胸部X線や心エコーで医師と留置位置を確認します．
・制御装置のポンプ位置，位置波形，モータ波形はモニタリングし，体位変換後は必ず波形の変化がないか確認します（図3～5）．

制御装置の観察

●制御装置が正常に作動しているか，施設ごとの基準に沿い観察を行います．

IMPELLA®カテーテルの確認

・留置用シースの固定リングがロックされているか 図6 図7
・シャフト深度マーカ（数値の変化がないか）
・刺入部に出血や血腫がないか，ドレッシング材の剥がれはないか
・留置用シースはナートされているか
・カテーテルが屈曲・ねじれていないか確認する
・サイドアームから投薬されていないか（採血も禁止）
・加圧バッグにセットした生理食塩液が 300～350 mmHg で加圧され，輸液のローラクランプが全開になっているか（IMPELLA® 2.5，CP のみ）
・パージ液にヘパリンが添加されているか，パージシステムに緩みや折れ曲がりがないか

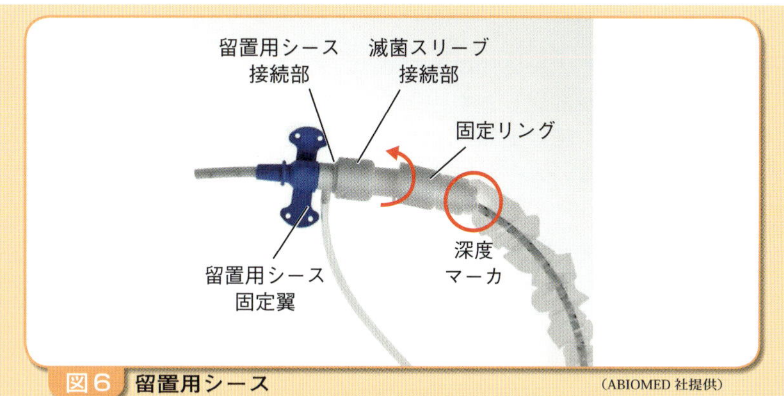

図6 留置用シース （ABIOMED 社提供）

図7 固定リングのロック

制御装置モニタの確認

- AC 電源になっているか，バッテリは充電されているか
- 制御装置のアラームメッセージの有無
- 補助レベル/IMPELLA®流量（最大/最小/平均）
- パージ流量・圧，パージ液投与量
- 位置波形，モータ波形

1．パージシステム[9]

● IMPELLA®はカテーテル内で小型軸流ポンプが毎分 3〜5 万回転しており，駆動中のモータへの血液侵入や発熱によるダメージを防ぐ必要があります．そのため，ヘパリン加ブドウ糖液（パージ液[10]）を持続的にモータへ供給し，血液から保護します．

⑨ **パージシステム**
生理食塩液を使用するとモータが錆びてしまうため，必ず糖液を使用すること．

⑩ **パージ液**
パージ液の構成は，ブドウ糖液 1 mL あたりヘパリン 50 単位で，24 時間持続投与（ヘパリン約 25,000 単位/日）が推奨されています．パージ液流量は，パージシステムによる自動調整（2〜30 mL/時）のため，パージ履歴で確認する．

看護の視点

- カテーテルの位置確認として固定リングはロックされているか，シャフト深度マーカの変化はないか確認します．
- モータ内に血液が侵入するとパージ圧は上昇し，ポンプが停止する可能性があるため，パージ圧・流量の大幅な増減はないか確認します．

IMPELLA®カテーテルの管理

●IMPELLA®カテーテルの刺入角度維持，皮膚圧迫を予防するため，留置用シースの下にガーゼで保護します 図8 ．人工血管を用いるIMPELLA® 5.0は，より刺入角度が必要となります．出血がなければ穿刺部を観察しやすいよう透明フィルムドレッシング材を貼付し，位置調整ができるよう固定リングは覆わないようにします．

看護の視点

- 刺入部からの出血や滲出液を生じている場合は，テープが剥がれやすくなるため注意が必要です．
- サイドアームの屈曲予防，圧リザーバをベッド柵などに挟み破損しないよう注意します．たとえばガーゼや創傷被覆保護材，シーネなどを用いて体幹や下肢に固定するとよいです．
- カテーテルを大腿動脈から挿入している場合は，下肢屈曲によりカテーテルが抜去されないよう関節を跨がない位置にテープで固定します．

1．抗凝固療法

●IMPELLA®挿入中は，血栓予防を目的に抗凝固療法が必要です．ACT（活

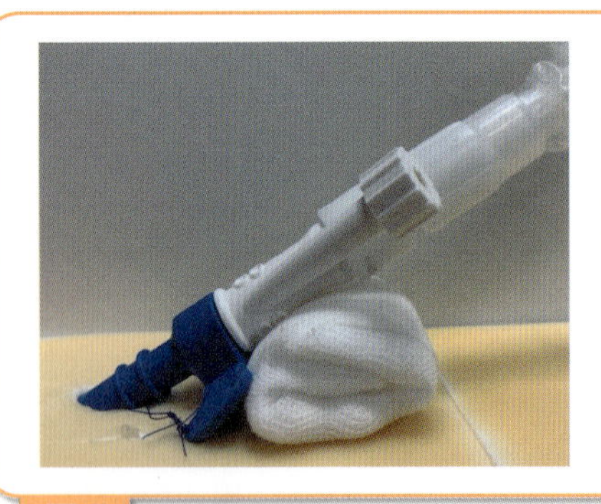

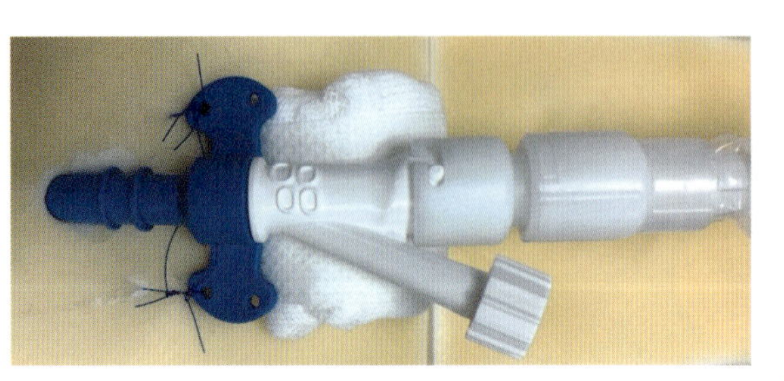

図8 刺入部の固定

（ABIOMED 社提供）

性化凝固時間）は160〜180秒，APTT（活性化部分トロンボプラスチン時間）は60〜70秒で管理します．パージ液にもヘパリンが含まれるため，静脈注射から投与するヘパリンと併せて抗凝固療法を評価します．VA-ECMO併用中は高めのACTコントロールを優先して管理します．ACTもしくはAPTTの測定は留置後8時間までは2時間ごと，留置8〜24時間までは4時間ごと，留置24〜48時間までは8時間ごと，48時間〜抜去までは12時間ごとに行います．

看護の視点

・医師の指示に沿い採血を実施し，ヘパリンの調整を行います．
・易出血となるため，刺入部からの出血や血栓症状の観察を行います（次ページ「IMPELLA®装着中の患者の合併症」参照）．

2．体位管理

● ベッドの挙上は30°まで上げることができ，側臥位も可能です．鎖骨下動脈から挿入している場合は，座位や立位も実施できます．しかし，血行動態や体格など患者要因も影響するため，IMPELLA®が正常に作動するよう安静度は医師と調整が必要です．大腿動脈から挿入の場合は，カテーテルが屈曲しないよう，下肢の抑制を検討します．

看護の視点

・体位変換後は，IMPELLA®が抜けていないかマーキング位置を確認します．
・体位変換時にサクションアラームが一時的に鳴る場合は問題ありませんが，アラームが持続する場合はすぐに医師へ報告します．

3．皮膚障害・褥瘡予防

● IMPELLA®装着中の患者は，臥床や下肢の安静，自力体位変換が困難であることが多いです．また，低栄養状態や循環不全により皮膚は脆弱な状態となり，固定テープやMDRPU（医療関連機器圧迫創傷）など皮膚トラブルを生じやすくなっています．

看護の視点

・定期的な除圧，体圧分散マットレスの使用，皮膚の状態に適したドレッシング材やテープの選択，保湿剤の塗布，栄養状態を評価し，褥瘡予防に努めます．

4．集中治療後症候群（post intensive care syndrome：PICS）予防

● 安静や活動制限にともないICU-AWなどの筋力低下や拘縮，尖足など

編者メモ

集中治療後症候群（post intensive care syndrome：PICS）

ICUに入室中あるいはICU退室後に生じる身体障害，認知機能，精神障害のことをいいます．身体障害には肺機能障害，神経筋障害，全般的身体機能障害などがあり，ICU-AWも含まれます．認知機能障害には，注意力低下，実行機能の障害，認知処理速度の低下などがあり，日常生活に支障をきたします．多くのICU退室後患者が経験しているといわれ，QOL低下や家族の介護負担につながります．精神障害はうつ，不安の基礎疾患だけでなく，心的外傷後ストレス障害（post traumatic stress disorder：PTSD）も含みます．PTSDは10〜50％の患者が発症するといわれています．
また，ICU退室後の患者だけでなく，多くの家族も長期間，不安などに苦しんでいるといわれ，PICS-Fとして発症することがあります．このような家族が抱えるストレスは，家族の健康問題や心身のQOLを悪化させることがあるため，看護ケアの対象となります．
［山中］

ICU-AW（ICU acquired weakness）

重症患者がICU入室後に左右対称性の四肢筋力低下を呈する病態（神経筋合併症）のことです．所見として，廃用症候群とは異なる脱力や筋萎縮，感覚障害を認めます．全身性炎症，長期安静などで起こり，タンパク分解の亢進による神経軸索や筋細胞の変性をともなうことが原因の一つとされています．鎮静されている患者は不動であることが多く，早期発見が難しくなります．早期リハビリテーションが重要です．
［山中］

を生じる可能性は高く，患者の長期予後にも影響します．また，長期の鎮静管理，治療によるさまざまな苦痛や制限，ICU の環境，不安や不眠などのストレスや精神的苦痛の増強は，せん妄発症のリスクも高めます．

看護の視点

・ABCDEFGH バンドルを活用し，患者の身体機能維持，認知・精神機能障害の予防に努めましょう．
・患者家族ともコミュニケーションをとり，家族の現状理解の支援や心身の苦痛への緩和ケアも行いましょう．

編者メモ

ABCDEFGH バンドル

PICS の発症予防・低減のために実施します．さらに，このなかの **F G H** は PICS-F にも関係します．

A	Awaken the patient daily: sedation cessation	(毎日の覚醒トライアル)
B	Breathing: daily interruptions of mechanical ventilation	(毎日の呼吸器離脱トライアル)
C	Coordination: daily awakening and daily breathing	(**A**+**B** の毎日の実践)
	Choice of sedation or analgesic exposure	(鎮静・鎮痛薬の選択)
D	Delirium monitoring and management	(せん妄のモニタリングとマネジメント)
E	Early mobility and exercise	(早期離床)
F	family involvement	(家族を含めた対応)
	follow-up referrals	(転院先への紹介状)
	functional reconciliation	(機能的回復)
G	Good handoff communication	(良好な申し送り伝達)
H	Handout materials on PICS and PICS-F	(PICS や PICS-F についての書面での情報提供)

https://www.jsicm.org/provider/pics/pics06.html

［山中］

IMPELLA®装着中の患者の合併症

1．血管合併症（出血・血腫）

● IMPELLA®装着中は抗凝固療法が必須です．出血や血管合併症を生じるリスクがあります．また，機械的損傷による血小板減少や侵襲的な治療にともなうストレスからも出血傾向となります．

看護の視点

・刺入部だけでなく，吸引や口腔ケアの刺激による粘膜や消化管出血や脳出血リスクも高くなります．フィジカルアセスメントを行い，異常の早期発見に努めましょう．

2．溶　血

● ポンプ吸入部の位置の問題，脱水などボリューム不足時には左室内腔が小さくなりサクション不良を生じます．これらが要因となり，溶血を生じることがあります．溶血時には，LDH やビリルビンの上昇，ヘモグロビン低下，血尿をともないます．

看護の視点

・定期的に留置位置を確認することが重要です．脱水時には，補液投与や補助レベルを下げます．

3. 血　栓

●血栓は形成されやすく，脳梗塞などの臓器障害を生じる可能性があります．

看護の視点

・意識レベルや神経症状，腹部症状などフィジカルアセスメントが重要です．

4. 下肢虚血

●IMPELLA®カテーテルはIABPより太いシース⑪が挿入されるため，下肢虚血のリスクがあります．

⑪ カテーテルの太さの比較
IMPELLA® 2.5：12 Fr
IMPELLA® CP：14 Fr
IMPELLA® 5.0：21 Fr
VS
IABP：7〜8 Fr
VA-ECMO：4〜19 Fr

看護の視点

・定期的に挿入部より末梢側の血流障害の有無を確認します．末梢動脈の触知が困難な場合は，ドップラーを用いて確認します．

5. 感　染

●IMPELLA®挿入患者は，循環不全を生じているため全身状態は悪く，免疫機能低下をきたしやすい状態です．その他，気管内挿管，中心静脈カテーテル，尿道留置カテーテルなどもあり，感染のリスクはより高くなります．

看護の視点

・感染予防管理の徹底，カテーテル刺入部の感染徴候の有無を観察します．
・大腿動脈に留置している場合は，排泄物による汚染にも注意が必要です．

IMPELLA®から離脱に向けた評価

ウィーニング⑫

●循環動態が安定している場合は，補助レベルを低下させ，循環動態が安定していること，心エコー，血液データ上問題がないかを確認します．IMPELLA® 2.5ではP2，IMPELLA® CP，5.0ではP1とし（IMPELLA®の流量を1 L/分は保つ），それ以下の補助レベルで長期留置するとポンプ内を血液が逆流し（大動脈弁閉鎖不全），心負荷となる可能性があるためできません．

⑫ 離脱評価基準
・急性心不全の引き金となった事象が是正されている
・心拍動性が増加する
・適正な酸素化
・左室駆出率（LVEF）>20〜25%
・強心薬が最低限もしくは離脱している状態で，IMPELLA®補助レベルP2とし，平均血圧>60〜65 mmHg，心係数>2.2 L/分/m²

看護の視点

・補助レベルを下げると補助流量は減るため，心機能の回復程度に応じて循環動態に変動を生じます．血行動態のモニタリングを行い異常の早期発見に努めます．

抜　去

- 補助レベル P2 へ変更後も循環変動がなく，医師が抜去可能と判断した場合は，補助レベル P2，ACT が 150 秒以下になったら補助レベル P0 にして IMPELLA®を抜去します．抜去後は，医師の判断により約 40 分間の徒手的止血圧迫または血管縫合を行います．

看護の視点

・抜去部から出血がないか確認を行います．
・大腿動脈より挿入していた場合は，徒手的圧迫時に下肢血流が阻害されないようドップラーで血流確認を行いながら実施します．

コラム

心肺蘇生法（CPR）の対応：胸骨圧迫の是非

心肺蘇生が必要なときには，IMPELLA®の補助レベルを P2 まで下げ，ただちに CPR を開始します．胸骨圧迫により，IMPELLA®の先端位置が移動する可能性があり，大動脈弁の損傷や吸入口がバルサルバ洞になると冠血流の低下をきたすためです．心拍再開後は，心エコーなどで位置の確認を行ってから元の補助レベルに戻します．また，VT・VF 出現時でも平均血圧 60 mmHg 程度維持できていれば胸骨圧迫は不要です．除細動器の使用は問題ありません．平均血圧が維持できないときや心肺停止時はただちに医師へ報告しましょう．

参考文献

1）補助人工心臓治療関連学会協議会インペラ部会：IMPELLA 適正使用指針，2021 年 4 月 1 日改訂（第 4 版）．https://j-pvad.jp/guidance/（2021 年 11 月閲覧）
2）IMPELLA テキストブック．日本アビオメッド

（矢口　和）

IV

文献レビュー

開胸術後の疼痛管理

～今の疼痛管理で十分ですか？～

術後２年経過しても約１割の人に疼痛が残ります

心臓手術後の疼痛に関しては，長年さまざまな取り組みがされてきましたが，依然私たちが取り組まなければならない課題だといえます．疼痛は早期離床を阻害し，合併症やせん妄をひき起こす大きな要因となる[1～4]ことは，皆さんよくご存知のことだと思います．集中治療室に入室した患者のいちばんのストレスは疼痛であった[5]という報告もあり，疼痛は精神的にも苦痛をまねきます．心臓手術後の疼痛は，安静時にも生じており，術後1～3日頃に胸骨付近でもっとも強く出現します．とくに咳や体位変換時には強い痛みを感じます．これは30年前の研究結果[6]と変わっておらず，最近の研究でも同様の結果が報告されている[7～9]ことから，疼痛管理は改善すべき問題であることがわかります．2006年に報告されたCABG後の患者213人を対象としたコホート研究では，術後の痛みは患者自身が予想していたより強く，49％が安静時にも強い痛みを感じていました[10]．

この術後疼痛は，手術直後だけに生じるわけではありません．開胸術後疼痛症候群（post thoracotomy pain syndrome：PTPS）とよばれ，開胸術を受けた後に慢性的に生じる疼痛のことを指します[11]．開閉胸に関する肋間神経への障害が主因といわれていますが，明確な機序はわかっていません．

心臓手術後の患者1,247人に調査した研究では，術後3ヵ月で40.1％，6ヵ月で22.1％の患者に疼痛があったと報告しています．さらに驚くことに術後2年経過しても9.5％に慢性疼痛が残っており，そのうち3.6％が中程度から強めの痛みを抱えていました[12]．736人に調査した他の研究でも，術後1～3年で23％に術後慢性疼痛があると報告しています[13]．

慢性疼痛がある患者は，疼痛のない患者に比べQOLが低く，不安やうつの割合が高く[14]，退院後の生活に疼痛が大きな影を落としていることがわかります．

1）Kiecolt-Glaser JK, Page GG, Marucha PT et al：Psychological influences on surgical recovery. Perspectives from psychoneuroimmunology. Am Psychol 53：1209-1218, 1998

2）Akça O, Melischek M, Scheck T et al：Postoperative pain and subcutaneous oxygen tension. Lancet 354：41-42, 1999

3）Ballantyne JC, Carr DB, deFerranti S et al：The comparative effects of postoperative analgesic therapies on pulmonary outcome：Cumulative meta-analyses of randomized, controlled trials. Anesth Analg 86：598-612, 1998

4）Beattie WS, Buckley DN, Forrest JB：Epidural morphine reduces the risk of postoperative myocardial ischaemia in patients with cardiac risk factors. Can J Anaesth 40：532-541, 1993

5）Gélinas C, Arbour C, Michaud C et al：Patients and ICU nurses' perspectives of non-pharmacological interventions for pain management. Nurs Crit Care 18（6）：307-318, 2013

6）Puntillo KA：Pain experiences of intensive care unit patients. Heart Lung 19：526-533, 1990

7) Mueller XM, Tinguely F, Tevaearai HT et al：Pain location, distribution, and intensity after cardiac surgery. Chest 118（2）：391-396, 2000

8) Milgrom LB, Brooks JA, Qi R et al：Pain levels experienced with activities after cardiac surgery. Am J Crit Care 13（2）：116-125, 2004

9) Mello LC, Rosatti SF, Hortense P：Assessment of pain during rest and during activities in the postoperative period of cardiac surgery. Rev Lat Am Enfermagem 22（1）：136-143, 2014

10) Lahtinen P, Kokki H, Hynynen M：Pain after cardiac surgery：A prospective cohort study of 1-year incidence and intensity. Anesthesiology 105：794-800, 2006

11) Karmakar MK, Ho AM：Postthoracotomy pain syndrome. Thorac Surg Clin 14（3）：345-352, 2004

12) Choinière M, Watt-Watson J, Victor JC et al：Prevalence of and risk factors for persistent postoperative nonanginal pain after cardiac surgery：A 2-year prospective multicentre study. CMAJ 186（7）：E213-223, 2014

13) Taillefer MC, Carrier M, Bélisle S et al：Prevalence, characteristics, and predictors of chronic nonanginal postoperative pain after a cardiac operation：A cross-sectional study. J Thorac Cardiovasc Surg 131（6）：1274-1280, 2006

14) Bruce J, Drury N, Poobalan AS et al：The prevalence of chronic chest and leg pain following cardiac surgery：A historical cohort study. Pain 104（1-2）：265-273, 2003

とくに疼痛管理を重点的に行う必要がある人たちがいます

術後慢性疼痛をもつ患者の特徴として，術後1週間，とくに3日目までの痛みが強かった者，55歳以下の若い者，術前から狭心症などで痛みがあった者が挙げられています[12〜14]．また，術前に不安が強い，うつ傾向にあった人も術後疼痛が強く出るとされています[15]．

もちろんすべての患者に疼痛管理を行わなくてはいけませんが，これらの患者はとくに注意をして疼痛管理を行う必要があります．

術後慢性疼痛が生じるメカニズムは複雑ですが，入院中の疼痛管理が術後慢性疼痛を減らす[16]といわれています．入院中の疼痛管理は，退院後の患者の生活にも大きな影響を与える，とても重要なケアなのです．

15) Khan RS, Skapinakis P, Ahmed K et al：The association between preoperative pain catastrophizing and postoperative pain intensity in cardiac surgery patients. Pain Med 13（6）：820-827, 2012

16) Mazzeffi M, Khelemsky Y：Poststernotomy pain：A clinical review. J Cardiothorac Vasc Anesth 25（6）：1163-1178, 2011

自分から痛いという患者は4割しかいません！

Yorkeは患者と看護師間での疼痛管理に関するコミュニケーションについて，102人の患者に調査をしました．それによると，看護師に痛みについて毎回伝えたと答えた患者は45.1％しかいませんでした[17]．鎮痛薬についての考えを379人の患者に調査した研究では，31％が鎮痛薬の使用は，薬物依存になるのではないかと心配し，20％が何もいわないのがいい患者であると思い，36％が我慢できないくらいの痛みのときにのみ，薬は使うべきであると答えています[18]．

このように患者は，疼痛管理について誤った知識をもっていたり，疼痛緩和に積極的でなかったりすることがあります．術前に疼痛管理の重要性，必要性を教育することが大切ですし，術後も看護師が積極的に患者に痛みを問うていかねばなりません．

17) Yorke J, Wallis M, McLean B：Patients' perceptions of pain management after cardiac surgery in an Australian critical care unit. Heart Lung 33（1）：33-41, 2004

18) Cogan J, Ouimette MF, Vargas-Schaffer G et al：Patient attitudes and beliefs regarding pain medication after cardiac surgery：Barriers to adequate pain management. Pain Manag Nurs 15（3）：574-579, 2014

3割しか看護師は患者の痛みに気づいていません!?

一方，患者はICUでの疼痛管理にほぼ満足していたという研究結果も出ています．しかしながら，痛みを感じたとき，看護師はいつも気づいてくれたと答えた者はわずか32.4 %[17]しかいませんでした．また，中程度から重度の痛みがあるときに，鎮痛薬を処方されたと答えた患者は47 %しかいなかった[19]というデータもあります．

クリティカルケア領域で疼痛管理の妨げとなっていることとして，コミュニケーション，時間の制約，看護師の知識不足が挙げられています[20]．挿管中や鎮静，病状が不安定などで患者が言語で表現することができないためコミュニケーションがとりづらかったり，時間的制約のため，看護師が疼痛アセスメントを優先的に行わなかったりする[21]と指摘した文献もあります．

看護師は患者の痛みを低く見積もる傾向にある[22〜24]という結果も出ていますので，私たち看護師は，患者の疼痛を捉えきれていない可能性が常にあると自覚する必要があるでしょう．

19) Watt-Watson J, Stevens B, Garfinkel P et al：Relationship between nurses' pain knowledge and pain management outcomes for their postoperative cardiac patients. J Adv Nurs 36（4）：535-545, 2001

20) Shannon K, Bucknall T：Pain assessment in critical care：What have we learnt from research. Intensive Crit Care Nurs 19（3）：154-162, 2003

21) Alpen MA, Titler MG：Pain management in the critically ill：What do we know and how can we improve? AACN Clin Issues Crit Care Nurs 5（2）：159-168, 1994

22) Drayer RA, Henderson J, Reidenberg M：Barriers to better pain control in hospitalized patients. J Pain Symptom Manage 17（6）：434-440, 1999

23) Duignan M, Dunn V：Congruence of pain assessment between nurses and emergency department patients：A replication. Int Emerg Nurs 16（1）：23-28, 2008

24) Jeong IS, Park SM, Lee JM et al：Perceptions on pain management among Korean nurses in neonatal intensive care units. Asian Nurs Res 8（4）：261-266, 2014

共通の痛み評価スケールを使用しましょう

できるだけ正しく患者の疼痛をアセスメントするために，日本集中治療医学会は痛みに関するガイドラインで，共通の痛み評価スケールを使用することを推奨[25]しています．痛みは主観的なものであるため，患者自身に疼痛の程度，場所，種類，どういったときに痛みが生じるかなどを述べてもらうことが大切です．患者が痛みを自己申告できる場合はNRSやVisual analogue scale，挿管中などで自己申告できないときはBPSやCPOT[25, 26]を使用しましょう．

また，バイタルサインだけでは痛みの評価はできません．バイタルサインは苦痛があるときだけではなく他の要因でも変化しますし，逆に苦痛があっても変化をきたさないこともあります[27]．必ず痛み評価スケールを用いて評価していきましょう．

25) 日本集中治療医学会J-PADガイドライン作成委員会：日本版・集中治療室における成人重症患者に対する痛み・不穏・せん妄管理のための臨床ガイドライン．日集中医誌21：539-579, 2014

26) 日本呼吸療法医学会人工呼吸中の鎮静ガイドライン作成委員会 妙中信之 他：人工呼吸中の鎮静のためのガイドライン．人工呼吸24：146-167, 2007

27) Siffleet J, Young J, Nikoletti S et al：Patients' self-report of procedural pain in the intensive care unit. J Clin Nurs 16：2142-2148, 2007

薬物を使わない疼痛緩和も併用しましょう

疼痛緩和には薬物を使用しない手段もあり，Pölkki は 5 つに分類しています[28]．5 つとは，①認知行動，②身体，③感情サポート，④日常生活への援助，⑤快適な環境づくりです．①認知行動に働きかけるものとしては術前教育や深呼吸，イメージングなど，②身体は，マッサージ，タッチング，冷罨法，ポジショニングなど，③感情サポートは，アクティブリスニング，ポジティブな部分へ目を向けるように促す，家族の付き添いなど，④日常生活への援助は，清拭や体動時の援助，⑤快適な環境づくりは，環境整備，静かな部屋を提供するなどがあります．

非薬物療法での疼痛緩和について，ランダム化比較試験で効果が強く証明されているものは数少ないです．しかし患者の嗜好にあえば効果もあるというインタビュー調査もあります[29]ので，患者と相談しながら取り入れてみましょう．

28) Pölkki T, Vehviläinen-Julkunen K, Pietilä AM：Nonpharmacological methods in relieving children's postoperative pain：A survey on hospital nurses in Finland. J Adv Nurs 34（4）：483-492, 2001

29) Gélinas C, Arbour C, Michaud C et al：Patients and ICU nurses' perspectives of non-pharmacological interventions for pain management. Nurs Crit Care 18（6）：307-318, 2013

退院時のオリエンテーションに疼痛管理も入れましょう

退院後の最初の 6 ヵ月間は，疼痛や睡眠障害をはじめとした術後の症状があり[30]，日常生活を取り戻すのに患者は苦労しています．また，退院後も疼痛が続くことに関して，予想していたより痛みが長く続くと感じているようです[31]．

ある研究では 44 %が入院中に退院時の教育を受けていましたが，退院時教育は不十分であったとの報告もあります[32,33]．日本でも年々入院期間が短縮される状況ですので，退院時教育でも疼痛管理の項目を作り，疼痛がしばらく続くかもしれないことや，日常生活のなかでの対処方法も伝える必要があるでしょう．

30) Zimmerman L, Barnason S, Young L et al：Symptom profiles of coronary artery bypass surgery patients at risk for poor functioning outcomes. J Cardiovasc Nurs 25（4）：292-300, 2010

31) Koivunen K, Isola A, Lukkarinen H：Rehabilitation and guidance as reported by women and men who had undergone coronary bypass surgery. J Clin Nurs 16（4）：688-697, 2007

32) Banner D, Miers M, Clarke B et al：Women's experiences of undergoing coronary artery bypass graft surgery. J Adv Nurs 68（4）：919-930, 2012

33) Gao FJ, Yao KP, Tsai CS et al：Predictors of health care needs in discharged patients who have undergone coronary artery bypass graft surgery. Heart Lung 38（3）：182-191, 2009

今いちど疼痛管理の見直しを

疼痛管理は基本的なケアですので，「私は大丈夫，できている」と思われている方も多くいらっしゃるでしょう．言うまでもありませんが，疼痛管理の鍵を握るのは看護師です．当たり前のケアですが，もう一度日々行っている疼痛管理を見直してみてはいかがでしょうか．

（梅田 亜矢）

索引

す

せ

そ

た

ち

つ

て

と

な

に

ね

の

は

U

V

W

Y

編者略歴

山中源治
日本赤十字看護大学 看護学部

久留米大学医学部看護学科卒
2002年　東京女子医科大学病院 心臓ICU/CCU
2011年　急性・重症患者看護専門看護師
（専門は補助人工心臓看護）
心臓外科病棟・外来で活動
2016年　東京医科歯科大学大学院看護学博士
2022年～　日本赤十字看護大学看護学部

小泉雅子
東京女子医科大学大学院 看護学研究科

2007年　東京女子医科大学
看護学研究科博士前期課程修了
2008年　急性・重症患者看護専門看護師取得
（循環器・呼吸器看護）
2016年～　同　大学看護学部成人看護学/大学院
看護学研究科クリティカルケア看護学 准教授

2015年 6月16日発行　第1版　第1刷
2022年 5月20日発行　第2版　第1刷
2024年10月30日発行　第2版　第2刷

徹底ガイド
心臓血管外科 術後管理・ケア 第2版

編集：山中源治，小泉雅子

ISBN 978-4-88378-459-2

発行者　渡辺嘉之
発行所　株式会社 総合医学社
〒101-0061
東京都千代田区神田三崎町1-1-4
TEL　03-3219-2920
FAX　03-3219-0410
E-mail　sogo@sogo-igaku.co.jp
URL　https://www.sogo-igaku.co.jp

印　刷　シナノ印刷株式会社